HISTOIRE DES ÉTATS-UNIS

Ouvrages du même auteur

LES GRANDES CRISES DE L'HISTOIRE DE FRANCE. Montréal, Variétés, 1945 (couronné par l'Académie des sciences morales et politiques).

DE PLATON À LA TERREUR (en collaboration avec Jacques Lacour-Gayet), Paris, Spid, 1948.

LA FRANCE AU XXᵉ SIÈCLE. New York, The Dryden Press, et Paris, Hachette, 1954 (couronné par l'Académie française).

LA VIE QUOTIDIENNE AUX ÉTATS-UNIS À LA VEILLE DE LA GUERRE DE SÉCESSION. Paris, Hachette, 1958 (couronné par l'Académie française).

LES RENAISSANCES FINANCIÈRES DE LA FRANCE. De saint Louis à Poincaré. Paris, Hachette, 1959 (couronné par l'Académie des sciences morales et politiques).

MÉMOIRES DU COMTE BEUGNOT (1779-1815). Introduction et notes. Paris, Hachette, 1959 (couronné par l'Académie des sciences morales et politiques).

MÉMOIRES DU GÉNÉRAL BARON THIÉBAULT (1792-1820). Introduction et notes. Paris, Hachette, 1962.

CALONNE. Paris, Hachette, 1963 (Grand Prix Gobert de l'Académie française).

MÉMOIRES DU CHANCELIER PASQUIER (1767-1815). Introduction et notes. Paris, Hachette, 1964.

HISTOIRE DU CANADA. Paris, Fayard, 1966 (Prix Historia).

MÉMOIRES DU GÉNÉRAL BARON DE MARBOT (1799-1815). Introduction et notes. Paris, Hachette, 1966.

HISTOIRE DE L'AFRIQUE DU SUD. Paris, Fayard, 1970.

HISTOIRE DE L'AUSTRALIE. Paris, Fayard, 1973 (couronné par l'Académie française).

HISTOIRE DES ÉTATS-UNIS. Des origines jusqu'à la fin de la guerre civile, Paris, Fayard, 1976 (Prix du Nouveau Cercle).

HISTOIRE DES ÉTATS-UNIS. De la fin de la guerre civile à Pearl Harbor, Paris, Fayard, 1977 (couronné par l'Académie française).

Robert Lacour-Gayet

HISTOIRE
DES
ÉTATS-UNIS

de Pearl Harbor
à Kennedy

(1941-1960)

LES GRANDES ÉTUDES HISTORIQUES

/Fayard

Aux historiens américains,
à l'American Library in Paris,
au Centre Benjamin Franklin.

Sommaire

résultats dans une atmosphère de confusion. — Rôle des hommes d'affaires. — Diminution du chômage. — Le plein emploi est réalisé. — « Une guerre pour survivre. » — Peu de romantisme. — L'*homo americanus* se sent, malgré tout, investi d'une mission.

« Le long télégramme ». — Adoption d'une politique plus intransigeante. — Échec du plan Baruch sur l'énergie atomique. — Complexité du problème allemand. — Byrnes définit une nouvelle ligne de
conduite. — Signature de traités de paix avec les anciens alliés de l'Allemagne. — Gravité de la situation en Grèce et en Turquie. — « La
doctrine de Truman ». — Interprétations et conséquences.

Débuts de la guerre froide. — Situation désespérée de l'Europe. —
Objectifs du plan Marshall. — Seize nations européennes bénéficient
de l'aide américaine. — « Le coup de Prague ». — Ratification du plan
Marshall. — Accord interrallié sur la formation d'un gouvernement
ouest-allemand. — Réforme monétaire. — Blocus de Berlin. — Difficultés de Truman en politique intérieure. — Le sénateur Robert Taft.
— Loi Taft-Hartley. — Interdiction d'un troisième mandat présidentiel. — Création d'un Conseil national de sécurité et de la C.I.A. —
James Forrestal, premier Secrétaire de la Défense. — Droits civiques
et « loyauté » des fonctionnaires. — Truman discrédité. — Les démocrates le désignent cependant comme candidat et les républicains lui
opposent Dewey. — Une extraordinaire campagne électorale. — Victoire inattendue de Truman.

Quatre années dramatiques. — Application partielle du « Fair Deal ».
— Une atmosphère passionnée. — Complexité de l'anticommunisme.
— L'affaire Hiss. — Alger Hiss, Whittaker Chambers, Richard Nixon.
— Condamnation de Hiss pour faux serment. — Entrée en scène du
sénateur McCarthy. — Déchaînement d'accusations et de calomnies.
— Scandales administratifs. — Enquête Kefauver. — Chute de la
popularité de Truman. — « Le point 4 ». — Signature du Pacte Atlan-
tique. — Levée du blocus de Berlin. — Première explosion atomique
russe. — Truman décide la fabrication de la bombe à hydrogène. —
Vaste programme de réarmement. — Le problème allemand. — Plan
Schuman. — Projet d'armée européenne. — « Le Grand Débat ».

« Le César du Pacifique ». — Situation catastrophique du Japon. —
Décision de maintenir l'empereur. — Étendue des réformes américaines. — Raisons de leur réussite. — La nouvelle constitution japonaise. — Oscillations de la politique des États-Unis en Chine. — Mission Hurley. — Mission Marshall. — Mission Wedemeyer. — Tchang
Kaï-chek soutenu par des partisans passionnés. — Truman finit par
adopter une politique de non-intervention. — Effondrement des nationalistes. — Constitution de la République populaire chinoise. — Mau-

Avant-propos

Mes lecteurs savent dans quel esprit j'ai abordé l'histoire des États-Unis. La tâche s'est révélée plus vaste encore que je ne le prévoyais. J'avais pensé que deux volumes seraient suffisants. L'expérience m'a montré que le XXe siècle est une période si fascinante de l'épopée américaine qu'il méritait des développements supplémentaires. L'ouvrage que l'on va lire se termine donc à l'élection de Kennedy en 1960, celui qui suivra et clôturera l'œuvre s'arrêtera en 1980.

Peut-être est-il utile de rappeler les idées directrices qui m'ont servi de guide à travers ces années de travail. La première — à mes yeux la plus importante — est ce que j'appellerais la singularité des États-Unis. Je veux dire par là que, en raison même des conditions de leur naissance, ils ne sont à nul autre pareils : toute comparaison ne peut aboutir qu'à des contresens. Fondé sur une idéologie, le pays n'a cessé d'en subir l'influence ; souvent masqué par des ambitions matérialistes, « le rêve américain » a de jour en jour modelé le subconscient national : quiconque se refuse à l'admettre doit se résigner à ne jamais comprendre les États-Unis. Un troisième thème, enfin, m'a soutenu dans les périodes de découragement ; dans le passé sur lequel je me penchais, j'apercevais à tout moment les germes de l'avenir. Impression que me procure, d'ailleurs, chacune de mes « découvertes » des États-Unis depuis plus de cinquante ans. On pourra sourire, car il m'est impossible de prouver ce que je ressens. Mais la conviction est ancrée en moi que l'aventure américaine ne fait que commencer. A l'ouest de l'Atlantique une nouvelle civilisation, aujourd'hui informe, mais déjà bouillonnante de vie, est en train de prendre corps.

Ma documentation eût été incomplète si la rédaction de ce volume n'avait pas été précédée de nombreux voyages. Je remercie de nouveau tous ceux, Américains et Français, dont les œuvres et les conseils se sont révélés si utiles.

A Mr. William K. Payeff, conseiller, chargé à l'ambassade des États-Unis des services de presse et de relations culturelles ; à M. Roger Vaurs, ministre plénipotentiaire, directeur général des relations culturelles au ministère des Affaires étrangères ; à M. Pierre Ledoux, président de la Banque nationale de Paris qui, à des titres divers, m'ont apporté une aide précieuse, j'exprime ma très vive reconnaissance.

Je serais bien ingrat si je ne disais pas à S. Exc. M. François de Laboulaye, ambassadeur de France, et à ses collaborateurs consulaires, toute ma gratitude pour les rendez-vous qu'ils ont arrangés pour moi dans les milieux les plus divers. A la réalisation de ce programme, les Services américains d'information ont contribué de manière constante ; c'est dire que je les associe aux sentiments que je viens d'exprimer.

Rencontrer des historiens du xxᵉ siècle était essentiel. Le Pr Richard S. Kirkendall, secrétaire exécutif de l'Organisation des historiens américains, s'est chargé de cette partie de ma visite avec une courtoisie et une efficacité auxquelles il serait difficile de rendre un hommage suffisant. Que tous ceux qui m'ont consacré un moment de leurs horaires, dont je sais la cadence, soient sûrs que je ne l'oublierai pas.

Me faut-il dire au Pr Garraty à New York, au Pr Mann à Chicago, au Pr Freidel à Boston, au Pr Link à Princeton, quel plaisir ce fut pour moi de les retrouver et quel profit j'ai, une fois encore, retiré de leurs avis ?

Je voudrais que mon ancien collègue de St John's University, le Dr Gaetano L. Vincitorio, sache que j'ai largement utilisé les multiples informations dont il me fait bénéficier avec une bonne grâce qui ne se lasse pas.

Le colonel Pujo m'a fourni des précisions essentielles sur la participation de l'armée française à la guerre de Corée ; M. Bernard Aubé, directeur général adjoint de la Compagnie financière de Suez, a mis à ma disposition la documentation, exceptionnellement complète, que la bibliothèque de sa compagnie possède sur l'affaire de 1956 ; le Pr Jean Tulard, révélant une science aux facettes multiples, m'a signalé les meilleures sources d'information sur le cinéma américain pendant et après la Seconde Guerre mondiale. A tous trois, j'adresse mes plus chaleureux remerciements.

Mme Denise Martin, que mon écriture n'a jamais rebutée, a bien voulu se charger encore de ce manuscrit. Elle me permettra de lui dire à quel point j'apprécie ses qualités exceptionnelles de clarté et de rapidité.

Reste le problème insoluble de l'auteur des cartes et de l'index, correctrice du texte, consolatrice des heures d'angoisse, qui s'obstine à ne pas vouloir être nommée. Je soumets donc ma devinette habituelle à la sagacité de mes lecteurs...

1.

« Le jour d'infamie »

ATTAQUE DE PEARL HARBOR. — LES ÉTATS-UNIS
DÉCLARENT LA GUERRE AU JAPON. — L'ALLEMAGNE ET
L'ITALIE LEUR DÉCLARENT LA GUERRE. — DE DÉSASTRES
EN DÉSASTRES. — ÉTENDUE DES CONQUÊTES JAPO-
NAISES. — SITUATION GRAVE SUR L'ATLANTIQUE. —
POURQUOI PEARL HARBOR EUT-IL LIEU ?

Pearl Harbor, samedi soir, 6 décembre 1941. Une fin de
semaine comme les autres : des couples enlacés regardent les
étoiles ; la musique des cercles d'officiers se propage langou-
reusement dans la douceur moite des nuits hawaiiennes ; de
multiples rendez-vous sont pris pour le lendemain. Étant
convenus d'une partie de golf matinale, le général Short, chef des
forces terrestres et aériennes, et l'amiral Kimmel, commandant
la base navale, se sont retirés de bonne heure. Ils n'ont pas l'esprit libre [1]. Depuis une quinzaine de jours, des instructions

1. Une conversation téléphonique entre un journal japonais et son correspondant à Hawaii, captée la veille, les inquiète. Pourquoi, après avoir
porté sur des questions générales, s'est-elle terminée par un commentaire
inattendu qui ressemble fort à un signal de code ? « Dans l'ensemble, la
végétation est en retard, mais les hibiscus et les poinsettias sont en pleine
floraison. » On découvrit après la guerre qu'il n'y avait là nulle machination
et que les deux interlocuteurs étaient simplement des amateurs de fleurs...

alarmantes leur ont été envoyées : toutefois, elles sont restées vagues, et à aucun moment, elles n'ont envisagé une attaque par surprise sur Pearl Harbor. D'ailleurs, à Hawaii comme à Washington, cette éventualité paraît invraisemblable : comment le Japon aurait-il l'audace, sinon la maladresse, de prendre comme cible un territoire où flotte le drapeau étoilé ?

Un minimum de précautions ont été prises. Les projecteurs de la flotte balayent le ciel, mais on dirait machinalement. De black-out il n'est pas question. Lumières allumées, l'escadre du Pacifique — soixante-dix navires de combat, dont huit cuirassés — est amarrée dans un port qui communique avec la haute mer par un goulet de trois kilomètres, large de quatre cents mètres ; le hasard veut que les trois porte-avions soient en manœuvres. Les aviateurs, pour leur part, ont surtout peur du sabotage [2] ; pour faciliter la surveillance, leurs avions sont serrés les uns contre les autres, étant ainsi dans l'impossibilité de décoller rapidement.

A 3 h 42, un sous-marin de poche est signalé au large des côtes ; il est coulé à 6 h 45, mais l'avis n'en parvient au quartier-général qu'après 8 heures. A 6 h 45, puis à 7 h 02, un radar signale des avions inconnus : provenant d'un observateur inexpérimenté, le renseignement n'est pas pris au sérieux.

Le dimanche 7 décembre, à 7 h 55, les cloches des églises sonnaient, appelant les fidèles ; à bord, on se préparait à hisser les couleurs : « C'était une matinée calme où le soleil brillait d'un éclat inaccoutumé, même pour Oahu. » Un fracas stupéfiant, tout à coup, se fit entendre ; certains pensèrent à un tremblement de terre ; l'Armée se dit que la Marine pourrait s'abstenir d'expériences à ce point tapageuses.

Sur place, les illusions furent vite dissipées. A 7 h 58, partit le télégramme célèbre : « Raid aérien sur Pearl Harbor ; il ne

2. Plus de cent cinquante mille habitants d'origine japonaise vivaient dans l'archipel.

s'agit pas d'un exercice. » Pendant une demi-heure, déversant torpilles et bombes, cent quarante appareils japonais, protégés par une cinquantaine d'avions de chasse, tournoyèrent au-dessus du port et du terrain, visant à coup sûr, et presque sans risques, navires et avions également impuissants. Le Pr Morison estime que les neuf dixièmes des dégâts furent causés par cette première vague. A 8 h 25, un quart d'heure d'arrêt ; puis une seconde vague, cent trente bombardiers, quarante chasseurs, cette fois relativement inoffensifs, car la défense, tant bien que mal, s'était héroïquement organisée [3].

Vers 10 heures moins le quart, les derniers agresseurs disparaissaient vers l'ouest. On recensa le désastre : sur huit cuirassés, un seul intact, quatre apparemment hors de combat, trois gravement endommagés ; cent soixante-dix-sept avions détruits, soit les deux tiers ; 2 343 tués, 1 272 blessés, 900 disparus. Les optimistes auraient pu faire observer que les Japonais avaient commis l'erreur capitale de ne pas s'attaquer aux ateliers de réparation et aux réservoirs d'essence. Mais il n'y avait guère d'optimistes à Hawaii en cette fin de matinée. On vivait dans l'angoisse d'un nouveau raid, sinon d'un débarquement. Mais quand, mais où ? La loi martiale fut proclamée dans l'après-midi.

Le général Short et l'amiral Kimmel ne tardèrent pas à apprendre qu'ils étaient relevés de leur commandement [4] ; leurs Départements s'abstinrent cependant de les faire passer en conseil de guerre. Huit commissions d'enquête consacrèrent au drame trente-neuf volumes de témoignages et de comptes rendus : les responsabilités n'ont jamais été définitivement établies.

3. Vingt-neuf appareils japonais furent abattus, près du dixième de l'effectif.
4. Il est difficile de ne pas comparer leur sort à celui du général Corap après la percée de Sedan en mai 1940. Les gouvernements résistent mal à la tentation de chercher des boucs émissaires...

« J'ai déjeuné avec le président dans son bureau », raconte Harry Hopkins, évoquant ses souvenirs du 7 décembre. « Nous parlions de questions qui n'avaient rien à voir avec la guerre, lorsque, à environ 13 h 40, Knox [5] téléphona et dit qu'un radiogramme d'Honolulu rendait compte qu'une attaque aérienne était en cours... J'exprimai ma conviction qu'il devait y avoir erreur et que, sûrement, les Japonais ne choisiraient pas Honolulu comme terrain d'attaque... Le Président pensait que le renseignement était exact... et qu'ainsi les Japonais s'étaient chargés de sa décision... » État d'âme que corrobore un membre du Cabinet, sortant de la réunion qui eut lieu quelques heures plus tard : « J'ai vraiment l'impression que le patron se sent plus soulagé qu'il ne l'a été depuis des semaines [6]. » On sait que les responsabilités n'effrayaient pas F.D.R. En présence de ce nouveau « rendez-vous avec le destin [7] », il n'est pas invraisemblable qu'il se soit senti moins angoissé que stimulé.

Il sut, en tout cas, trouver les mots dont le pays avait besoin. Le Secrétaire d'État, encore sous l'indignation de la visite des ambassadeurs japonais [8], lui conseillait de faire au Congrès un long exposé. Roosevelt eut la sagesse de s'en tenir à quelques mots, en les entourant de la solennité qui convenait. Il arriva au Capitole le lundi 8 décembre vers midi, parfaitement calme et maître de soi, malgré l'atmosphère de tension, sinon de panique, qui régnait à Washington. « Le bruit courait, écrit Elliott Roosevelt, que les Japonais avaient débarqué au Mexique et qu'ils allaient attaquer le Texas ou la Californie [9]. »

5. Le secrétaire de la Marine.
6. « *I feel the boss really feels more relief than he has had for weeks.* »
7. « *Rendez-vous with destiny.* » L'expression est de Roosevelt dans son discours à la Convention démocrate en 1936 : « La génération actuelle a un rendez-vous avec le destin. »
8. Qui ignoraient tout de l'agression.
9. Quelques jours plus tard, sur les instances des militaires, toute la population californienne d'origine japonaise (dont deux tiers de citoyens américains) fut, sans ménagements, transférée dans ce que l'on appela pudiquement des « *relocation centers* » (lisez des camps de concentration). Mesure dont le principe et l'exécution sont jugés sans aménité par les historiens américains.

Certains suggéraient de prévoir une ligne de défense sur les montagnes Rocheuses, ou même sur la rive gauche du Mississippi.

Le Président était en jaquette et pantalon rayé, appuyé sur son fils aîné James, en uniforme de capitaine des Marines. Mme Wilson était assise non loin de Mme Roosevelt. Les membres des Assemblées avaient multiplié les gestes d'unité ; symboliquement, le chef des démocrates et celui des républicains étaient entrés se tenant par le bras. Puis on entendit les paroles fameuses : « Hier, 7 décembre 1941, jour d'infamie, les États-Unis d'Amérique ont été soudainement et délibérément attaqués... » Le Président ne cacha pas la gravité de la situation ; il montra même quelque tendance à la dramatiser. Son discours dura six minutes. En une heure, la déclaration de guerre fut votée, à l'unanimité par le Sénat, à une voix près à la Chambre, celle de Jeannette Rankin, qui déjà en 1917 avait fait partie des cinquante opposants à la participation américaine.

Le lendemain, Roosevelt parla à la radio. Il ne laissa aucune illusion à ses auditeurs : « Ce sera une guerre dure... Les États-Unis n'accepteront d'autre issue qu'une victoire totale... Les sources de brutalité, où qu'elles existent, doivent être définitivement et totalement taries... » Mais un point d'interrogation se posait : qu'allaient faire les alliés du Japon ? A leur tour, Hitler et Mussolini déchargèrent F.D.R. du fardeau de la décision. Le 11 décembre, se considérant comme liés par le Pacte tripartite, l'Allemagne [10] et l'Italie déclarèrent la guerre aux États-Unis.

---

10. Mr. George Kennan, alors en poste à Berlin, en raconte les circonstances. « Une voiture de la Chancellerie vint chercher le pauvre Leland Morris (le chargé d'Affaires) pour le conduire à la Wilhemstrasse. Là, Ribbentrop ne le pria même pas de s'asseoir ; adoptant une attitude menaçante, il lui lut la déclaration de guerre, puis se mit à hurler : " Votre Président a voulu cette guerre ; eh bien ! il l'a ! " Sur ce, il pivota sur ses talons et partit à grand bruit. »

Alors, pendant trois mois, les mauvaises nouvelles s'accu-
mulèrent. Ici, la chronologie s'impose, tant elle est, par elle-
même, évocatrice.

8 décembre. La Malaisie, la Thailande, Hong Kong, Guam,
Wake, Midway sont bombardés. Surtout, huit heures après que
la nouvelle de l'agression japonaise ait atteint les Philippines,
un drame identique s'y produit. « Si la surprise à Pearl Harbor
est déjà difficile à comprendre, celle dont, le jour suivant,
Manille fut victime est totalement incompréhensible », observe
un spécialiste. MacArthur y était commandant en chef. Il
envisageait pour le 9 une attaque sur Formose. Le général Bre-
reton, à la tête de l'aviation, comprit-il mal ses ordres ? Y eut-il
erreur de transmission ? Le fait certain est que les escadrilles
japonaises — bombardiers, puis chasseurs — surgirent vers
midi pour trouver les B. 17 rangés sur le terrain comme pour
s'offrir à la destruction, telle la flotte à Pearl Harbor. « En un
seul jour, l'aviation américaine aux Philippines fut éliminée
comme force de combat. »

10 décembre. Le cuirassé *Prince of Wales,* un des fleurons
de la marine britannique, dont le gouvernement australien
avait obtenu à grand-peine l'envoi en Extrême-Orient, aventuré
sans couverture aérienne au large des côtes de la Malaisie, est
coulé, ainsi que le croiseur *Repulse.* Le même jour, l'ennemi
commence à débarquer aux Philippines.

13 décembre. Guam est occupé. 22 décembre. Privés
d'eau et de vivres, les Marines, qui résistaient à Wake depuis
quinze jours, sont contraints de capituler après avoir perdu
20 % de leurs effectifs. Regardons la carte : la ligne de
communication entre Hawaii et les Philippines est coupée.
Trois jours plus tard, le drapeau impérial flotte sur Hong
Kong.

Les premières semaines de 1942 ne sont pas meilleures.
2 janvier. MacArthur décide d'évacuer Manille et de se retran-
cher à l'ouest de la baie, dans la presqu'île de Bataan, terrain
idéal de défense, entrecoupé de montagnes et de jungles, bordé
de marais. Sa première ligne n'en est pas moins forcée. Il se
retire le 23 sur d'autres positions et télégraphie à Marshall :

« Toutes possibilités de manœuvre ont disparu. J'ai l'intention de me battre jusqu'à destruction complète [11]. »

Simultanément, les Japonais développent leur occupation des Indes néerlandaises, débarquent en Nouvelle-Bretagne, aux Célèbes, progressent dans Bornéo. A la fin du mois, ils sont proches de Singapour.

Le 8 février, ils pénètrent dans l'île elle-même, où avait été construite une forteresse, dite « imprenable » — ligne Maginot d'Extrême-Orient —, mais dont les canons n'étaient dirigés que vers la mer. Le 14, la ville était coupée de ses réservoirs d'eau et la garnison ne disposait plus que de quelques jours de vivres. Le lendemain, il fallut se rendre. Lorsqu'il apprit la nouvelle, Churchill fut, un moment, anéanti : « C'est le pire désastre, la plus grande capitulation de l'histoire anglaise [12]... »

Tchang Kaï-chek se sentait, pour sa part, encerclé. Le 9 mars, les Japonais s'emparaient de Rangoon et bientôt se répandaient dans toute la Birmanie, coupant la dernière voie de communication terrestre avec la Chine, la frontière indochinoise étant fermée depuis 1940. Vers la même date, l'ennemi avait débarqué au sud de la Nouvelle-Guinée. Trois semaines auparavant, l'Australie, la paisible Australie, qui ne demandait qu'à rester tranquille au bout du monde, avait découvert l'épreuve physique de la guerre ; des villes du Territoire du Nord avaient subi des bombardements aériens. Vers l'ouest aussi, la menace se précisait, car la conquête de Java était achevée.

C'était, malgré tout, des Philippines qu'allaient parvenir les nouvelles les plus tragiques. La situation y était désespérée : allait-on laisser aux Japonais la fierté de faire prisonnier un des chefs les plus prestigieux de l'armée américaine ? La décision était dure à prendre, non moins dure à exécuter. MacArthur

---

11. Le général Marshall était chef d'état-major de l'armée de terre depuis septembre 1939.

12. Un témoin raconte que, quelques semaines plus tôt, Lord Beaverbrook avait envisagé cette éventualité. Churchill explosa : « Singapour tomber ! Je n'ai jamais entendu rien de plus ridicule. Qu'on cesse de m'importuner avec de pareilles absurdités ! »

reçut l'ordre d'abandonner ses troupes et de se rendre en Australie. Il partit, jetant comme un défi son fameux : « Je reviendrai ». Le titre retentissant dont il était revêtu, Commandant suprême des forces alliées dans le Pacifique Sud-Ouest, seyait à merveille à cet homme extraordinaire, sans doute le plus grand Américain de l'époque. Melbourne, le 21 mars, lui réserva un accueil tel qu'il les aimait. Une partie du gouvernement, des personnalités politiques, des hauts fonctionnaires, des officiers, une foule nombreuse l'attendaient à la gare ; il se laissa complaisamment photographier. A Canberra, « sa réception au Parlement se déroula dans l'atmosphère qui entoure généralement la royauté ».

MacArthur entendait garder la haute main sur l'agonie des Philippines. A la fin de mars, son successeur lui rendit compte qu'il n'aurait plus de vivres au-delà du 15 avril. Le Commandant suprême lui répondit par un de ces télégrammes sur lesquels se fonde la réputation des généraux imprégnés du seul esprit qui, probablement, permet de gagner les guerres : « Je suis nettement opposé à une capitulation... Si la nourriture fait défaut, je vous donne l'ordre de préparer et d'exécuter une attaque. » Las ! Une poignée de survivants se réfugia, sous la conduite du général Wainwright, dans l'île de Corregidor, large de mille cinq cents mètres et longue de six kilomètres. Le général King, commandant les derniers défenseurs de Bataan, prit sur lui de désobéir aux ordres de MacArthur. « Sa capitulation, le 9 avril 1942, écrit le Pr Buchanan, fut suivie par un des épisodes les plus horribles de la guerre. N'ayant rien à manger ni à boire, roués de coups, harcelés par les baïonnettes de leurs gardiens, les prisonniers, dans ce qui a fini par être appelé " la marche à la mort ", durent se traîner pendant près de cent kilomètres jusqu'au lieu de leur détention. » Corregidor subsista plus de trois semaines sous un bombardement à peu près ininterrompu. Dans la nuit du 5 au 6 mai, leurs visages indéchiffrables baignés par la lumière d'un beau clair de lune oriental, les Japonais donnèrent l'assaut. Le lendemain matin, Wainwright, à son tour, se rendit.

A Tokyo, on dut regarder la carte. Cinq mois à peine s'étaient écoulés depuis Pearl Harbor et les conquêtes passaient toute espérance. On les a comparées à un gigantesque éventail d'une longueur de près de cinq mille kilomètres, s'étendant à l'est jusqu'au milieu du Pacifique, proche au sud des côtes australiennes, à l'ouest dépassant la Birmanie. Une flotte américaine, apparemment hors de combat, la Chine investie, l'Empire des Indes menacé, comment les initiateurs de l'attaque de Pearl Harbor n'auraient-ils pas été convaincus que leur nom resterait gravé en lettres d'or dans le panthéon de l'Empire du Soleil Levant ?

Jetant un coup d'œil sur le reste du monde, les Japonais ne pouvaient en retirer que des motifs de satisfaction. Partout, les Anglo-Américains semblent en mauvaise posture. L'Europe continentale est, en presque totalité, sous la domination allemande : seules, la Suède et la Finlande au nord, au centre la Suisse, à l'est la Turquie, à l'ouest l'Espagne et le Portugal, conservent un semblant d'indépendance ; mais à quel prix et pour combien de temps ? En Afrique du Nord, les succès britanniques de novembre 1941 ont été de courte durée ; Churchill a été bien imprudent d'annoncer à la Chambre des communes « la destruction prochaine et totale de l'armée germano-italienne ». « A peine cette prophétie a-t-elle été formulée, écrit André Latreille, que Rommel reprend l'offensive. » En janvier, il bouscule les Anglais jusqu'aux environs de Tobrouk ; cinq mois plus tard, il forcera cette place-forte à capituler [13]. A la fin de juin, il sera à moins de quatre-vingts kilomètres d'Alexandrie.

Mais où la situation paraît la plus tragique, c'est sur l'Atlantique. Dans les premiers mois de 1942, les sous-marins allemands redoublent d'activité ; leur jour de gloire semble vraiment arrivé. Aucune précaution n'avait été prise le long de la côte américaine. « Un " U-boat " arriva jusque devant New

13. Voir p. 47.

York le 13 janvier 1942. Les gratte-ciel diffusaient un halo lumineux sur l'écran sombre du ciel. La côte elle-même était éclairée par des feux à peine masqués... » Le submersible jugea toutefois prudent de ne pas entrer dans le port, mais, descendant jusqu'au cap Hatteras, il coula trois bateaux. Ce ne fut pas le seul exploit. En quelques semaines, vingt-cinq navires représentant plus de cent mille tonnes furent envoyés par le fond. La défense était inexistante : « Des dirigeables, des avions civils, des navires de pêche, des yachts, même des voiliers... La marine nationale n'était représentée que par deux patrouilleurs et deux chasseurs de sous-marins », précise Léonce Peillard à qui nous empruntons ces informations. On eut grand-peine à convaincre les stations balnéaires de Floride de modérer leurs éclairages, indispensables, soutenaient-elles, pour attirer les touristes...

Vers le milieu de 1942, les sous-marins transférèrent leur principale zone d'action dans l'Atlantique Sud pour tenter de couper la route du Cap. La situation ne s'en améliora pas pour autant. Il faudra attendre le printemps de 1943 pour que le tonnage construit finisse par dépasser le tonnage coulé. C'est à cette date, devait reconnaître l'amiral Dönitz, que la Bataille de l'Atlantique fut définitivement perdue pour les Allemands.

Comment les États-Unis s'étaient-ils laissé acculer à cette situation apparemment désespérée ? Pour tenter de le comprendre, il nous faut, un moment, revenir en arrière.

Quand la guerre éclate en 1939, l'immense majorité des Américains souhaitent ardemment ne pas y participer. De l'expérience de 1917 ils ont retiré amertume et désillusion. Le vote des lois dites de neutralité, interdisant au pays toute intervention, est révélateur de leurs tendances isolationnistes. Roosevelt, cependant, n'éprouve pas les mêmes sentiments. Il a connu les griseries de la gloire. Persuadé, pour un temps, d'avoir libéré le pays de la crise économique, il s'est aperçu depuis un an ou deux que le redressement reste fragile. Avide de popularité, il souhaite reconquérir la faveur de ses compatriotes. Au demeurant, sa haine des nazis est sincère, et sa clairvoyance lui permet de pressentir les périls qui menacent le monde démocratique. Alors, avec une habileté sans égale, il va réussir le tour de force de multiplier les assurances de paix tout en suivant une politique dont la guerre était l'aboutissement logique. Spéculation audacieuse, entachée d'une faiblesse. Si le prêt-bail sauve l'Angleterre, si à travers l'Atlantique la flotte américaine en arrive à prêter aux escadres britanniques une aide proche de la belligérance, les États-Unis en sont encore à l'ébauche du gigantesque programme d'armements qui leur permettra de triompher.

Envisager l'hypothèse où Pearl Harbor n'aurait pas eu lieu serait une discussion oiseuse. Mais on peut se demander pourquoi Pearl Harbor eut lieu. Du côté des attaquants, la réponse est relativement simple. Le blocus économique des Américains leur laissait le choix entre la capitulation ou la guerre. Il faudra la bombe atomique pour qu'ils se résignent à la première solution. C'est dire que, en 1941, au sommet de leurs illusions, il ne pouvait en être question. Ils s'en remettraient donc au dieu des armées, et, encouragés par des expériences encore récentes, ils frapperaient les premiers. Où cependant ? Le choix de Pearl Harbor leur fut imposé par des considérations stratégiques. La flotte américaine du Pacifique y était, bien imprudemment, concentrée : en la détruisant d'un seul coup, ils se voyaient déjà maîtres de l'Océan et à la veille de conquérir le Sud-Est asiatique, objet essentiel de leurs ambitions.

Reste le plus difficile point d'interrogation : comment leur attaque fut-elle une surprise complète ? Écartons l'hypothèse du machiavélisme. Roosevelt se félicita sans doute que les Japonais lui eussent fourni l'occasion d'en finir ; il ne fut pas leur complice, comme on a tenté de le soutenir. Accusation impossible à prouver ; fourberie, au surplus, invraisemblable, tant elle supposerait d'insinuations à demi-mots et de connivences secrètes. De surprenantes erreurs de jugement chez les Américains, une non moins étonnante habileté des Japonais satisfont davantage la raison.

2.

Difficultés diplomatiques

A quel point les États-Unis étaient peu préparés pour la guerre est mis en lumière par l'insignifiance de leurs interventions militaires dans les mois qui suivirent Pearl Harbor.

Vingt mille soldats environ furent envoyés en Irlande du Nord, mais il s'agissait là d'un geste symbolique. A l'autre bout du monde, un premier contingent avait débarqué en Australie dès la fin de décembre, suivi, en avril, d'une division à pleins effectifs. Toutefois, ces troupes n'entrèrent en action que quelques mois plus tard. On peut ainsi écrire que jusqu'à l'été de 1942 aucune unité de l'armée américaine ne fut exposée au combat ailleurs qu'aux Philippines.

Quelques engagements permirent à la Marine de prouver que le désastre du 7 décembre n'avait pas brisé sa combativité. « En janvier, note le Pr Morris, un convoi de troupes japonaises subit de lourdes pertes dans le détroit de Macassar (entre Bornéo et les Célèbes) ; à la fin du mois, l'aviation navale bombarde les îles Marshall et Gilbert ; une bataille rangée dans la mer de Java ne tourne pas à l'avantage des États-Unis quelques semaines plus tard. »

En réalité, le fait militaire le plus important de cette période d'attente fut, avec la nomination de MacArthur, la désignation du général Stilwell comme commandant des forces américaines et chinoises en Birmanie. Le choix était excellent. Le titulaire du nouveau poste avait passé une partie de sa carrière en Chine et parlait couramment plusieurs dialectes. Et puis c'était un personnage légendaire. Grand, mince, les cheveux coupés courts, le visage sévère, « *Vinegar Joe* », ainsi que l'appelaient affectueusement ses troupes, ne plaisantait pas sur la discipline. Toujours prêt à payer de sa personne, on le voyait aux premières lignes, avec son chapeau à larges bords de 1917, son tricot qui n'avait rien de réglementaire, oublieux des insignes de son grade. Avec cela, impatient, irascible, couvrant de sarcasmes ses supérieurs, plein de mépris pour les méthodes conventionnelles des officiers britanniques, qualifiant Tchang Kaï-chek de « *peanut* [1] », en un mot insupportable, mais irremplaçable. C'était l'homme qu'il fallait pour organiser l'audacieuse expérience d'un pont aérien, qui, passant au-dessus de montagnes de plus de deux mille mètres s'étendant sur quelques centaines de kilomètres, allait permettre, dans les pires conditions atmosphériques et sans aucun guidage, un cer-

---

1. Littéralement, cacahuète. Terme de mépris dans l'argot américain.

tain ravitaillement de la Chine, en se substituant à la route terrestre désormais interdite [2].

Les Allemands et les Japonais s'illusionnaient sur l'attitude des États-Unis. Derrière une passivité apparente s'ébauchaient la stratégie qui permettrait la victoire et le programme d'armement qui la garantirait.

Le jour même de Pearl Harbor, un voyage de Churchill aux États-Unis avait été décidé. Il arriva à Washington le 22 décembre, agité de sentiments divers. « Comme un enfant dans son impatience de rencontrer le Président », note un de ses compagnons. Il n'était pas sans inquiétude sur les réactions américaines, craignant que l'affront dont les États-Unis venaient d'être victimes ne les amenât à donner priorité à la lutte contre le Japon. Allaient-ils oublier les conclusions — officieuses, il est vrai — auxquelles avaient abouti les conversations d'état-major du mois de mars, faisant de Hitler, quelles que soient les circonstances, l'ennemi principal [3] ?

Le Premier ministre s'installa à la Maison Blanche dans une atmosphère annonciatrice de Noël. On l'installa dans une vaste chambre, en face de celle de Harry Hopkins. « Quand ils se rendaient visite, ils avaient à se frayer un chemin à travers des piles de cadeaux. » La vie s'organisa. « Comme le Président et moi, l'un par nécessité, l'autre par habitude, avions coutume de travailler au lit », les entretiens commençaient dès le matin dans une atmosphère de familiarité. Ils se prolongeaient tard dans la soirée. Un ordre du jour, méticuleusement préparé, fut discuté au cours de huit séances de travail, plus une douzaine de rencontres des chefs d'état-major. Toutefois, les décisions essentielles furent prises par les deux hommes d'État, presque

---

2. Ces vols « *over the Hump* » (par-dessus la bosse) sont restés légendaires dans l'épopée aérienne.
3. Accord, dit A.B.C. I, signé par les états-majors américain, britannique et canadien.

toujours en présence du Père Joseph américain, alias Harry Hopkins [4].

C'est merveille de voir avec quelle adresse Churchill maniait alors Roosevelt, ne cédant que ce qu'il voulait, n'oubliant jamais de parler d'idéal, faisant preuve d'humour, mais toujours déférent. Naturellement bavard, il était, en présence du Président, « un modèle de réserve et de contrôle de soi », même « complètement silencieux », s'il le fallait, observe son médecin, Lord Moran. Puis il avait l'art des attitudes symboliques. Écoutons-le : « Le Président ne manquait jamais avant le dîner de faire lui-même les cocktails réglementaires. Ensuite, je le roulais dans son fauteuil, du salon jusqu'à l'ascenseur, pour lui témoigner mon respect, en pensant à Sir Walter Raleigh qui avait étendu son manteau devant la reine Élisabeth. » Churchill eut sans doute le bon goût de ne pas évoquer cette réminiscence, mais on peut être sûr qu'être véhiculé par un descendant des Marlborough ne laissait pas indifférent le snobisme de F.D.R.

Le jour de Noël, les deux hommes assistèrent à un service dans un temple méthodiste. « Cela sera bon pour Winston de chanter des hymnes », avait diagnostiqué Roosevelt. La veille, l'arbre traditionnel fut allumé sur la pelouse de la Maison Blanche ; le Président et son hôte en profitèrent pour adresser quelques mots d'encouragement au peuple américain, qui en avait besoin. Le 26 décembre, le Sénat et la Chambre, en séance plénière, réservèrent une réception triomphale au Premier ministre britannique. Même succès le 29 devant le Parlement canadien. Puis, retour à Washington le 1er janvier ; six jours de repos en Floride [5] et départ pour l'Angleterre le 14 [6].

4. « Pendant ses quatorze jours à la Maison-Blanche il n'arriva qu'une fois à Churchill de ne pas déjeuner et dîner avec Roosevelt et Hopkins », précise Robert Sherwood. Puis il ajoute : « La nourriture était toujours meilleure quand Churchill était là et le vin coulait plus librement que d'habitude... »
5. « La mer est si chaude que Churchill s'abandonne au plaisir d'y rester à moitié submergé, tel un hippopotame dans un marais », note Lord Moran.
6. Les nouvelles étaient si mauvaises que le Premier ministre n'était pas rassuré sur l'accueil que lui réserveraient les Communes. La magie churchillienne joua : la Chambre renouvela sa confiance par 464 voix contre 1.

Dix jours ne s'étaient pas écoulés depuis le début de la conférence que, le 1ᵉʳ janvier 1942, fut signée par vingt-six pays [7] une Déclaration dite des Nations Unies. Roosevelt, toujours friand de textes généreux et vagues, attachait une importance extrême à ce document. Il s'agissait, d'abord, de montrer au monde que, dans la coalition qui s'esquissait, les États-Unis agiraient, non plus en associés comme en 1917, mais cette fois en alliés. Plus important encore dans la pensée rooseveltienne était la réaffirmation solennelle des idées maîtresses de la Charte de l'Atlantique. Du côté de Churchill, enclin à ne voir dans ces manifestations que de la propagande, aucune difficulté. Tchang Kaï-chek n'était guère en position de faire des objections. Mais Staline, d'autant plus que F.D.R. tenait absolument à ce que le principe de la liberté religieuse fût mentionné? « Litvinov, raconte le Premier ministre britannique, tremblait manifestement de peur ; il finit par céder et son chef se déclara d'accord sans sourciller... Les comptes rendus que Roosevelt nous fit de ses conversations avec l'ambassadeur soviétique furent vraiment édifiants. Je promis au Président que, s'il n'était pas réélu, je le recommanderais pour le faire nommer archevêque de Canterbury. »

A vrai dire, on avait en Russie d'autres problèmes que celui des professions de foi. Les Allemands avaient été arrêtés devant Moscou quelques jours avant Pearl Harbor et, depuis lors, une contre-offensive n'avait cessé de gagner du terrain [8]. Mais Staline voyait trop clair pour ne pas se rendre compte de la précarité de ces résultats. Puis il était décidé à faire payer

7. Quatre « grands », U.S.A., U.K., U.R.S.S., Chine, puis vingt-deux « petits », classés par ordre alphabétique, cinq Dominions, huit gouvernements européens en exil, neuf États d'Amérique centrale (mais pas un d'Amérique du Sud).

8. D'après le Pr Bailey, les Russes, prévenus par un de leurs espions que les Japonais n'attaqueraient pas la Sibérie, avaient pu faire revenir d'Extrême-Orient vingt divisions, dont l'arrivée retourna la situation en leur faveur.

cher son alliance. Anthony Eden s'en était aperçu dès son arrivée à Moscou le 16 décembre [9]. Son interlocuteur ne mâcha pas ses mots. Il exigeait, avant de prendre le moindre engagement, que la Grande-Bretagne endossât l'annexion d'une partie de la Finlande et de la Pologne, celle des Pays baltes et celle de la Bessarabie. Eden se retrancha derrière la Charte de l'Atlantique. Staline prit mal la chose, déclarant qu'il en arrivait à penser que ladite Charte n'avait pour objet que de contrecarrer les ambitions légitimes de son pays. Churchill soutint son ministre. Cordell Hull, consulté, plaça, comme toujours, la question sur le terrain de la moralité. « Roosevelt, moins soucieux des principes, aurait peut-être cédé, estime le Pr Divine, mais différer une décision lui parut souhaitable pour éviter la rupture de l'union nationale qui s'était faite autour de lui depuis Pearl Harbor. »

Bref, pour le moment, la question resta en suspens. Mais que faire pour ne pas encourir l'animosité de l'indispensable allié de l'Est ? Certains, dans l'entourage du Président, se faisaient — déjà — d'étranges illusions. « Eleanor » — naïveté naturelle ou sympathie secrète ? — invoquait le caractère « défensif » du pacte germano-soviétique de 1939 et expliquait à qui voulait l'entendre que les revendications de la Russie n'avaient d'autre objet que d'assurer « la sécurité » de ses frontières. Dans un livre destiné à devenir un « best-seller », l'ancien ambassadeur à Moscou, Joseph Davies, surenchérissait : « L'expérience interdit de douter que les leaders de l'Union des Républiques socialistes soviétiques soient acquis à la cause de la paix... Ils ont de grandes qualités d'imagination et d'idéalisme, aussi de grandes qualités spirituelles. »

Appréciations flatteuses, mais insuffisantes pour apaiser Staline. Même avant Pearl Harbor, il avait, précise M. André Fontaine, préconisé un débarquement dans le Nord de la France ou en Norvège ; à défaut, il réclamait l'envoi de renforts, *via* Arkhangelsk ou l'Iran. L'entrée en guerre des États-

Unis n'était pas faite pour diminuer ses exigences. Or, au début de 1942, il était techniquement impossible de les satisfaire. A Washington, on laissa entendre que, en 1943, le tableau serait différent. Plus pratiquement, on se mit d'accord sur quelques principes essentiels. L'Allemagne resterait l'ennemi principal, et l'on ne dirigerait vers l'Extrême-Orient que « le minimum de forces indispensables pour sauvegarder les intérêts vitaux des États-Unis et de la Grande-Bretagne ». En Europe, on accélérerait le ravitaillement de l'armée russe, on développerait les bombardements aériens, on renforcerait le blocus, et on encouragerait « l'esprit de révolte » dans les pays occupés et « l'organisation de mouvements subversifs ».

Même tenue pour secondaire, la lutte contre les Japonais ne pouvait être passée sous silence. Les stratèges décidèrent que l'on tiendrait la ligne générale Iles Aléoutiennes-Hawaii-Samoa-Fidji-Nouvelle-Calédonie, ce qui excluait toute idée d'offensive. Puis on confia au général britannique Wavell un rôle de coordinateur [10] que les succès japonais ne lui laissèrent pas le temps d'exercer.

Des décisions sur le programme d'armements — sans doute les plus importantes —, nous parlerons dans le chapitre suivant. La Conférence dite d'Arcadie [11] se sépara le 14 janvier dans une atmosphère d'harmonie anglo-saxonne. Seuls deux incidents avaient troublé les entretiens : l'un dû à une déclaration de Roosevelt, l'autre à une initiative de De Gaulle.

Mû par cet étonnant mélange d'ignorance et de prescience qui le caractérisait, F.D.R. avait eu un jour l'audace de suggérer que le moment était venu d'accorder à l'Inde son autonomie. Churchill réagit de telle manière que le Président jugea

10. D'où le nom de son poste « A.B.C.D. » (American-British-Chinese-Dutch) United Command.
11. « *Arcadia Conference.* » Nous avons cherché en vain pourquoi ce nom de code bucolique fut attribué à une réunion, dont les objectifs ne l'étaient guère.

sage de ne pas insister. L'idée, toutefois, cheminait en lui. En mars, il récidiva par correspondance. Se berçant de l'illusion, si fréquente chez les Américains, que l'exemple des États-Unis peut être répété ailleurs, il recommanda à « l'ex-personnalité navale » d'envisager en Inde un type de gouvernement semblable à celui dont les Treize Colonies s'étaient dotées pendant et après la Guerre d'Indépendance *(sic)*. Roosevelt avait prudemment pris soin d'ajouter que la question ne le regardait pas [12]. Churchill lui fit sentir qu'il ne contestait pas ce point de vue...

La France Libre fut l'objet d'une controverse également vive. Le statut du mouvement était mal défini. En juin 1941, M. René Pleven avait été officiellement reçu par le sous-secrétaire d'État Sumner Welles et, quelques mois plus tard, le bénéfice du prêt-bail étendu au mouvement qu'il représentait. Toutefois, les Français Libres ne devaient pas être admis à signer la Déclaration des Nations Unies [13]. Vers cette époque, un sondage révéla que 63 % des personnes consultées n'avaient jamais entendu parler de de Gaulle.

Une telle ignorance n'était pas faite pour plaire au Général. Il s'arrangea pour qu'elle ne durât pas. Le 24 décembre, au moment même, raconte Robert Sherwood, où l'on allumait l'arbre de Noël à la Maison-Blanche, « retentit une étonnante nouvelle » : un détachement conduit par l'amiral Muselier avait, sur instructions de de Gaulle, occupé Saint-Pierre-et-Miquelon, restés théoriquement sous l'obédience de Vichy. L'archipel était de peu d'importance, mais une puissante station de radio y était installée, et l'on ne savait trop quel usage en était fait. L'affaire traînait depuis une dizaine de jours. Les Canadiens avaient eu la maladresse d'envisager une occupation militaire. Le Général se rebella contre cette atteinte à la souveraineté nationale et déclara qu'il se chargeait de prendre en main l'île mystérieuse. Il semble bien que les Anglais lui aient donné leur accord, puis l'aient retiré sous la pression des Américains, désireux de ne pas mécontenter Vichy [14]. Le 17 dé-

12. « *None of my business.* »
13. Harry Hopkins et Litvinov s'y étaient opposés.
14. D'autant plus, écrit Robert Aron, « que les trois mois après Pearl

cembre, le Foreign Office avait cru pouvoir annoncer à Washington que de Gaulle s'était incliné. C'était mal le connaître. Délibérément, il passa outre. « Peut-être, écrit-il dans ses *Mémoires,* avais-je provoqué l'incident pour remuer le fond des choses, comme on jette une pierre dans un étang. »

Si telle était son intention, il fut comblé. Cordell Hull, qui avait peu de sympathie pour lui, ne mâcha pas ses mots : « L'action entreprise par les prétendus Français Libres [15] est contraire à l'accord conclu entre toutes les parties intéressées. Le gouvernement américain a demandé au gouvernement canadien ce qu'il compte faire pour restaurer le statu quo. » Plus amusé qu'irrité, Roosevelt apaisa son Secrétaire d'État qui en était arrivé à envisager sa démission. Churchill en profita pour essayer de se faire bien voir de son difficile protégé. A de Gaulle, Washington, 31 décembre : « Votre action, qui a rompu l'arrangement concernant Saint-Pierre-et-Miquelon, a déchaîné une tempête qui aurait pu être sérieuse si je n'avais pas été sur place pour parler au Président. »

Puis tout s'apaisa. « Le Général fut ravi de son succès », raconte M. Étienne Dennery : « Au commencement était l'action », me dit-il. A la clôture de la Conférence d'Arcadie, il ne fut plus question de Saint-Pierre-et-Miquelon. On décida de maintenir à son poste d'ambassadeur à Vichy l'amiral Leahy et de faire pression sur Pétain pour qu'il résistât le plus possible aux exigences allemandes, en s'appuyant sur les deux cartes qu'il avait en main, la flotte et les bases africaines [16].

Harbor, qui consacrèrent la rupture entre Darlan et les Allemands, correspondent à un des moments où Vichy se montra le plus ferme à l'égard des occupants ».

15. « *The so-called Free French.* »

16. Churchill se faisait d'étonnantes illusions sur la marge de liberté du Maréchal. Témoin, son télégramme au Cabinet de guerre du 23 décembre : « On pourrait faire des ouvertures à Weygand... Pétain pourrait être invité à envoyer Weygand le représenter à une conférence alliée qui se tiendrait à Washington. »

Tout le monde était d'accord sur la nécessité d'un second front. Encore fallait-il en préciser le lieu et la date ; sur ces deux points, des divergences se manifestèrent rapidement entre Anglais et Américains.

« Roosevelt, écrit le Pr Gaddis, était partisan d'une action aussi rapide que possible. Toujours convaincu que Hitler était l'ennemi principal, il craignait, si l'on tardait trop à l'attaquer, que l'opinion publique, encore sous le coup de Pearl Harbor, ne finît par exiger une offensive immédiate contre le Japon. » Le Grand État-Major, le général Marshall le premier, partageait ce point de vue. Un des plus ardents partisans en était le chef de la Division des plans de guerre, Dwight D. Eisenhower. Parcourons le mémorandum qu'il écrivit alors et qui ne put manquer d'influencer les conclusions présidentielles. « Nous devons, disait-il, aller en Europe et nous battre... Commençons à pilonner par air l'Europe occidentale, puis débarquons aussitôt que possible... C'est le seul moyen, continuait-il, d'aider les Russes. Nous serions coupables d'une des erreurs les plus grossières de l'histoire militaire si nous permettions aux Allemands d'éliminer une armée de huit millions d'hommes. »

A la fin de mars 1942, la décision était prise. On débarquerait au printemps de 1943 entre Le Havre et Calais et, ultérieurement, de Dunkerque à Zeebrugge, avec Anvers pour objectif [17]. Par son ampleur, ce plan souriait à Roosevelt, mais la réalisation lui semblait bien éloignée. Churchill, à Washington, lui avait parlé d'une occupation de l'Afrique du Nord française : ne pouvait-on commencer par là ? On lui démontra qu'il fallait choisir l'un ou l'autre. Le projet churchillien [18] fut temporairement écarté. Mais pour calmer les impatiences présidentielles, il fut convenu qu'en cas d'urgence (lisez, un effondrement du front russe) ou, au contraire, en cas d'un affaiblissement certain des armées allemandes, on s'efforcerait d'établir une tête de pont dans le Contentin.

---

17. « *Operation Round-up* », la future « *Overlord* ». On notera qu'il n'était pas question des plages de Normandie.
18. Alors baptisé « *Operation Gymnast* ».

Il fallait faire approuver ce programme par les Anglais. Harry Hopkins et le général Marshall en furent chargés. Deux jours à Londres, du 6 au 8 avril, leur permirent d'obtenir une adhésion de principe. Mais celle-ci était donnée du bout des lèvres. La délégation britannique avait retiré d' « Arcadia » une certaine amertume. « Les Américains ont obtenu ce qu'ils voulaient, et la guerre sera dirigée de Washington, mais ils feront bien à l'avenir de ne pas nous bousculer avec aussi peu de cérémonie », écrit dans son *Journal* Lord Moran, exprimant sans doute l'opinion de ses compagnons de voyage. La Grande-Bretagne n'était manifestement pas disposée à se contenter du rôle de « brillant second ». Puis son Premier ministre envisageait des plans plus grandioses. « Il faut, soutenait-il dans un style très churchillien, jeter notre griffe droite sur l'Afrique du Nord, enfoncer celle de gauche au cap Nord [19] et attendre avant d'essayer nos dents sur le front fortifié allemand de l'autre côté de la Manche. » Mais il avait trop besoin de Roosevelt pour ne pas, au moins en apparence, s'incliner.

« Jeter sa griffe » sur l'Afrique du Nord était un geste tentant, mais qui, au printemps de 1942, méritait réflexion. Les données du problème français se trouvèrent, en effet, changées du tout au tout, lorsque, le 18 avril, de guerre lasse et après d'interminables manœuvres et contre-manœuvres, le Maréchal finit par consentir au retour de Pierre Laval. Celui-ci caressait d'étonnantes chimères. « Premier geste du chef du gouvernement dès son arrivée à Vichy, écrit Robert Aron, il prévient l'amiral Leahy qu'il est prêt à servir de médiateur entre Roosevelt et Hitler, tandis que les Allemands à l'Est se consacreront à l'anéantissement du bolchevisme. » Suggestion d'un tel irréalisme qu'elle en dit long sur l'atmosphère de la France d'alors [20]. Est-il utile de dire qu'elle n'eut d'autre conséquence

19. « *Operation Jupiter.* » On eut grand-peine à lui en faire comprendre les difficultés.
20. L'incompréhension n'était pas un monopole français. Eden, note

que de hâter le rappel de l'ambassadeur des États-Unis ?
A Washington, et plus encore à Londres, le nouveau gouvernement faisait presque figure d'ennemi. On en donna la preuve, une quinzaine de jours plus tard, dans l'affaire de Madagascar. Churchill assure que, tout de suite après Pearl Harbor, et de nouveau en février 1942, de Gaulle avait préconisé une occupation de l'île pour qu'elle ne tombât pas aux mains des Japonais. « Mais, avec le souvenir de Dakar, continue-t-il, nous ne pouvions compliquer l'opération en y admettant les Français Libres. » Les Anglais agirent donc seuls et effectuèrent un débarquement sans gloire où la disproportion des forces était écrasante. Le 7 mai, après deux jours de bombardement, Diego-Suarez tomba entre leurs mains. « Attaque qui ne s'imposait nullement, attaque inutile », commente le grand historien S. E. Morison. Attaque, faut-il ajouter, qui, une fois de plus, indisposa contre la Grande-Bretagne aussi bien les fidèles du Maréchal, lesquels se firent tuer en pure perte [21], que ceux du Général, outrés du manque de confiance de leurs alliés.

Questions mineures au regard de la prochaine visite de Molotov en Angleterre et aux États-Unis.
Le commissaire aux Affaires étrangères arriva à Londres le 20 mai, se méfiant de tout. Les Russes furent logés à Chequers. Churchill raconte que, soupçonneux, « ils demandèrent tous les clefs de leurs chambres... Quand le personnel réussit à y entrer pour faire leurs lits, on découvrit des revolvers sous les oreillers... Les trois principaux membres de la délégation avaient non seulement leur police personnelle, mais deux servantes chargées d'entretenir leurs habits et de ranger leur chambre ». Le Premier ministre prit grand soin de ne pas se compromettre.

M. André Fontaine, raconte qu'à cette époque Roosevelt l'entretint de la création d'un État wallon, composé des provinces francophones de Belgique, du Luxembourg, de l'Alsace-Lorraine et d'une partie du Nord de la France *(sic)*.
    21. Près de trois cents victimes.

Le visiteur fut avisé « que, pour le moment, les seuls endroits où la supériorité de notre aviation de chasse nous assurerait la maîtrise de l'air seraient l'extrémité du Cotentin, le Pas-de-Calais et une partie de la région de Brest ». On ne pouvait plus clairement repousser le second front aux calendes grecques... Pour que six jours de conversations aboutissent malgré tout à un résultat, un traité d'alliance anglo-russe, en cours de discussion depuis décembre, fut signé le 26 mai. Une vague référence à la Charte de l'Atlantique, une allusion à la nécessité d'empêcher toute renaissance du péril allemand permirent aux deux parties d'interpréter ce document à leur convenance.

Molotov fut reçu à la Maison Blanche dans l'après-midi du 29, plus que jamais lui-même, tel que de Gaulle le décrit : « Pas moyen de l'émouvoir, de le faire rire, de l'irriter — un rouage, parfaitement agencé, d'une implacable mécanique. » Roosevelt était déconcerté : il n'avait jamais rencontré d'interlocuteur de ce type. « Litvinov donnait l'impression de prodigieusement s'ennuyer et ne se départit pas d'une attitude sarcastique », observe Harry Hopkins. On fit de son mieux, les jours suivants, des deux côtés pour briser la glace.

Molotov posa la question brutalement. Les Soviets pouvaient-ils ou non compter sur un second front ? Il fit remarquer qu'il n'avait obtenu à Londres aucune réponse positive et en exigea une : il laissa entendre que la résistance russe ne pourrait se prolonger indéfiniment. « Si vous différez votre décision, conclut-il, vous aurez peut-être à supporter tout le poids de la guerre, et, si Hitler devient le maître incontesté du continent, l'année prochaine sera sûrement pire que celle-ci. » « Roosevelt, note l'interprète américain, demanda alors au général Marshall si nous étions suffisamment avancés pour dire à Mr. Staline que nous *préparions* un second front. » « Oui », répliqua le général. Alors, le Président autorisa Mr. Molotov à informer Mr. Staline que nous avions l'intention de *former* [22] cette année un second front. Engagement inconsidéré que le général Marshall s'efforça aussitôt d'entourer de

22. C'est nous qui soulignons. Entre la question à Marshall et la réponse à Molotov la contradiction est évidente.

réserves techniques. Mais le malentendu était créé et n'allait
pas de sitôt se dissiper.

Les entretiens se terminèrent le 1er juin dans une atmosphère
de fausse cordialité. A la dernière réunion, Molotov récidiva :
« Quelle est la réponse du Président sur le second front ? » Le
Président déclara qu'on en était déjà à parler avec les Anglais
des moyens de débarquement, des questions de nourriture, etc.
Puis il ajouta que « nous avions l'intention d'établir un second
front [23] ». Enfin, il offrit sa photographie au commissaire soviétique.

Avec une extrême habileté, Churchill réussit à écarter les
projets de Roosevelt et à le rallier aux siens. En quoi il avait
sans doute raison. On peut penser qu'une tentative de débarquement sur la côte française en 1942, et même en 1943, aurait
abouti à un désastre, dont on imagine les conséquences
morales, sans oublier les représailles féroces qui auraient inévi-
tablement suivi.

Le Premier ministre connaissait trop bien F.D.R. − et l'influence qu'exerçaient sur lui ses conseillers militaires − pour le
heurter de front. Il ne s'opposa donc pas à la publication, le
11 juin, d'un communiqué officiel aux termes ambigus. « Les
conversations (avec Molotov) ont abouti à un accord complet
sur l'urgence d'ouvrir un second front en Europe en 1943. »
Mais il affirme avoir remis au commissaire soviétique un aide-
mémoire précisant que « aucune promesse ne pouvait être faite
à cet égard ».

Puis il revint aux États-Unis, se rendant compte qu'il n'em-
porterait la décision que dans des tête-à-tête avec le Président.
Les conversations commencèrent le 28 juin dans la propriété
de Roosevelt à Hyde Park, « dans une pièce minuscule et
sombre, mais bien abritée du soleil », précise le visiteur. Elles

23. « *We expected to establish a second front.* » Les termes sont beaucoup plus vagues que ceux de la déclaration précédente. Mais cela n'était
pas de nature, on peut en être sûr, à gêner Roosevelt.

se continuèrent le lendemain à Washington. « Ce matin-là, raconte Robert Sherwood, le Président tendit à son interlocuteur un télégramme annonçant la prise de Tobrouk par Rommel [24]... Ce fut un coup terrible pour Churchill, un autre Singapour. » Il ne dissimula pas ses réactions : « La défaite est une chose. La honte en est une autre. » Il n'était pas, toutefois, homme à s'attarder sur les catastrophes et préférait en tirer parti. Cette dernière lui permit de faire passer au premier plan des discussions la défense de Suez. Raison de plus, affirma-t-il, pour remettre à plus tard une attaque frontale en France. Puis il multiplia les objections techniques. Où débarquer ? Comment trouver les effectifs nécessaires ? Et les moyens de transport ? Qui serait chargé du commandement ? On dit qu'à défaut d'une opération de grande envergure on pourrait se contenter d'une tête de pont ? Mais à quoi bon ? Des exemples récents ne sont pas encourageants. Enfin se dessinèrent des conclusions, insinuantes, persuasives : le seul terrain d'action efficace est l'Afrique du Nord française. Si le Premier ministre était allé jusqu'au bout de sa pensée, il aurait avoué qu'il ne jugeait pas les troupes américaines encore capables d'affronter l'armée allemande dans une offensive de grande envergure. Les manœuvres auxquelles on l'avait fait assister l'avaient convaincu des qualités potentielles de ces jeunes recrues, mais aussi de leur manque d'entraînement.

Bref, on décida de ne rien décider. Au fond de lui-même, Roosevelt n'était pas éloigné des opinions de Churchill. Mais ses conseillers militaires y étaient passionnément hostiles. Ils en arrivèrent à étudier un changement radical de stratégie : la défaite du Japon recevrait priorité sur celle de l'Allemagne. L'idée n'était pas pour déplaire à MacArthur qui disposait déjà de forces appréciables [25] et envisageait une offensive générale à la fin de 1942 et en 1943.

---

24. Avec 25 000 prisonniers.
25. Herbert Feis précise que, sur 132 000 hommes qui partirent des États-Unis dans les deux mois et demi après Pearl Harbor, plus de 110 000 furent envoyés dans la zone du Pacifique. Il indique que, à la fin de 1942, le

La divergence de vues entre militaires anglais — soutenus
par leur Premier ministre — et militaires américains — mollement épaulés par leur Président — risquait d'entraîner de si
graves conséquences que Roosevelt se résolut, au milieu de
juillet, à renvoyer à Londres Harry Hopkins et le général
Marshall, cette fois accompagnés du chef d'état-major de la
Marine, l'amiral King. Ils reçurent l'ordre d'arriver à un
accord définitif en moins d'une semaine. F.D.R. maintenait sa
position de principe. « Je suis opposé à un effort prioritaire
contre le Japon... » Puis il l'accompagnait d'un commentaire
que Truman dut relire avec mélancolie lorsqu'il donna l'ordre
d'utiliser la bombe atomique : « La défaite de l'Allemagne
signifie la défaite du Japon, probablement sans tirer un coup de
fusil et sans perdre une vie. » La discussion fut parfois âpre,
mais l'issue ne faisait aucun doute. En Afrique du Nord seule
on irait donc, et le plus tôt possible [26]. « Les militaires américains, écrit Herbert Feis, revinrent à Washington dans un état
d'âme fait de pessimisme et de ressentiment. »

Restait à prévenir Staline. La tâche était d'autant moins
aisée que les Allemands venaient de s'emparer de Sébastopol et
que leur offensive, apparemment irrésistible, se dirigeait vers
Stalingrad.

Churchill, accompagné de Averell Harriman [27], se chargea
de cette mission. Il ne se faisait pas d'illusions : « C'était
comme apporter un bloc de glace au pôle Nord. » Les quatre
jours qu'il passa à Moscou, du 12 au 16 août, ne durent pas
être parmi les plus agréables de son existence. Il fut soumis à la
méthode du chaud et froid dans laquelle le dictateur soviétique
excellait. Lorsqu'il déclara que même le projet d'une tête de

tiers de l'aviation, la plupart des bateaux de guerre et 350 000 hommes de
l'armée de terre étaient à la disposition du commandant suprême.
   26. Roosevelt souhaitait comme date limite le 1er octobre. L' « Operation Gymnast » fut rebaptisée « Opération Torch ».
   27. Qui avait déjà été envoyé en mission à Moscou en 1941.

pont en France était abandonné, celui-ci réagit « avec un degré de franchise voisin de l'insulte ». Churchill réussit plus ou moins à le calmer en annonçant une recrudescence des attaques aériennes [28], puis, « avec une grande adresse », annonça l' «Opération Torch». A la surprise générale, Staline accueillit fort bien la nouvelle et adjura même le Seigneur d'assurer le succès de cette entreprise [29]...

D'autres réunions oscillèrent entre la cordialité et la hargne. « Le deuxième jour, raconte Churchill, Staline, carré dans son fauteuil, les yeux à moitié fermés, ne cessa de fumer sa pipe que pour proférer une série d'insultes... Il fit les remarques les plus déplaisantes sur notre armée et nous accusa d'avoir manqué de parole... » Le lendemain, changement à vue. « Staline ne savait que faire pour se montrer aimable. »

Un dîner d'apparat clôtura le séjour. Le Premier ministre en revint exaspéré : « La nourriture était au-dessous de tout. Je n'aurais pas dû venir. » Il lui fallut, néanmoins, la nuit de son départ, subir sept heures de conversations, accompagnées de boissons diverses, dans une atmosphère de frères d'armes.

Les dés étaient jetés. Roosevelt s'en félicita. Son optimisme naturel était, d'ailleurs, alimenté par les meilleures nouvelles qui, depuis quelques semaines, parvenaient du Pacifique.

On lira plus loin le récit de ces événements. Mais il faut, ici, nous arrêter un moment, et tâcher de comprendre comment les États-Unis conduisirent la guerre et par quels procédés ils réussirent à exécuter leur prodigieux programme d'armements.

28. Staline l'interrompit pour préciser qu'il fallait aussi bien détruire les habitations que les usines.
29. « *May God help this entreprise to succeed!* », d'après le traducteur russe.

3.

Un effort sans précédent

CONDUITE GÉNÉRALE DE LA GUERRE. — LES « COMBINED CHIEFS OF STAFF ». — LES TROIS CHEFS D'ÉTAT-MAJOR : MARSHALL, ARNOLD, KING. — PROBLÈMES DE DISTANCE. — LES « LIBERTY SHIPS ». — LES ÉTATS-UNIS MIEUX PRÉPARÉS QU'EN 1917. — POINT FAIBLE, L'AVIATION. — ADOPTION D'UN GIGANTESQUE PROGRAMME D'ARMEMENTS. — COORDINATION DES RESSOURCES ET DES BESOINS DE LA GRANDE-BRETAGNE ET DES ÉTATS-UNIS. — LES TÂTONNEMENTS DE ROOSEVELT. — MULTIPLICITÉ DES AGENCES FÉDÉRALES. — DE PRODIGIEUX RÉSULTATS DANS UNE ATMOSPHÈRE DE CONFUSION. — RÔLE DES HOMMES D'AFFAIRES. — DIMINUTION DU CHÔMAGE. — LE PLEIN EMPLOI EST RÉALISÉ. — « UNE GUERRE POUR SURVIVRE ». — PEU DE ROMANTISME. — L'HOMO AMERICANUS SE SENT, MALGRÉ TOUT, INVESTI D'UNE MISSION.

Roosevelt ne prétendait pas, comme Churchill, au titre de maître en stratégie. Aussi les chefs militaires américains jouèrent-ils un rôle beaucoup plus important que leurs camarades britanniques. Leur commandant en chef était cependant trop jaloux de ses prérogatives constitutionnelles pour ne pas, de temps à autre, leur imposer sa décision. On vient d'en voir un exemple dans la controverse qui opposa Londres et Washington en 1942 sur la question du second front.

La coordination des armes était assurée par un Comité des trois chefs d'état-major [1] sous l'autorité présidentielle, déléguée, la plupart du temps, à l'amiral Leahy. A la Conférence d'Arcadie, il fut décidé qu'un Comité interallié, dit « Combined Chiefs of Staff », composé de trois Américains et de trois Anglais, prendrait les décisions stratégiques, dresserait les plans, répartirait les effectifs, en un mot aurait la responsabilité des opérations militaires, sous réserve, bien entendu, de l'approbation gouvernementale. Lorsqu'il s'agit de fixer la ville où siégerait cet organisme, les Anglais acceptèrent d'assez mauvaise grâce que Washington fût préféré à Londres, les Américains invoquant au profit de leur capitale sa position géographique entre l'Asie et l'Europe. Dans l'ensemble, la souplesse avec laquelle fonctionna cet instrument de liaison, dont les Puissances de l'Axe et le Japon n'eurent jamais l'équivalent, fut sans aucun doute une des raisons des succès anglo-américains.

Jetons un coup d'œil sur les représentants des États-Unis. Le chef d'état-major de l'armée de terre, d'abord. Le général George Catlett Marshall Jr., a, en 1941, 61 ans. Ce n'est pas un « Westpointer [2] » ; il est sorti en 1901 de l'Institut militaire de Virginie. Breveté de l'École de guerre de Fort Leavenworth, sa carrière l'a conduit à deux reprises en Extrême-Orient. Chef des opérations de la Première Armée en 1918, il contribue à la préparation des offensives de Saint-Mihiel et de l'Argonne. Pershing l'apprécie suffisamment pour en faire son aide-de-camp après l'armistice. Mais c'est comme instructeur à l'école d'infanterie de Fort Benning que Marshall accédera à la célébrité : il y formera la plupart des généraux de la Seconde Guerre mondiale. En 1939, Roosevelt le désigne pour le plus haut poste. « Secret de nature, parfaitement maître de soi malgré un caractère violent, de haute taille, toujours droit comme un i, de lui se dégageait une atmosphère naturelle de commandement. »

1. Administrativement, l'aviation releva du Département de la Guerre jusqu'à la fin des hostilités.
2. On sait que West Point est l'équivalent de notre Saint-Cyr.

Ce soldat, du type traditionnel, n'était pas qu'un militaire. On lira comment il sauva l'Europe d'après-guerre [3]. Déjà, de 1941 à 1945, il allait faire preuve de qualités exceptionnelles de diplomate et d'administrateur. « Le vrai organisateur de la victoire », dira de lui Winston Churchill.

H. H. Arnold, dit « Happy », ou plutôt « Hap », n'avait pas les mêmes prétentions. Il est avant tout un aviateur. Né dans une famille arrivée d'Angleterre depuis deux cents ans et imprégnée de traditions locales, le futur chef d'état-major a d'abord songé à devenir ministre baptiste. Entré en 1903 à West Point à l'âge de 17 ans, il fut un des tout premiers Américains à découvrir la griserie de l'air. Son métier était pour lui une passion. Contre ceux qu'il ne sentait pas inspirés par le même enthousiasme, il explosait, suivant les meilleures habitudes militaires. Alors, « le sourire fameux de " Hap " était remplacé par le regard redouté du général Arnold ».

Enfin, le marin, l'amiral King. A peu près du même âge que les deux autres, 63 ans. Sorti d'Annapolis [4] en 1901, il a quarante ans de carrière lorsque la guerre éclate et a compris depuis longtemps l'importance de l'aviation navale. En 1938, les cinq porte-avions sont placés sous son commandement. En 1940, il est à la tête de la flotte de l'Atlantique. Après Pearl Harbor, il est promu chef d'état-major. Intransigeant sur la discipline, ses officiers et ses hommes le redoutaient, dit-on, plus qu'ils ne l'aimaient. Mais tous s'inclinaient devant son expérience, son esprit de décision, surtout ses rares capacités de tacticien.

Première difficulté, les distances. Aucune guerre ne souleva de tels problèmes de logistique. Les chiffres parlent d'eux-mêmes. New York-Cherbourg, 3 154 milles marins.

3. Voir chap. XII.
4. L'École navale américaine.

New York-Port-Saïd, 5 123 [5]. Honolulu est à 2 091 milles de
San Francisco, Yokohama à 4 536, Hong Kong à 6 044,
Manille à 6 221, Melbourne à 6 970, Singapour à 7 353.

Sur de tels trajets, il fallut déplacer des centaines de milliers
d'hommes et des millions de tonnes de matériel. Le concours
de l'aviation ne pouvait être qu'accessoire. C'est dire à quel
point la question des transports maritimes était vitale. Elle fut
résolue par la construction des légendaires « Liberty Ships »,
navires à l'allure peu rapide, une dizaine de nœuds, mais d'un
tonnage suffisant — environ 10 500 tonnes — pour que des
chargements considérables y trouvent leur place. Homme étonnant que leur principal constructeur, cet Henry Kaiser, dont on
a soutenu qu'il fut « le héros industriel de la seconde guerre ».
Typique des « *success stories* », il n'est allé à l'école que jusqu'à
13 ans. Puis il essaie une variété de métiers, d'abord la photographie, bientôt la construction de routes et de ponts [6]. Il ne
s'était jamais occupé de chantiers navals quand la guerre
éclata. A cette tâche nouvelle il appliqua ses qualités hors du
commun d'animateur et d'organisateur. Il obtint des prodiges
de ses ouvriers [7]. Il fallait cent soixante-cinq jours pour construire un « Liberty Ship » en 1941 : le délai fut réduit à quatorze jours en 1945. L'historien Morison affirme que, en
novembre 1942, l'un d'eux fut même mis à flot, complètement
terminé, en quatre jours et quinze heures trente... A la fin de la
guerre, près de six mille de ces navires au nom évocateur sil-
lonnaient les océans.

Dans ce domaine, on était pratiquement parti de zéro. Ailleurs, la situation se présentait sous un jour plus favorable. En
décembre 1941, la préparation militaire des États-Unis était
beaucoup plus avancée qu'en avril 1917. Au moment de Pearl

5. Le mille marin équivaut exactement à 1 852 mètres. Pour avoir la distance en kilomètres, on pourrait approximativement multiplier ces chiffres
par 2.

6. On lui doit le magnifique pont qui relie San Francisco à Oakland.

7. Henry Kaiser fut un des premiers à organiser dans ses affaires une
assurance-maladie. Plus tard, il consacra une partie de sa fortune à la construction et à l'entretien d'hôpitaux.

Harbor, le service militaire obligatoire était en vigueur depuis plus d'une année, n'atteignant cependant que les Américains de 21 à 25 ans. L'armée comptait alors environ 1 million 1/2 d'hommes. La limite d'âge fut immédiatement portée à 45 ans, et la durée de la conscription étendue jusqu'à six mois après la fin des hostilités. En y ajoutant les engagements volontaires, plus de dix millions devaient faire partie des forces armées jusqu'en 1945. Les qualifications physiques étaient si strictes que, dans certains États, 40 % des appelés furent écartés. Enrôler des hommes était facile ; en faire des soldats, plus malaisé. On prête au général Patton une remarque judicieuse : il ne suffit pas, aurait-il dit, de leur apprendre à se battre, il faut encore leur en donner la volonté. Des conditions d'entraînement rigoureuses — devons-nous écrire impitoyables ? — inspirèrent à ces pacifistes d'instinct le goût de la bataille.

A la fin de 1941, la Marine avait sur l'Armée l'avantage d'avoir déjà participé dans l'Atlantique à des opérations de guerre. Puis ses chefs avaient eu la prescience des opérations amphibies : dès 1933, le corps prestigieux des Marines fut initié à de nouvelles tactiques de débarquement.

L'Aviation était encore le parent pauvre : pas plus de 1 300 officiers et 18 000 hommes à l'époque de Munich. Au début de 1939, Roosevelt avait réussi à faire voter par le Congrès 300 millions de crédits supplémentaires pour permettre la construction d'appareils plus modernes et le recrutement de pilotes. Mais l'aviation militaire, note le Pr Buchanan, disposait de si peu de terrains qu'elle en était réduite à avoir recours aux aéroports civils. La situation n'était guère plus brillante quand la guerre éclata. « Nos instructeurs, rappellera avec amertume le général Arnold, étaient à peu près dans la situation d'un maître-nageur qui essaierait d'apprendre la natation à quelqu'un en lui montrant un verre d'eau. »

Bientôt, comme par un coup de baguette magique, trente mille pilotes allaient chaque année recevoir leur brevet. Car, aux États-Unis d'alors, le mot impossible semblait vraiment ne pas avoir de sens.

On serait tenté de le croire lorsque l'on étudie comment fut conçu et appliqué le plan qui assura la victoire.

Deux mois et demi avant Pearl Harbor, un projet, adopté le 25 septembre, prévoyait déjà cent cinquante milliards de dépenses militaires jusqu'au printemps de 1944, soit la moitié du revenu national. Chiffres qui paraissaient fantastiques, mais dont, lors de la conférence d'Arcadie, deux hommes, également imaginatifs, Lord Beaverbrook et M. Jean Monnet [8], démontrèrent l'insuffisance. Ce dernier employait volontiers une formule difficile à contredire : « Il ne s'agit pas de ce que nous pouvons faire, mais de ce que nous devons faire. » Idée flatteuse pour les États-Unis, puisqu'elle leur supposait des possibilités illimitées, idée bien faite pour séduire Roosevelt, toujours amateur de vastes desseins. « En fait — et je puis le garantir car j'étais présent —, écrit Robert Sherwood —, le Président, la veille même du jour où le nouveau programme, dit " Victory Program ", allait être soumis au Congrès, en releva lui-même certains chiffres de la manière la plus arbitraire. Lorsque Hopkins s'en étonna, il répondit : " Oh ! Les producteurs en sont parfaitement capables s'ils s'en donnent la peine. " Optimisme qui se révéla justifié, mais que partageaient alors peu de spécialistes. »

Les tableaux ci-après expliqueront leurs doutes :

PROGRAMME ANTÉRIEUR A PEARL HARBOR		PROGRAMME ADOPTÉ LE 6 JANVIER 1942	
	pour 1942	pour 1942	pour 1943
Avions	28 600	45 000	100 000
Tanks	20 400	45 000	75 000

8. Arrivé aux États-Unis après l'armistice en août 1940, M. Jean Monnet ne s'était pas joint au mouvement du général de Gaulle, mais avait accepté de prêter son concours aux services d'achat anglais.

PROGRAMME ANTÉRIEUR À PEARL HARBOR		PROGRAMME ADOPTÉ LE 6 JANVIER 1942	
	pour 1942	pour 1942	pour 1943
Canons anti-aériens	6 300	20 000	35 000
Tonnage de navires marchands	6 000 000	6 000 000	10 000 000
Canons anti-tanks	7 000	14 000	non fixé
Mitrailleuses	168 000	500 000	non fixé
Tonnes de bombes aériennes	84 000	720 000	non fixé

On comprend que, lorsqu'il prit connaissance de ces prévisions, Churchill ait télégraphié à Londres que Beaverbrook avait été « magnifique » et Hopkins, « un envoyé du Bon Dieu ».

Il fallait passer à l'exécution. Premier obstacle : comment coordonner les demandes des Anglais et des Américains, comment répartir les stocks entre les Alliés, sans négliger les Russes, peu disposés à se laisser oublier ?

Pour apaiser ces derniers, un second milliard fut mis à leur disposition au titre du prêt-bail. Restait à convaincre les Britanniques, fort réticents, de dévoiler l'état confidentiel de leurs ressources et de leurs besoins. Tâche non moins difficile, il convenait d'obtenir des militaires américains de ne pas garder pour eux la part du lion. M. Jean Monnet s'était préoccupé de la question avant Pearl Harbor. L'un de ses collaborateurs, Mr Stacy May, envoyé à Londres, avait fait merveille. Ce passionné de statistiques dut connaître les plus beaux jours de sa

vie. Il revint, sans prendre la moindre précaution, « porteur de
trente-cinq livres des plus importants documents qui soient ».
Des mois furent nécessaires pour les étudier et les comparer
aux chiffres américains. Ce n'est qu'en juin 1942 que fut enfin
créé un Comité interallié de la production et des ressources[9],
avec des sous-comités pour chaque type de produits, en particulier, un « Munitions Assignment Board », dont l'insatiable
Hopkins fut nommé président.

Une prétention anglaise, typique du désir qu'on éprouvait à
Londres d'être placé sur le même pied que les États-Unis, avait
failli compromettre l'issue favorable des négociations. Les
chefs d'état-major britanniques avaient, en effet, suggéré la
création de « zones d'influence » dans lesquelles les Anglais et
les Américains assumeraient les responsabilités de répartir les
ressources entre les pays dits « protégés ». Les Britanniques se
réservaient la France et les autres pays européens, les États
arabes et les Dominions ; aux Américains, ils laissaient l'Amérique latine et la Chine ; la Russie n'était « attribuée » ni à l'un
ni à l'autre. A Washington, on prit assez mal cette proposition
sans vergogne, qui équivalait à assurer aux Anglais le bénéfice
moral de fournitures d'armes, pour la plupart d'origine américaine. Churchill connaissait bien les États-Unis ; il donna à ses
services l'ordre de ne pas insister...

Décider comment on distribuerait les armements n'était pas
secondaire ; les produire était plus important. Le général Marshall résuma fort bien la situation : « Autrefois, l'armée disposait de beaucoup de temps et manquait d'argent ; maintenant,
nous avons beaucoup d'argent et c'est le temps qui nous
manque. »

La position de Roosevelt était embarrassante. Un mot de lui
circulait en 1941 : « Si vient une guerre, nous en ferons une

9. « Combined Production and Resources Board ». L'équivalent dans le
domaine économique du « Combined Chiefs of Staff ».

guerre style New Deal [10]. » En présence des réalités, il n'était plus sûr que la formule fût satisfaisante. Comme il l'avait fait depuis 1933, il alla d'improvisations en improvisations. Au début, il affecta de ne plus s'intéresser à la politique, mais les élections bi-annuelles de 1942 lui rappelèrent que, même en temps de guerre, les partis existaient toujours. Les républicains enlevèrent 46 sièges à la Chambre et 9 au Sénat ; 7 d'entre eux devinrent gouverneurs d'États. Nominalement, les démocrates gardaient le contrôle des deux Assemblées ; en fait, une coalition du G.O.P. [11] et des démocrates anti-New Deal disposait de la majorité. « C'était le Congrès le plus conservateur depuis Hoover », remarque le Pr Goldman. La souplesse de F.D.R. en tira les conséquences. Un an plus tard, tomba de sa bouche une oraison funèbre : « Le Dr New Deal a été remplacé par le Dr Gagne-la-Guerre. »

On se hâta un peu vite d'en conclure que le Roosevelt classique avait, lui aussi, disparu. Immédiatement après sa défaite de 1942, son Message annuel sur l'état de l'Union fut, il est vrai, « le plus aimable et le plus conciliant » qu'il eût jamais prononcé. Un an plus tard, changement complet : après la Conférence de Téhéran [12], il ne fut plus question que d'une « déclaration des droits économiques » qui s'ajouterait à la « déclaration des droits politiques » de 1790, droit à un emploi, à une habitation, à une éducation, aux soins médicaux, etc.

On aurait grand-peine à trouver plus de continuité dans la conduite par le Président de ce que l'on a appelé fort justement « la bataille de la production ». Fallait-il rester fidèle aux principes du dirigisme qui avaient donné son coloris au New Deal ? Y avait-il lieu de tabler sur la libre entreprise ? mais n'était-ce pas réhabiliter ceux que l'on avait traités avec tant de mépris ? Une solution fut, en tout cas, écartée de prime abord : il ne serait pas question de nationalisations ; pendant la Première Guerre, le gouvernement fédéral avait pris en charge les

---

10. « *If war does come, we will make it a New Deal War.* »
11. « Grand Old Party », le parti républicain. « Le grand vieux parti ».
12. Voir p. 95.

compagnies de chemins de fer ; il leur laissa, cette fois, leur liberté traditionnelle.

Bernard Baruch, grand-prêtre de l'efficacité, conseillait à Roosevelt de créer une sorte de dictature de l'économie, confiée à une seule personne munie de pleins pouvoirs. Ses suggestions ne furent pas retenues, F.D.R. préférant, ainsi qu'il l'avait fait au temps du New Deal, avoir recours à une multiplicité d'agences dont il resterait l'arbitre suprême. On excusera l'énumération qui va suivre de sigles fastidieux, mais fort révélateurs des méthodes rooseveltiennes.

Dès le mois d'août 1939 avait été créé un « War Resources Board » (W.R.B.) aux attributions assez vagues. Les tendances anti-New Deal qui s'y manifestèrent le condamnèrent à une existence fugitive. En mai 1940, il cessa de plaire. On fit alors revivre une commission consultative de sept techniciens, adjoints au « Council of National Defense » (C.N.D.), lequel somnolait depuis sa création en 1916. Un de ses membres, ayant eu l'impertinence de demander qui en était le « boss », s'attira une réponse définitive du Président : « C'est moi. »

Lorsque, en 1940, l'idée du prêt-bail prit naissance, on constata vite qu'un minimum de coordination économique était indispensable ; d'où, en décembre, l' « Office of Production Management » (O.P.M.). Il se révéla incapable d'assurer ses responsabilités et, pendant l'été de 1941, fut remplacé par un autre service dont le nom indiquait clairement la fonction : « Supply Priorities Allocation Board » (S.P.A.B.).

Las ! Ce n'était pas encore l'idéal. On espéra y être parvenu à la fin de la Conférence d'Arcadie en changeant le nom de S.P.A.B. en celui de War Production Board (W.P.B.) et en confiant la direction au « bouillant » Donald Nelson, pour reprendre l'expression de M. Jean Monnet. « Bouillant », certes il l'était, cet ancien président du Sears Roebuck [13]. Il raconte que, dans la première semaine où il prit ses fonctions, il avait une moyenne de soixante rendez-vous par jour. « Bernie » Baruch, ne détestant pas évoquer ses succès à la Bourse, ironi-

13. Entreprise de ventes par correspondance.

sait : « Ce type-là [14] fait autant de bruit qu'un dividende. » Du bruit, sûrement, peut-être moins de réalisations. C'était un excellent technicien, mais manquant d'autorité, notamment à l'égard des militaires enclins à tout régenter. Puis un comité à la tête duquel se trouvait un sénateur du Kansas fort peu connu, Harry S. Truman, l'accusait de favoriser les grandes affaires. Péché majeur ! On avait, en tout cas, beau jeu à reprocher au W.P.B. son fonctionnement chaotique. De multiples anecdotes couraient à ce sujet. N'en mentionnons qu'une ; « Tout le monde à Washington connaissait l'histoire de ce banquier qui, ayant demandé à travailler dans un bureau fédéral, reçut six mois plus tard une lettre dudit bureau signée par lui, refusant sa candidature... »

Lorsque les choses n'allaient pas, l'instinct de Roosevelt — ou, si l'on préfère, son goût des changements — l'amenait à créer de nouvelles agences, six en un peu plus d'un an : en avril 1942, le Board of Economic Welfare, confié au vice-président Wallace (B.E.W.) ; plus tard, un Rubber [15] Administrator, bientôt suivi d'un Petroleum Administrator- ; en juin, pour protéger ce que nous appellerions les petites et moyennes entreprises, un Smaller War Plants Corporation (S.W.P.C.) ; ce même mois, un Office of Economic Stabilization (O.E.S.), remplacé en mai 1943, dans un effort suprême de coordination, par un Office of War Mobilization (O.W.M.), dont le directeur, James F. Byrnes, semble être, le premier, parvenu à imposer son autorité [16].

14. « *That fellow.* »
15. Le caoutchouc était une des matières premières qui faisaient le plus défaut.
16. S'il réussit là où tant d'autres avaient échoué, c'est peut-être parce qu'il obtint de l'incorrigible touche-à-tout qu'était Harry Hopkins de ne pas se mêler de ses affaires. On lui prête une remarque, à laquelle une traduction enlèverait sa saveur : « *There's just one suggestion I want to make to you, Harry, and that is to keep the hell out of my business !* »

« Raconter comment ces organismes qui changeaient sans cesse ont réussi à mobiliser l'économie américaine pour des tâches stupéfiantes, c'est, écrit le Pr Link, faire un récit où dominent la confusion, le chaos, l'incompétence, les échecs momentanés, les intrigues politiques, les vengeances personnelles, pour aboutir, malgré tout, à de magnifiques résultats... Le gouvernement et l'industrie accomplirent un des miracles économiques des temps modernes... »

« Miracle », ce mot vient, en effet, sous la plume lorsque l'on regarde les chiffres. En 1944, les États-Unis produisaient les deux cinquièmes du total des armements mondiaux. On a calculé ce qui sortit de leurs arsenaux et de leurs usines de juillet 1941 à août 1945 : 299 600 avions militaires, 86 400 chars, 2 725 000 mitrailleuses, 70 000 navires de guerre, d'un tonnage de 8 250 000, près de 6 000 navires marchands, correspondant à plus de 55 millions de tonnes, etc. Mais les statistiques n'ont de valeur que par comparaison. « A leur plus haut niveau, les besoins militaires ne représentèrent jamais plus d'un tiers de la production totale. » En six années, la capacité productive fut accrue d'environ 50 %.

Contraste saisissant, ce chaos apparent et cette réussite effective ! Le dynamisme des chefs d'entreprises, le labeur de leur personnel, l'immensité des moyens financiers dont disposait le gouvernement en éclairent peut-être certains aspects.

Les professeurs étaient passés de mode : les industriels les remplaçaient. Vers Washington affluèrent des centaines d'hommes d'affaires, impatients de révéler aux fonctionnaires les secrets de l'efficacité. « *The tame millionnaires* [17] », les surnommait-on. Certains recevaient un traitement officiel ; beaucoup se contentaient d'une rémunération nominale [18]. Ils

---

17. « Les millionnaires apprivoisés. »
18. Un dollar par an, plus des frais de séjour et de déplacement. Ces « *One dollar a year men* » avaient été nombreux pendant la Première

furent tous les animateurs de la gigantesque conversion des usines, triomphe de l'initiative individuelle.

Voici James Byrnes, dont nous avons dit les talents de coordinateur. C'est un homme du Sud, qui a commencé sa carrière comme avocat et journaliste. Puis la politique l'attire. Élu sénateur de son État natal, la Caroline du Sud, en 1930, à 51 ans, il est un « New Dealer » de la première heure, mais passe à l'opposition en 1936. Resté fidèle à la personne du Président, il en est récompensé par sa nomination à la Cour suprême en 1941, qu'il quittera un an plus tard, on le sait, pour prendre la direction de l'Office of Economic Stabilization. Nous le retrouverons à Yalta, et, pendant deux ans, comme Secrétaire d'État de Truman. « C'était, dit un biographe, un homme naturellement optimiste, dont le plus grand talent était l'art du compromis. » Son rôle fut si considérable que Roosevelt l'avait baptisé « président adjoint sur le front intérieur [19] ».

Voici un autre futur Secrétaire d'État, Edward Stettinius, beaucoup plus jeune, 41 ans, lorsqu'il quitte l'United States Steel dont il est président pour devenir directeur de l'Office of Production Management, et quelques mois après, en 1941, administrateur du « prêt-bail ». Jeune homme, il avait songé à devenir ministre épiscopalien, mais, nous explique-t-on, « on le convainquit de mettre en pratique son idéal humanitaire dans une carrière d'affaires ». Ce qu'il fit en entretenant des rapports confiants avec les syndicats, et en affichant son adhésion au New Deal. On croit le voir, tant la description d'un historien est typique des Américains de la bonne bourgeoisie d'alors : « Affable de manières, le visage souriant, couronné de cheveux prématurément blancs, au contraire d'épais sourcils noirs, des yeux bleus, un teint basané, de lui se dégageaient autant de séduction que de bonne volonté. »

Tout autre était William S. Knudsen. Né à Copenhague en

Guerre. Sous des formes diverses, ils recevaient des compensations de leurs affaires pour lesquelles leur présence dans l'administration fédérale n'était pas sans présenter quelques avantages. Le Comité Truman fit la chasse aux inévitables abus.

19. « Assistant President on the Home Front. »

1879 dans une famille de dix enfants ; peu de ressources, une foi luthérienne intense. A six ans, le futur directeur général de General Motors [20] travaille après l'école pour augmenter le revenu familial. Il arrive à obtenir ce que nous appellerions un certificat d'études, puis commence la vie comme apprenti.

A 21 ans, il émigre aux États-Unis. Pendant six ans, tous les métiers : riveur et fraiseur dans un chantier naval, chauffeur de locomotive, ajusteur mécanicien dans une affaire de bicyclettes, où il devient un des principaux contremaîtres. La chance — qu'il saisit — lui sourit. Ford achète l'entreprise qui fabrique désormais des pièces de rechange pour automobiles. Il juge vite les possibilités de William Knudsen et le convoque à Detroit en 1913. Alors commence, vertigineuse, l'ascension. Pendant la guerre, la responsabilité de la production du modèle T est confiée à l'ancien Danois, qui vient juste de devenir citoyen.

On sait la brutalité avec laquelle les affaires américaines se séparent même de leurs plus importants collaborateurs. En 1921, Knudsen a cessé de plaire à Ford et est renvoyé. Une année de tâtonnements, puis la General Motors l'embauche. Les usines Chevrolet languissaient, leur nouveau directeur les réveille. Il dut éprouver quelque satisfaction lorsque, en 1927, les ventes de Chevrolet dépassent celles de Ford. L'affaire est si bien dirigée qu'elle est la seule division de General Motors à faire des bénéfices pendant la Grande Dépression. Roosevelt appelle Knudsen à Washington en 1941. Il y passe une partie de la guerre chargé de la négociation des contrats d'armement. Il s'y crée autant d'ennemis que d'amis, mais tous respectent « Big Bill », 6 pieds 3, et taillé à coups de hache, un visage rose, des yeux bleus, une moustache et des cheveux argentés. « Simple de manières, il avait, paraît-il, gardé quelque chose de la courtoisie du Vieux Monde. » De plus, passionné de lecture et de musique.

20. Avec, en 1936, un salaire de $ 507 645, un des dix hommes les mieux payés.

Qu'auraient pu faire ces hommes sans les travailleurs qui, chaque jour, accomplissaient leur humble et parfois écrasante tâche ?

Feuilletons les statistiques. En 1941, il ne reste plus que 5 millions 1/2 de chômeurs, 9,9 % de la population active [21]. Le programme d'armements antérieur à Pearl Harbor a déjà fait son œuvre. Mais ce qui suit est encore plus significatif : 2 660 000 en 1942, 1 070 000 en 1943, 670 000 en 1944, pas plus de 1,2 %, pratiquement le plein emploi.

Entre 1940 et 1945, le nombre des salariés s'est élevé de près de 10 millions, passant de 56 180 000 à 65 290 000. La moitié de ces embauchages concerne les femmes : 14 millions en 1940, 19 millions en 1945. Dans la même période, l'indice de productivité est passé de 124 à 159 [22], le salaire horaire de 73 cents à $ 1,02, la rémunération annuelle moyenne de $ 1 300 à $ 2 200. La durée de la semaine de travail s'est en effet allongée environ d'un quart : 47 heures au lieu de 38, d'où la multiplication des rémunérations supplémentaires.

Les grèves sont exceptionnelles, pas plus d'un jour de travail par salarié en quatre ans, précise le Pr Graham Jr. Deux seules risquèrent de compromettre la production : celles des mineurs sous l'impulsion du redoutable John L. Lewis [23] dans l'été de 1943, et quelques semaines plus tard, celle des chemins de fer ; l'une et l'autre se terminèrent par un échec et l'impopularité des syndicats en fut sensiblement accrue.

Ces travailleurs, il fallait les rémunérer, ces entreprises, il fallait les financer.

On a calculé que la Seconde Guerre mondiale coûta aux États-Unis un peu plus de $ 321 milliards, dix fois le coût de la Première, trente-cinq fois le budget de 1940, deux fois, affirme un historien, le total des dépenses fédérales de 1789 à Pearl Harbor. Les trois cinquièmes furent financés par des emprunts, la dette publique montant en cinq ans de 49 milliards à 259,

21. Contre 12 800 000 équivalant à 24,9 % en 1933.
22. 1929 = 100.
23. Voir p. 196.

quintuplant la charge individuelle, $ 1 849 au lieu de 367. Les impôts fournirent le reste : à peine 5 milliards en 1940, plus de 40 en 1944. Les sociétés versaient à l'État à la fin de la guerre quatorze fois plus qu'au moment de Pearl Harbor, les prélèvements atteignant jusqu'à 50 % des profits et, dans le cas des bénéfices de guerre, 90 %. En apparence, les revenus individuels furent encore plus durement atteints, puisque leur contribution aux charges publiques était en 1944 dix-neuf fois supérieure à celle de 1940. Cet accroissement provenait moins toutefois d'une élévation de l'« income-tax [24] » que d'une extension du nombre des contribuables : 42 millions de familles étaient soumises à l'impôt sur le revenu en 1944, dix fois plus qu'en 1939.

L'économie supporta ces charges supplémentaires avec une remarquable souplesse. De 1917 à 1920, l'indice des prix était passé de 54,8 à 85,7 [25] ; de 1941 à 1945, la hausse fut limitée à 14 points, 76,9 au lieu de 62,9, et les quatre cinquièmes se produisirent entre 1941 et 1943. A partir de cette date, un contrôle des prix, renforcé par le rationnement de certains produits, réussit à limiter à trois points les mouvements de l'indice.

« Un effort sans précédent », ainsi avons-nous intitulé ce chapitre où nous avons tenté de faire revivre les prodiges du programme d'armements. Mais cette expression sied encore mieux à l'héroïsme des jeunes hommes, qui, à des milliers de kilomètres de chez eux, trouvèrent la mort sur les plages de Normandie ou dans les jungles d'Extrême-Orient. L'atmosphère n'avait cependant rien de romantique comme celle de 1917. Pas de sonneries de clairon, guère de drapeaux qu'on hisse, à peine une ou deux chansons qui n'eurent jamais la popularité de « *Over there* » vingt-cinq ans plus tôt. « *A survi-*

---

24. Encore que, en 1942, Roosevelt, dans une de ses crises socialisantes, eût essayé — sans le moindre succès — d'obtenir du Congrès que le revenu individuel maximum ne dépassât plus $ 25 000.
25. 1947-1949 = 100.

val war », ainsi Roosevelt baptisa-t-il ce conflit[26]. L'expression n'était pas faite pour exciter l'imagination. La propagande fit de son mieux pour donner quelque résonance aux formules, à tout prendre fort creuses, de la Charte de l'Atlantique ou de la Déclaration des Nations Unies ; elle ne réussit jamais à être inspirée du souffle qui avait permis à Wilson de donner à ses compatriotes l'illusion qu'ils partaient en croisade[27]. « Nos hommes, écrit le Pr Bailey, firent leur métier de tueurs, froidement, méthodiquement, efficacement. » Pourtant, sommeillait en chacun une fierté nationale que l'insulte japonaise et les horreurs nazies exacerbèrent. Une fois de plus, l'*homo americanus* se sentit investi d'une mission à la fois mystérieuse et évidente.

26. « Une guerre pour survivre. »
27. Il est révélateur que Eisenhower, se rappelant ses souvenirs de jeunesse, ait intitulé ses Mémoires *Crusade in Europe*. Mais le mot sonne mal, s'appliquant à une association avec Staline.

4.

L'initiative change de camp

PREMIÈRES RÉACTIONS AMÉRICAINES : LE RAID DOOLIT-
TLE, LA BATAILLE DE LA MER DE CORAIL, LA BATAILLE
DE MIDWAY. — PROBLÈMES POSÉS PAR LE DÉ-
BARQUEMENT EN AFRIQUE DU NORD. — NEU-
TRALISATION DE FRANCO. — L'ÉNIGME FRANÇAISE. —
MÉFIANCE ENVERS DE GAULLE. — ESPOIRS EN GIRAUD. —
UN DÉBARQUEMENT DIFFICILE. — DARLAN, « EXPÉDIENT
TEMPORAIRE ». — CONFÉRENCE DE CASABLANCA. —
FAUSSE RÉCONCILIATION DE GIRAUD ET DE DE GAULLE.
— ROOSEVELT POSE LE PRINCIPE DE LA REDDITION
INCONDITIONNELLE. — AMÉLIORATION CONSTANTE DE LA
SITUATION MILITAIRE : VICTOIRE EN TUNISIE, INVASION ET
CAPITULATION DE L'ITALIE, TRIOMPHE À STALINGRAD,
SUCCÈS À GUADALCANAL.

A Washington, depuis Pearl Harbor, on cherchait une
riposte. Des esprits audacieux conçurent le projet d'attaquer
quelques villes japonaises. Les difficultés étaient considérables.
Les porte-avions devraient s'approcher assez près des côtes
pour que les bombardiers puissent atteindre leurs objectifs ;
c'était risquer de rencontrer la flotte ennemie, alors au maximum de sa puissance. Puis la capacité de vol des appareils leur
interdisait de revenir à leur point de départ : il leur faudrait se

poser en Chine sur des terrains de fortune, où l'on ne savait trop comment ils seraient accueillis.

Montrer aux Japonais qu'ils n'étaient pas invulnérables parut si important que ces objections ne pesèrent guère. Un lieutenant-colonel de 46 ans, James H. Doolittle, reçut le commandement de l'expédition. Ses seize B. 25 décollèrent de Midway le 14 avril 1942 ; le 18, ils prirent leur élan à près de treize cents kilomètres de leurs cibles [1] ; treize atteignirent Tokyo, deux Nagoya, un Kobé, déversant des bombes de cinq cents livres. Huit pilotes durent descendre en parachute ; cinq furent faits prisonniers. Les Japonais en exécutèrent trois pour avoir fait des victimes civiles. Un avion trouva refuge à Vladivostok ; l'équipage parvint à s'enfuir et — Dieu sait comment ! — à atteindre l'Iran ; méfiants, les Russes gardèrent l'appareil jusqu'à la fin de la guerre.

Plus sportif qu'efficace, cet exploit n'était d'aucune portée militaire. Il marque néanmoins la fin de quatre mois de passivité apparente. Deux batailles navales allaient prouver que l'agression du 7 décembre n'avait nullement entamé le dynamisme de la marine américaine. Première rencontre, celle de la mer de Corail, les 7 et 8 mai. Combat dont la place est assurée dans l'histoire, car, pour la première fois, aucun coup de canon ne fut échangé entre les deux escadres hors de la portée l'une de l'autre. Un duel d'avions et des tirs anti-aériens aboutirent à un résultat indécis : un porte-avions coulé dans chaque camp. Stratégiquement, les Américains n'en étaient pas moins vainqueurs, car ils venaient de couper à l'ennemi la route de l'Australie et de lui interdire le débarquement qu'il projetait au sud-est de la Nouvelle-Guinée vers Port Moresby.

Autrement violente fut la bataille qui, du 3 au 6 juin, fit rage autour de Midway [2]. Les stratèges de Tokyo avaient imaginé

1. Un patrouilleur ennemi avait eu le temps, avant d'être coulé, de donner l'alerte. Mais les Japonais sont gens méthodiques. « Ils calculèrent, raconte M. Bernard Millot, que l'attaque aurait lieu le 19 ; en conséquence, le 18, la défense aérienne était insignifiante... »

2. Deux îlots sablonneux, au nord-ouest de l'archipel d'Hawaii, à environ deux mille cinq cents kilomètres de Pearl Harbor. Une base navale y

un plan grandiose : une attaque sur Midway, une diversion sur les Aléoutiennes pour attirer la flotte américaine vers le nord, et l'encercler entre des porte-avions. L'amiral Yamamoto, encore grisé par ses récentes victoires, reçut le commandement d'une escadre imposante de cent-soixante-deux vaisseaux de guerre et auxiliaires, la presque totalité de la marine japonaise, onze cuirassés, vingt-trois croiseurs, huit porte-avions. Les Américains ne pouvaient lui opposer que huit croiseurs et trois porte-avions, dont un endommagé : aucun cuirassé n'était disponible. Mais ils avaient à leur tête l'amiral Nimitz, homme d'une qualité rare, qui se révéla un maître-tacticien.

La véritable lutte s'engagea le 4 juin. « C'était une magnifique journée de printemps ; un ciel bleu, à peine quelques nuages ; à 6 000 mètres de hauteur, les pilotes apercevaient jusqu'à près de cent kilomètres à la ronde. » Cette fois encore, les canons restèrent silencieux. Pour la plupart des équipages américains, c'était le baptême du feu. Ils firent merveille, surclassant sans cesse leurs adversaires. De fausses manœuvres de l'ennemi l'acculèrent à se retirer après trois jours de combats acharnés.

La disproportion des pertes est éloquente : chez les Japonais, 4 porte-avions, 1 croiseur lourd, 10 hydravions, 322 avions, 3 500 morts ; chez les Américains, 1 porte-avions, 1 destroyer, 147 avions, 300 morts. « Incroyable victoire », a-t-on dit ; « incroyable », certes, qui préfigure tant d'exploits de même nature. La presse nipponne présenta cette défaite comme un triomphe, dont « les résultats défient l'imagination ». Sans doute le croyait-elle. Mais c'est de ces quelques journées que date le déclin de l'Empire du Soleil Levant.

Pour le moment, une partie d'une extrême importance allait se jouer à l'autre bout du monde. On se rappelle [3] que la déci-

avait été établie en août 1941. Si Midway tombait, Pearl Harbor devenait intenable, et la Californie ouverte à l'invasion.

3. Voir p. 48.

sion de débarquer en Afrique du Nord fut prise en juillet 1942 ;
un commandant américain s'imposait, les États-Unis assurant
la responsabilité de l'opération ; Eisenhower [4] parut l'homme
idéal. Les problèmes politiques posés par cette opération
étaient au moins aussi délicats que les problèmes militaires. Il
fallait s'assurer de la passivité espagnole, plus encore être certain de la bonne volonté des autorités françaises. Or à la
France on n'avait guère songé depuis deux ans. « Au fond »,
écrit le général de Gaulle, résumant peut-être un peu succincte-
ment une situation fort complexe, « ce que les dirigeants américains tenaient pour acquis, c'était son effacement. »

L'incertitude était si grande que, après le débarquement,
Eisenhower dut maintenir en bordure du Maroc espagnol la
division Patton, dont il avait fort besoin sur le front de Tunisie.
Le cas de Franco — lequel n'avait, d'ailleurs, aucune envie
d'intervenir — fut aisément réglé. Quelques cargaisons de produits essentiels, surtout d'essence, rappelèrent aux Espagnols
les avantages de la neutralité. Puis le choix comme ambassadeur d'un éminent historien catholique, Carlton Hayes, facilita
un minimum de compréhension entre les deux pays.

De l'énigme française on se sentait incapable à Washington
de trouver le mot. Bien peu soupçonnaient la tragique grandeur
du Maréchal. Chez quelques francophiles que le désastre de
1940 avait déchirés, chez beaucoup d'Israélites, persuadés que
le gouvernement de Vichy s'associait d'un cœur léger aux per-
sécutions juives, le nom de De Gaulle soulevait une admiration
proche du fanatisme. Mais le Général était desservi par certains de ses partisans. Leur haine, il faut le dire, s'acharnait
plus encore sur leurs compatriotes que sur les nazis, et, à leurs
yeux, l'envoi du moindre secours aux enfants et aux prisonniers était un crime de lèse-patrie. Leur chef se rendait compte
de l'insuffisance de sa représentation. « Je demandai, écrit-il,
leur concours à Jacques Maritain et à Alexis Léger [5]. Les
réponses furent déférentes, mais négatives. »

4. Voir p. 42.
5. Tous deux résidant aux États-Unis depuis l'armistice.

Ce philosophe, ce diplomate éprouvaient-ils les mêmes réticences que le gouvernement américain ? « Dans l'esprit de F.D.R., écrit le Pr LaFeber, de Gaulle était trop près de Churchill, trop inaccessible aux désirs américains, trop égocentrique et trop intelligent pour pouvoir être manipulé. » Même analyse chez un haut fonctionnaire du Département d'État. « On considérait ses prétentions comme ne reposant sur rien, sa contribution à la guerre comme faible et ses ambitions comme dangereuses. » « Dangereuses », le mot n'est pas trop fort : pour Cordell Hull, sinon pour Roosevelt, de Gaulle n'était guère qu'un général rebelle aspirant à la dictature.

Se lancer à ses côtés dans l'aventure africaine était ainsi hors de question. Mais sur quel chef s'appuyer ? Qui coordonnerait les activités un peu désordonnées des hommes de bonne volonté souhaitant avec passion une intervention américaine ? L'idée en avait été lancée, pour la première fois, croyons-nous, dès l'automne de 1940, par M. Emmanuel Mönick, alors secrétaire général au Maroc, mais les Allemands, soupçonneux, exigèrent son rappel. Sous le couvert de négociations commerciales, des arrangements permirent aux Américains, en plein accord avec le général Weygand, d'installer en Afrique du Nord un nombre appréciable de « vice-consuls », tous professionnels des services de renseignements. L'auteur de ces accords, Robert Murphy, consul général à Paris de 1930 à 1936, puis conseiller à l'ambassade et chargé d'affaires à Vichy en 1940, était un de ces Américains pour qui la France est une seconde patrie. Il entra en rapport avec le petit groupe de conjurés qu'animait de son dynamisme Jacques Lemaigre-Dubreuil, grand industriel, enclin à ne pas se cantonner dans l'exercice de sa profession.

Le problème, toutefois, restait entier : où trouver l'homme autour de qui se rallieraient les forces armées et la population ? Weygand eût été l'idéal : son nom était un symbole de noblesse, de patriotisme, de désintéressement. Dès le début de 1942, Roosevelt lui fit remettre une lettre flatteuse et vague. Il lui expliquait que les États-Unis souhaitaient « par-dessus tout que l'Empire français en Afrique demeurât dans des mains

françaises ». « Ils ne désirent, ajoutait-il, y voir ni les Américains, ni les Anglais, ni les partisans de M. de Gaulle. » Le
Général se borna à prendre note des commentaires de l'envoyé
présidentiel et à rendre compte de cette visite au maréchal
Pétain. Déçus, les Américains songèrent alors, précise le Pr
Duroselle, à Édouard Herriot, à Alexis Léger, au général de
Lattre de Tassigny, au gouverneur de l'Algérie, Yves Chatel,
personnalités qui, pour des raisons diverses, n'étaient nullement qualifiées.

Or, au mois d'avril, Giraud s'évada de Königstein dans les
conditions originales que l'on sait. Le tour qu'il venait de jouer
aux Allemands donnait un reflet nouveau à son prestige militaire. A Washington on n'hésita guère : la solution était
trouvée ! Le général ne se déroba pas, mais posa ses conditions : les États-Unis s'engageraient à rétablir la France et son
empire dans son intégrité ; ils fourniraient les armements nécessaires à la reconstitution des forces françaises ; le cours du dollar serait fixé à un maximum de 50 F ; enfin — prétention exorbitante — le général Giraud aurait le commandement en chef
des troupes alliées là où les troupes françaises participeraient
au combat. Roosevelt aurait, affirment certains, accepté chacune de ces clauses. Sa légèreté ne permet pas d'exclure cette
hypothèse[6]. En tout cas, le Président ne jugea pas bon de prévenir de sa décision le général Eisenhower, responsable de l'expédition.

Le récit du débarquement en Afrique du Nord a été fait cent
fois. Nous n'en retiendrons que l'essentiel, en renvoyant nos
lecteurs, pour le reste, à l'excellent ouvrage de Robert Aron[7]
où il fait preuve, une fois de plus, de l'objectivité qui le caractérisait.

« Incroyable », disions-nous en parlant de la victoire de
Midway : « incroyable », pourrions-nous encore écrire en par-

6. Que confirment catégoriquement les *Souvenirs* de Giraud. En annexe
y figure le texte du télégramme par lequel l'ambassade des États-Unis trans-
mit à Washington les demandes du général, avec, au-dessous, cette mention
mystérieuse : « O.K., Roosevelt. »

7. *Histoire de Vichy,* Paris, 1954.

lant d'une opération, dont le succès fut spectaculaire, alors que sa réussite était fort aléatoire.

Car enfin, que d'obstacles ! D'abord, on se le rappelle, les réticences de l'état-major américain, qui se rallia au projet de fort mauvais gré. Une fois le principe admis, d'autres divergences opposèrent les Alliés : où débarquerait-on ? Autant de responsables, autant d'opinions : les Anglais suggéraient aussi près que possible de Bizerte, dont tout le monde reconnaissait l'importance stratégique ; des Américains recommandaient au contraire de se limiter au Maroc, craignant d'être coupés de l'Atlantique par une intervention espagnole ; Roosevelt préconisait Alger seulement, d'après lui « le lieu de moindre résistance, et le plus avantageux », Eisenhower aurait préféré Oran-Alger-Bône à Casablanca-Oran-Alger. Cette dernière combinaison prévalut.

Deuxième problème, les effectifs. Une expédition de faible envergure avait toutes chances d'échouer ; trop nombreuse, elle exigeait des moyens de transport dont la coalition ne disposait pas. Lorsque des informateurs américains laissaient entendre aux Français qu'ils pouvaient compter sur 500 000 hommes, ils étaient mal renseignés, ou bien allongeaient volontairement la liste des informations fallacieuses qui caractérisent cet imbroglio. L'historien Liddell Hart fournit des précisions sur les premiers débarquements : 24 500 hommes à Casablanca, 18 500 à Oran, 18 000 à Alger [8]. Autre question : on savait les Anglais peu populaires en Afrique du Nord depuis Mers el-Kébir ; leur participation fut limitée à l'origine à la moitié des effectifs d'Oran.

Troisième problème : comment établir des contacts avec les conjurés d'Alger, notamment avec le général Mast, qui réclamait avec insistance l'envoi d'un représentant militaire de haut grade ? Eisenhower décida de tenter la chance. Son principal adjoint, le général Clark, fut chargé de cette mission. Celle-ci ne manqua pas de pittoresque. Le rendez-vous fut pris pour le

8. Au maximum de leur force, les armées alliées en Afrique du Nord auraient atteint 290 000 hommes, 150 000 Américains, 140 000 Britanniques.

23 octobre dans une ferme près de Cherchell à une centaine de kilomètres d'Alger. Le sous-marin qui amenait Clark et quatre officiers arriva trop tard pour les débarquer avant le lever du jour. Il dut rester en plongée toute la journée. Le soir venu, les Américains gagnèrent la terre dans des canots de toile, guidés par une lampe allumée à une fenêtre. Les conversations durèrent toute la nuit et une partie de la journée. Les Français étaient représentés par le général Mast et trois officiers, un collaborateur de Lemaigre-Dubreuil et le propriétaire de la ferme. Robert Murphy établissait une liaison entre deux groupes peu faits pour se comprendre. Les Américains restèrent dans le vague ; oui, ils allaient débarquer, mais ne dirent ni où ni quand. A un moment, l'alerte fut chaude. On apprit que des policiers s'approchaient ; Mast et ses officiers prirent la fuite ; les Américains se cachèrent dans la cave (où une crise de toux de l'un d'eux faillit signaler leur présence) ; Murphy et les deux autres Français se mirent imperturbablement à jouer au poker d'as. Fausse émotion : la police ne recherchait que des contrebandiers. Le départ des Américains ne se fit pas sans encombre sur une mer houleuse [9]. Les Français rentrèrent déçus. Le mystère persistait, générateur de malentendus et de rancœurs.

8 novembre 1942 : deux cent quatre-vingt-dix navires arrivant des États-Unis et d'Angleterre, exacts au rendez-vous, mouillent au large de Casablanca, d'Oran et d'Alger. Un nombre infime de Français ont été prévenus, partiellement et trop tard. Le général Béthouart, qui depuis longtemps ne cachait pas ses sympathies pro-américaines, cherche à Casablanca à empêcher une effusion de sang ; le résident général Noguès exécute les ordres de Vichy, résister à toute attaque, quel que soit l'agresseur ; pendant deux jours, une canonnade entraîne la mort de « quinze cents Français et de presque

9. Pour embellir l'histoire, Clark se plaisait, paraît-il, à raconter qu'il avait perdu son pantalon dans l'aventure.

autant d'Américains ». A Oran, le débarquement ne s'effectue
pas non plus sans combat ; à Alger, il réussit sans coup férir.
    Mais avec qui traiter ? Les Américains comptent toujours
sur Giraud. Lui aussi a été avisé au dernier moment. Il a quitté
la France en sous-marin dans la nuit du 4 au 5 novembre,
« sans avoir réfléchi le moins du monde à ce qu'on attendait de
lui » (Juin). Il veut voir Eisenhower qu'il sait à Gibraltar et lui
faire confirmer les pouvoirs qu'il s'imagine avoir obtenus de
Roosevelt. Son interlocuteur lui déclare « tout ignorer de cette
promesse » et qualifie l'entrevue de « navrante ». « Le général
Giraud, écrit-il, croyait son propre honneur et celui de son
pays engagés et ne voulait accepter aucun poste inférieur à
celui de commandant en chef... sinon, nous déclara-t-il,
Giraud [10] sera spectateur en cette affaire. » La nuit porta conseil. Le lendemain, le général se résigna à un compromis : il
aurait le commandement en chef dans les opérations où les
troupes françaises « seraient aussi nombreuses que les troupes
américaines et anglaises », perspective assez lointaine... Plus
ou moins apaisé, il arriva à Alger le 9. L'accueil qu'il reçut fut
glacial. « C'était faire bon marché de la cohésion et de l'esprit
de discipline de l'armée d'Afrique que de s'imaginer qu'elle
accueillerait Giraud, général sans mandat, comme Napoléon à
son retour de l'île d'Elbe », écrit le maréchal Juin.
    On peut se demander comment la situation aurait été
dénouée, si, par un de ces hasards extraordinaires de l'histoire,
l'amiral Darlan ne s'était pas trouvé à Alger [11]. Manifestement,
les forces armées françaises n'obéiraient qu'à lui, le considérant comme seul représentant de la légitimité. Qu'allait-il décider ? Après deux jours d'atermoiements, il finit par accepter le
10 de signer un armistice, ayant obtenu, par un code ultra-
secret, l'assurance que le Maréchal l'approuvait. L'Afrique du
Nord basculait du côté allié. Mais grâce à qui ? La presse amé-

---

    10. « Il ne le cédait en rien à de Gaulle en fait d'égocentrisme. Tous
deux parlaient de soi à la troisième personne », note M. Jean Monnet.
    11. Depuis le 3 novembre, venu voir son fils malade et ignorant tout des
projets américains.

ricaine de gauche se déchaîna contre ce qu'elle appela un renie-
ment. Pour elle, Darlan était un « traître », un « collaborateur »,
un « fasciste »; l'opportunisme allait-il devenir le guide de la
politique des États-Unis [12] ? Roosevelt mit les choses au point
fort cyniquement le 18 novembre en qualifiant l'arrangement
d'« expédient temporaire ». Temporaire, il le fut, car nous
n'avons pas à rappeler que l'amiral fut assassiné le 24 décembre. Apparemment, Giraud restait maître du jeu.

L'ombre de De Gaulle obscurcissait l'atmosphère. Dans
l'espoir d'apaiser les Français Libres, les États-Unis leur
avaient depuis le début de l'année accordé quelques avantages :
leur autorité avait été reconnue sur les îles du Pacifique et sur
l'Afrique équatoriale; puis le prêt-bail leur était désormais
consenti directement, sans passer par le gouvernement britannique. De Gaulle, considérant que tout cela allait de soi, n'en
avait été en rien impressionné. Quant à Roosevelt, sa méfiance
était tenace. Sur sa demande, le général n'avait pas été tenu au
courant du projet nord-africain. Le jour du débarquement,
Churchill l'invita à déjeuner. Il se montra « raisonnable », commente Anthony Éden. État d'âme tout passager. « Conversation téléphonique avec Winston », note trois jours plus tard le
Secrétaire aux Affaires étrangères. « Avons parlé du caractère
difficile de presque tous les Français... »
   Roosevelt et Churchill allaient s'en apercevoir. Ils avaient
décidé de se rencontrer à Casablanca. Lieu de réunion qui
étonna Eisenhower [13], mais dont le choix s'explique, semble-
t-il, par les problèmes que posait alors l'Afrique du Nord.
Faut-il ajouter que Churchill n'était pas insensible au confort

12. Moins scrupuleux, Molotov avisa l'ambassadeur américain qu'il
comprenait la transaction. Puis il ajouta que « le gouvernement soviétique
portait un grand intérêt à l'Afrique française ». Déjà...
13. « Je n'ai jamais su, écrit-il, les raisons exactes qui poussèrent le Président et le Premier ministre à choisir Casablanca. »

et que la résidence d'Anfa où il fut installé, ainsi que F.D.R.,
lui apporta toute satisfaction ?

On avait tenté de faire venir Staline. Sa réponse ne laissa
aucun doute sur sa pensée : « La situation est si sérieuse que je
ne puis m'absenter un seul jour... » D'ailleurs, faisait-il comprendre, de quoi parlerions-nous ? Tout ce que les Anglais et
les Américains ont à faire, c'est de tenir leurs promesses ! Roosevelt fut navré, tant il était impatient de rencontrer celui qu'il
commençait à appeler « Uncle Joe ». Churchill se contenta plus
aisément de ce refus, redoutant avant tout une entente
américano-soviétique. La conférence s'ouvrit le 14 janvier dans
une atmosphère d'euphorie. Le président des États-Unis était
« dans l'état d'esprit d'un collégien en vacances [14] », et d'autant
plus détendu que, prétextant que l'on parlerait surtout de questions militaires, il n'avait pas amené Cordell Hull, dont les ins-
tincts moralisateurs l'agaçaient facilement. Puis, dans l'ensemble, les nouvelles étaient bonnes. Depuis sa victoire d'El
Alamein, le 4 novembre, Montgomery n'avait cessé de boubcu-
ler Rommel, en pleine retraite à travers la Tripolitaine ; en
Russie, deux cent cinquante mille Allemands se trouvaient
encerclés à Stalingrad.

Un point noir cependant : l'offensive d'Algérie vers la
Tunisie piétinait. Puis, manifestement, les relations avec les
autorités françaises avaient besoin d'un nouvel examen.
Absente diplomatiquement, la France ne cessa de dominer les
délibérations. Roosevelt avait à son sujet des idées fumeuses et
obstinées. Écoutons des témoins. Eisenhower, d'abord : le Président « a demandé si la France pourrait retrouver son ancien
prestige et sa puissance en Europe, et, sur cette question, il
était très pessimiste. En conséquence, son esprit était préoccupé par les moyens de s'assurer le contrôle de certains points
stratégiques de l'Empire français que la France, pensait-il, ne
serait plus en mesure de conserver ». Mêmes impressions d'Elliott Roosevelt, répétant les propos de son père : « La France ne

14. C'était son premier voyage en avion depuis 1932, lorsqu'il se rendit
à Chicago pour accepter sa désignation par la convention démocrate.

sera plus que le trustee de ses anciennes colonies; elle devra chaque année faire un rapport [15] sur les progrès accomplis »; ou encore: « Les Alliés seront forcés de conserver le contrôle militaire de l'Afrique du Nord pendant des mois, peut-être des années... Tout vaut, d'ailleurs, mieux que de vivre sous l'autorité coloniale de la France. » Robert Murphy, enfin: « Le Président discutait volontiers du remplacement de fonctionnaires français ou de modifications des lois françaises appliquées en Afrique, comme s'il s'agissait d'affaires américaines. » De cette inconscience, il fournit une preuve de plus en invitant le sultan à dîner et en lui recommandant sans la moindre vergogne d'établir directement des relations économiques avec les États-Unis. Murphy avait promis à Giraud que la France recouvrerait l'intégralité de son Empire. Roosevelt le lui reprocha : « Cette lettre, lui dit-il, risque de me compliquer la vie après la guerre. »

L'opinion de F.D.R. sur les deux Français candidats au pouvoir n'était évidemment pas faite pour lui donner confiance. Sa première rencontre avec Giraud lui inspira « une vaste déception » : « Il est nul comme administrateur et sera nul comme chef. » Et de Gaulle ? Elliott Roosevelt rapporte la pensée intime de son père : « Je ne puis imaginer un homme qui m'inspirerait plus de méfiance : son organisation est truffée d'espions. » Cette conviction donne-t-elle quelque créance aux invraisemblables précisions dont Harry Hopkins se porte garant ? Il affirme qu'à la première entrevue de F.D.R. avec le chef de la France Libre, il y avait « derrière les rideaux des hommes des services secrets armés de revolvers... Ils me dirent qu'ils ne pouvaient rien risquer, s'agissant du Président » *(sic).*

On a peine à croire que l'atmosphère ait été à ce point rocambolesque. En tout cas, le Général fut « glacial », en dépit des efforts de séduction de son interlocuteur. Roosevelt avait fini par se résigner à l'idée que la venue de De Gaulle à Alger était inévitable si l'on voulait faire avancer les affaires françaises. Mais il avait fallu des menaces de Churchill pour que

15. A l'O.N.U., peut-on supposer.

« son enfant terrible [16] », se sentant indispensable, consentît à quitter Londres. Lui faire admettre le rôle de Giraud ne fut pas plus aisé [17]. Précédant la rencontre des deux hommes, des plaisanteries d'un goût douteux circulèrent dans les milieux anglo-américains : Giraud était « la fiancée » et de Gaulle « le fiancé » : à quand « la noce » ? On sait dans quelle atmosphère de lassitude et de susceptibilité celle-ci eut lieu. La photographie a fixé le spectacle humiliant de deux généraux français se donnant une poignée de mains réticente, debout devant le président des États-Unis et le Premier ministre britannique assis et les couvrant d'un regard paternaliste. « Ce sera un merveilleux outil de propagande », confia Roosevelt à ses intimes. Puis, de Gaulle repartit pour Londres.

Plus importants que cette fausse réconciliation, un choix stratégique et une décision politique résultèrent de la conférence. Il fut convenu que, une fois la Tunisie conquise, la Sicile serait le premier objectif des Alliés : ainsi, la politique méditerranéenne de Churchill l'emportait, rejetant à une date indécise l'ouverture d'un second front en France.

La victoire semblant se dessiner [18], on jugea opportun de préciser à quelles conditions les Alliés déposeraient les armes. C'est à Casablanca que fut employée pour la première fois l'expression fameuse de « reddition inconditionnelle ». Le projet était à l'étude depuis assez longtemps. Une commission du Département d'État en avait recommandé l'adoption dès le printemps de 1942 ; il semble, toutefois, que, à cette époque, l'on ne comprenait par ces mots qu'une capitulation militaire du type classique. Le Pr Villa précise que Roosevelt, avant de partir pour le Maroc, avait fait part au chef d'état-major de son

16. « *Churchill's problem child* », disait F.D.R. parlant de De Gaulle.
17. Le « Bonjour, de Gaulle » par lequel Giraud l'accueillit lui parut, peut-on supposer, d'une incroyable familiarité...
18. « C'est la fin du commencement », avait dit Churchill après El Alamein.

intention de rendre public un tel objectif ; mais il ajoute : « Cela fut fait si brièvement que, après la guerre, Marshall ne se rappelait pas en avoir entendu parler avant Casablanca. »

Quoi qu'il en soit, les paroles du Président à sa conférence de presse le 24 janvier 1943 retentirent à travers le monde. F.D.R. prétend avoir improvisé sa déclaration : « Je n'avais pas eu le temps de me préparer, et, tout à coup, je me suis mis à penser au surnom de Grant [19] ; les mots " reddition inconditionnelle " sont sortis d'eux-mêmes. " Interprétation si conforme au mode de pensée rooseveltien que l'on ne peut l'écarter. Cependant, d'après Harry Hopkins, le Président se servait de notes ; cependant, observe le Pr Bailey, l'idée n'était pas nouvelle : elle était impliquée dans le discours d'après Pearl Harbor comme dans la Déclaration des Nations Unies ; dans ces deux documents il était, en effet, question de « victoire totale », de « victoire complète » ; cependant, continue ce même historien, loin d'être spontanées, « les paroles du Président furent prononcées à la demande expresse de Churchill, lequel joua une surprise qu'il ne ressentait nullement ». Que conclure ? Avec F.D.R., on ne sait jamais.

« Reddition inconditionnelle », l'expression s'applique à merveille au sort réservé au naïf Giraud. Rappeler ce que M. Jean Monnet, arrivé de Washington en février, pensa du candidat des Américains [20] ; raconter avec quelle habileté il réussit à lui imposer de Gaulle ; décrire les soubresauts d'une absurde dualité de pouvoirs ; constater qu'en allant faire aux États-Unis un voyage, d'après lui triomphal, Giraud « commit sa plus

19. Grant avait été surnommé « *Unconditional surrender Grant* » pour avoir, en février 1862, exigé la reddition inconditionnelle d'un fort tenu par un de ses anciens camarades de West Point, et pour avoir refusé aux vaincus les honneurs de la guerre.

20. « Je ne porterai pas de jugement sur son intelligence qui était celle d'un général formé longtemps aux affaires du désert et enclin à la simplification. »

grande et sa dernière erreur » ; mentionner par quels artifices de Gaulle réussit à l'éliminer en octobre du Comité de libération nationale, puis six mois plus tard à lui retirer même son commandement militaire, ne rentrerait pas dans le cadre de cet ouvrage. Dans toute cette affaire, il serait difficile de décerner à la diplomatie des États-Unis un prix de psychologie.

Résumons les principaux événements militaires de 1943, année d'attente.

Au printemps, la campagne d'Afrique du Nord s'achève par un triomphe : le 13 mai, encerclés dans la péninsule du cap Bon au nord de Tunis, 250 000 Allemands sont faits prisonniers ; les uns sont arrivés d'Europe peu après le débarquement allié dans l'espoir d'empêcher la conquête de la Tunisie, les autres terminent une retraite qui les a conduits de la proximité d'Alexandrie aux environs de Carthage.

« Husky » va remplacer « Torch » : sous cette appellation est désignée la conquête de la Sicile. Les premiers débarquements ont lieu le 10 juillet : près de quatorze cents navires, plus de mille huit cents « landing crafts [21] » ; l'île est occupée en un peu plus d'un mois, mais la majeure partie des troupes ennemies a réussi à se réfugier sur le continent. Le 25 juillet, le roi d'Italie a contraint Mussolini à démissionner et a chargé le maréchal Badoglio, âgé de 82 ans, de former un gouvernement. Les Italiens dissimulent mal leur intention de trahir leurs alliés. « Ils avaient, écrit Eisenhower, un désir intense de se rendre, mais voulaient le faire avec l'assurance qu'une puissante formation alliée débarquerait à la date même de leur capitulation. » Alors s'engagent à Lisbonne des négociations, des deux côtés souhaitées secrètes, mais dont la nouvelle est rapidement connue. Elles amènent les Allemands à précipiter l'envoi de renforts dans la péninsule. Elles suscitent aux États-Unis l'indignation des partis de gauche : après le « Darlan deal », comment ! Voici

21. Barges de débarquement.

le « Badoglio deal » ! Un des grands-prêtres des « liberals [22] »,
Max Lerner, fulmine : « Consentir d'habiles compromis pour
préserver l'essentiel de ses principes est une chose ; élever le
cynisme à la hauteur d'un principe en est une toute différente. »
Roosevelt n'oubliera pas ces commentaires lors de sa réélection [23]. Pour le moment, nécessité fait loi. Les troupes alliées
franchissent le détroit de Messine le 3 septembre. Le même
jour, le gouvernement Badoglio signe une reddition inconditionnelle, publiée le 8 seulement, dans l'espoir de dérouter les
Allemands.

A cette même date, les Anglo-Américains débarquent à
Salerne, dans le golfe de Naples, au prix de pertes sanglantes.
Le général anglais Alexander est chargé de l'« Opération Ava-
lanche ». Le terme ne s'applique guère à la lente et périlleuse
progression à travers l'Italie. Eisenhower en a décrit les conditions : « Il pleuvait sans arrêt. Les rivières étaient transformées
en torrents. Le temps se faisait plus froid de jour en jour.
Hommes et véhicules s'enfonçaient dans la boue. » A la fin de
décembre, les Alliés étaient arrêtés à environ cent quarante
kilomètres de Rome, aux bords du Garigliano devant les
redoutables fortifications de la ligne Gustave. Sous le commandement du futur maréchal Juin, l'armée française d'Afrique,
que Weygand avait patiemment reconstituée, allait, on le sait,
s'y couvrir de gloire.

Du front russe parviennent des informations encourageantes. Au début de l'année, Leningrad, assiégé depuis quinze
mois, est dégagé. Un mois plus tard, le maréchal von Paulus,
23 généraux, 92 000 hommes capitulent à Stalingrad. Au cours
de l'été, les Allemands essaient de reprendre le dessus, mais
leur offensive, vite, s'essouffle. Smolensk est repris à la fin de
septembre ; Kiev est atteint en novembre ; à la fin de 1943, les
Russes sont aux portes de la Pologne.

22. Au sens américain de ce noble mot.
23. Voir p. 108.

Dans le Pacifique, enfin, le reflux a également commencé. Après Midway, les États-Unis avaient décidé de passer à la contre-offensive. Celle-ci devait se dérouler en trois phases : dans la première, on occuperait les Salomon orientales, notamment Guadalcanal, petite île d'un millier de mètres carrés, mais position importante au sud-est de l'archipel ; le reste des îles Salomon devaient tomber dans la deuxième phase des opérations, la prise de Rabaul en Nouvelle-Bretagne étant l'objectif final de cette stratégie de grande envergure.

La conquête de Guadalcanal donna lieu à une des batailles les plus dures de la guerre. Environ vingt mille Marines y furent débarqués au début d'août 1942. Sous des pluies tropicales, dans un climat générateur de malaria, ils allaient avoir à affronter des adversaires décidés à se battre jusqu'à la mort. Une rencontre navale, « l'une des pires défaites de la marine américaine », écrit Liddell Hart, aboutit à leur isolement temporaire. Simultanément, les Japonais ne cessaient d'amener des renforts, dont l'arrivée, « par petits détachements sur des destroyers, étaient à ce point réguliers que les Marines appelèrent ce processus le " Tokyo Express " ». Il fallut cinq mois de combats acharnés et une autre bataille navale, cette fois favorable, pour que les Japonais fussent contraints d'évacuer l'île en janvier 1943.

Puis, l'offensive américaine s'amplifie. Elle vise à la reconquête des Philippines et va se développer au sud-ouest comme au centre du Pacifique. La première commence à la fin de juin. Elle aboutit six mois après à l'occupation de toutes les îles Salomon et à l'encerclement de Rabaul : les vainqueurs sont encore à quatre mille kilomètres de Manille, à huit mille de Tokyo. Chaque rencontre avec les Japonais est autant de corps à corps sauvages. Partant de Pearl Harbor, où Nimitz « avait maintenant concentré le plus grand nombre de navires jamais réunis depuis la Grande Flotte de l'amiral Jellicoe au cours de la Première Guerre mondiale », une autre force amphibie vogue vers l'ouest le 21 novembre, deux cents navires, plus de cent mille soldats, marins et aviateurs. En moins de deux mois, le pavillon étoilé flotte sur les îles Gilbert et Marshall.

5.

Prélude à Yalta

ACTIVITÉ DIPLOMATIQUE INTENSE. — VOYAGE DE EDEN,
PUIS DE CHURCHILL A WASHINGTON. — GRAVES DIFFI-
CULTÉS AVEC LA RUSSIE. — CONFÉRENCE DE QUÉBEC. —
DÉCISION SUR LA QUESTION DU SECOND FRONT. —
DISCUSSION SUR L'EXTRÊME-ORIENT. — RÉUNION A MOS-
COU DES MINISTRES DES AFFAIRES ÉTRANGÈRES. — CRISE
RUSSO-POLONAISE. — CONFÉRENCE DU CAIRE. —
CONFÉRENCE DE TÉHÉRAN. — PREMIÈRE RENCONTRE DE
ROOSEVELT ET DE STALINE. — ÉTONNANT OPTIMISME DU
PRÉSIDENT DES ÉTATS-UNIS. — VERS YALTA ET POTSDAM.

En dépit de succès militaires, l'année 1943 fut surtout caractérisée par une activité diplomatique intense et par une crise
des relations avec la Russie.

En huit mois, Roosevelt et Churchill se rencontrèrent à cinq
reprises. La première conférence eut lieu à Washington du 12
au 25 mai. Elle avait été précédée d'un voyage de Anthony
Eden en mars. Le Secrétaire britannique aux Affaires étrangères fut quelque peu déconcerté par les vues de F.D.R. Celui-
ci revint avec persistance sur sa conception du monde futur :
les « Quatre Grands », États-Unis, Russie, Grande-Bretagne,
Chine, prendraient, seuls, les « vraies décisions ». Eden émit

quelques doutes sur la stabilité de la Chine; le Président lui
répondit que l'anarchie dans cette partie du monde serait une
telle catastrophe qu'il était indispensable de soutenir Tchang
Kaï-chek; au surplus — remarque typique de l'étonnante prescience dont F.D.R. faisait parfois preuve — « on verra probablement en Chine dans les cinquante prochaines années un
développement semblable à celui du Japon à la fin du
XIXᵉ siècle ». Conclusion : l'Angleterre devrait abandonner
Hong Kong pour faire « un geste de bonne volonté ». Eden
demanda pourquoi les Américains n'en faisaient pas autant.
Puis l'on parla d'autre chose...

Cette « autre chose », ce fut essentiellement la France dont le
fantôme hantait les Alliés. Pour Roosevelt, il n'était pas question d'admettre ce pays dans le directoire des grandes puissances. On lui épargnerait, d'ailleurs, « le fardeau des armements »; puissance secondaire, elle ne devrait rien posséder
« de plus dangereux que des fusils ». En tant que gendarmes de
l'O.N.U., les États-Unis occuperaient Dakar et les Anglais
Bizerte. « A ce moment de la conversation, raconte Anthony
Eden, Sumner Welles fit observer que les États-Unis s'étaient
engagés à rétablir la France dans son Empire. Le Président
rétorqua que, à son avis, cela ne concernait pas l'Afrique du
Nord; puis il ajouta : " Cela pourra s'arranger après la
guerre ". »

Ces conversations terminées, F.D.R. tint une conférence de
presse. « Nous avons été d'accord à 95 % », dit-il. Les journalistes demandèrent à Harry Hopkins à quoi correspondaient
les 5 % : « Surtout au problème français », leur confia-t-il. 5 %
qui occupaient sûrement dans la pensée de Roosevelt et de
Churchill une place plus importante que ne l'indiquait ce pourcentage.

Pourtant, à cette conférence, dite Trident, on parla
surtout de la Russie. Depuis quelque temps, Staline ne
cachait pas son mécontentement. En octobre 1942, on l'avait
avisé que les Alliés se trouvaient dans la nécessité de suspendre
les convois vers Mourmansk. Sa seule réponse, « merci »,
n'avait pas semblé rassurante. Dans l'espoir de le mettre de

bonne humeur, on lui proposa, quelques semaines plus tard, de lui envoyer des aviateurs : cette fois, « Uncle Joe » ne mâcha pas ses mots : « Ce dont nous avons besoin, c'est d'une action à l'Ouest qui forcerait les Allemands à retirer de notre front quarante divisions. » Las ! Il n'en était pas question. On s'entendit au moins sur une date : « Overlord » aurait lieu au plus tard le 1er mai 1944, c'est-à-dire dans onze mois... Puis F.D.R. s'abandonna aux blandices de la diplomatie secrète, en envoyant à Moscou l'ancien ambassadeur Joseph Davies, avec mission d'arranger, si possible, un tête-à-tête Roosevelt-Staline où Churchill ne serait pas convoqué. A cette invite flatteuse, « Uncle Joe » pouvait difficilement se dérober. Toutefois, il ne s'engagea pas : peut-être, en juillet... Puis il insista sur la pureté de ses intentions, rappelant qu'il venait de dissoudre la IIIe Internationale. L'envoyé américain ne demandait qu'à le croire. Roosevelt aussi, Churchill moins.

Les semaines qui suivirent furent marquées par un échange de récriminations entre Londres et Moscou. Les relations entre les Alliés et la Russie atteignirent un tel point de tension que Staline en arriva à rappeler ses ambassadeurs aux États-Unis et en Grande-Bretagne. « Une atmosphère qui fait penser à celle précédant la signature du pacte nazi-soviétique en 1939 », écrit Herbert Feis, à qui ce chapitre doit beaucoup. Puis, de part et d'autre, on finit par se rendre compte que l'on était uni pour le pire comme pour le meilleur. Churchill à George VI, 14 août 1943 : « Votre Majesté aura noté que j'ai eu des nouvelles du Grand Ours, et que nous avons recommencé à nous parler, ou, tout au moins, à échanger des grognements [1]. »

Roosevelt et Churchill ne pouvaient se passer l'un de l'autre. Trois mois ne s'étaient pas écoulés depuis la clôture de la Conférence de Washington (25 mai) qu'ils se rencontraient à Québec (11 août). Cette conférence fournit aux deux hommes d'État une occasion de plus de manifester leur condescendance, teintée de mépris, pour tout ce qui n'était pas « grande puissance ». « J'étais, raconte le Premier ministre canadien,

---

1. *« ... that we are on speaking, or, at least, on growling terms. »*

Mackenzie King, une sorte de maître des cérémonies, dont le rôle ressemblait à celui du directeur général du Château Frontenac [2]. »

Le second front fut de nouveau discuté et la date du 1er mai 1944 confirmée. Toutefois, on alla plus avant dans la préparation du projet en décidant que vingt-neuf divisions seraient affectées à « Overlord ». On arrêta également les conditions de la capitulation italienne. Mais le fait saillant de cette réunion — dite « Quadrant » — fut la place que les problèmes d'Extrême-Orient y occupèrent. « Vinegar Joe [3] » avait assisté aux discussions de « Trident ». Il se contrôlait avec difficulté : « Churchill a Roosevelt dans sa poche », écrit-il. « Les " Limeys [4] " ne sont pas intéressés par la guerre dans le Pacifique, et, ayant hypnotisé le Président, ils se sentent bien tranquilles. » F.D.R. se libéra-t-il de ce prétendu envoûtement ? Les plaintes de Tchang Kaï-chek se firent-elles plus pressantes ? En tout cas, pour la première fois, la Chine était représentée. A défaut d'aide effective, on fit en sa faveur un geste symbolique : Mountbatten, assisté de « Vinegar Joe », reçut le commandement d'un nouveau théâtre d'opérations, pompeusement baptisé « Asie du Sud-Est », où les stratèges purent dessiner de vastes plans dont le manque d'effectifs rendait la réalisation fort aléatoire. A quel point, d'ailleurs, les Alliés s'attendaient à une guerre longue en Extrême-Orient est prouvé par les échéances admises à Québec : ce ne serait, pensait-on, qu'au printemps de 1945 que l'on atteindrait les îles Ryukyu, échelonnées au nord-est de Formose entre deux mille et quinze cents kilomètres de Tokyo [5].

2. Le grand hôtel de Québec.
3. Voir p. 34.
4. Surnom peu flatteur donné aux Anglais.
5. La conférence tint sa séance de clôture le 24 août. Churchill prolongea de trois semaines son séjour en Amérique du Nord. Invité par Harvard à recevoir un doctorat *honoris causa*, il inséra dans son discours ce curieux paragraphe : « Notre langage commun est un héritage qui n'a pas de prix. Il se pourrait fort bien qu'il servît un jour de base à une citoyenneté commune. » Pensait-il à 1940, époque, on se le rappelle, où il avait fait sienne une proposition de même nature visant l'Angleterre et la France ?

Et Staline restait énigmatique et insaisissable. Rarement vit-on coalition plus unie verbalement, plus dissociée en fait. Puisque le maître de la Russie soviétique refusait de se déplacer, on irait à lui, en bornant toutefois, pour commencer, cette visite *ad limina* à une rencontre à Moscou des quatre ministres des Affaires étrangères, Hull, Eden, Molotov et Foo Ping-sheung (ce dernier accepté de fort mauvaise grâce par la Russie).

Les discussions durèrent onze jours, du 19 au 30 octobre. Le Secrétaire britannique raconte ses premiers contacts : Molotov « très affable », Staline « très déplaisant » ; « Joe a cette déconcertante manie de ne jamais vous regarder en face lorsqu'il vous parle ou vous serre la main... » Heureusement, « il a le rire facile, alors son visage se plisse et ses yeux s'allument, il ressemble encore plus à un ours ». Ledit ours venait de montrer ses griffes. Un charnier en avait été la cause. Depuis trois ans, un mystère planait sur le sort des officiers polonais faits prisonniers des Russes en 1940. En avril 1943, la radio nazie, donnant de multiples détails, affirma que l'on avait découvert dans la forêt de Katyn, à l'ouest de Smolensk, des fosses contenant les corps de plus de quatre mille officiers polonais. Les Soviets réagirent violemment en accusant les Allemands de ce massacre [6]. Puis ils rompirent leurs relations diplomatiques avec le gouvernement polonais en exil, qui avait eu l'audace de demander une enquête de la Croix-Rouge internationale. Lorsque la Conférence de Moscou se réunit, la question était d'autant plus brûlante que, pendant l'été, le général Sikorski, commandant en chef des forces polonaises, avait trouvé la mort dans un mystérieux accident d'avion. Anglais et Américains s'arrangèrent pour que l'on ne parlât de la Pologne qu'à la fin des discussions. Molotov tonna, tout en affirmant son désir d'une Pologne « indépendante », encore que, bien entendu, « amicale ». Eden et Hull gardèrent un silence prudent. Le communiqué officiel se borna à noter qu'« un échange de vues avait

---

6. Une commission américaine conclut en 1953 que les victimes avaient été mitraillées par la police politique soviétique.

eu lieu ». Premier article d'une liste de trahisons destinée à s'allonger.

Une circonspection identique prévalut à l'égard de l'Allemagne d'après-guerre. On convint de repousser à plus tard le problème des frontières. « Ainsi les gouvernements anglais et américain disposaient-ils de plus de temps pour préparer leurs protestations et essayer de convaincre les Soviets ; ainsi ces derniers en gagnèrent-ils également, mais pour occuper les territoires, objets des discussions. »

La conférence se termina dans une atmosphère de congratulations réciproques. « De la manière la plus inattendue, raconte Hull, Staline, à ma grande joie — et sans faire la moindre réserve — m'annonça qu'une fois l'Allemagne vaincue les Soviets se joindraient aux Alliés pour triompher du Japon. » Le Secrétaire d'État se sentait d'autant plus heureux que ses trois collègues et lui venaient de signer une de ces déclarations « magnifiquement vagues », dont il était si friand, sur la future organisation internationale. Enthousiasmé, Hull déclara que « Mr. Molotov avait donné un exemple sans pareil d'habileté et de coopération » ; Eden, tenant à surenchérir, alla jusqu'à proposer que, à toute réunion des ministres des Affaires étrangères, la présidence fût de droit attribuée à leur collègue russe. Celui-ci baissa-t-il les yeux ? Le communiqué officiel ne mentionne pas quel sort fut réservé à cette extravagante suggestion.

« Prodigieux », dit Churchill commentant les résultats de Moscou ; « un succès immense », confirma F.D.R. Dans la bouche de ce dernier, ces mots étaient peut-être sincères, car pour lui une seule nouvelle comptait : Staline s'était déclaré prêt à une rencontre à trois. C'était, on le sait, l'idée fixe du président des États-Unis, ne doutant pas une minute de pouvoir s'entendre avec le dictateur soviétique.

Le Pr Gaddis relate une conversation révélatrice que Roosevelt avait eue avec Bullitt en août. L'ancien ambassadeur à Paris avait attiré son attention sur l'imminence d'une « catastrophe politique », voulant dire par là la domination de l'Europe par les communistes. Et F.D.R. de lui répondre : « Si je

me fie à mon intuition [7], Staline n'est pas ce genre d'homme...
Il recherche seulement la sécurité pour son pays. Croyez-moi,
si je lui donne tout ce qu'il m'est possible de lui donner et ne lui
demande rien en échange, *noblesse oblige*[8], il ne tentera
aucune annexion et il travaillera avec moi pour établir un
monde de démocratie et de paix. » Bullitt aurait explosé : « Staline est un bandit du Caucase. Quand il obtient quelque chose
pour rien, sa seule pensée est que son interlocuteur est un imbécile. » La discussion ne se prolongea pas... Le Président la conclut sèchement : « C'est ma responsabilité et non la vôtre. Je
m'en remets à mon intuition. »

De cet état d'âme il serait vain de chercher une explication
simple : s'agissant de Roosevelt, tout est complexe. Curiosité,
vanité, sentiment de supériorité d'un homme confiant dans sa
séduction ? Peut-être simplement cette naïveté innée, qui conduit tant d'Américains à s'imaginer que le reste du monde est
bâti à leur image. Staline avait suggéré Téhéran pour lieu de
rencontre. Roosevelt essaya de se faire prier ; il proposa, on ne
sait trop pourquoi, Bassorah, à proximité du golfe Persique.
« Uncle Joe » s'obstina : ce serait Téhéran ou rien. Naturellement,
il obtint gain de cause. Pour le principe, F.D.R. observa qu'il
allait devoir faire six mille kilomètres en avion, mais il se hâta
d'ajouter qu'il en ferait au besoin dix fois plus, tant cette réunion lui paraissait indispensable « non seulement dans l'immédiat, mais pour la paix des générations à venir ».

Churchill, méfiant, posa le principe d'une entrevue préalable
au Caire. Il l'espérait purement anglo-américaine. Son mécontentement fut grand lorsqu'il apprit l'initiative de Roosevelt :
sans le consulter, le Président avait conseillé à Staline d'envoyer Molotov en Égypte. Celui-ci, au dernier moment, s'abstint, ayant découvert que Tchang Kaï-chek — dont la présence

7. *« I just have a hunch... »*
8. En français dans le texte.

ne lui était pas agréable — avait, lui aussi, été l'objet d'une invitation rooseveltienne. Ainsi se transforma en trio le duo auquel avait rêvé le Premier ministre britannique. Il commente sa déception avec un peu d'amertume et pas mal d'ironie : « Le Président, qui s'exagérait l'importance du problème chinois, s'enfermait pour de longues discussions avec le Généralissime. Tout espoir de persuader Tchang et sa femme d'aller voir les Pyramides et de passer d'agréables moments jusqu'à notre retour de Téhéran fut vite dissipé. Ainsi les affaires chinoises finirent-elles par occuper la première place. »

La conférence s'ouvrit le 22 novembre et dura quatre jours. Roosevelt s'était arrêté en Tunisie pour s'entretenir avec Eisenhower. Deux de ses remarques méritent d'être relevées tant elles sont typiques. « Il commença par me dire combien il regrettait, écrit le général, que le débarquement en Afrique du Nord eût été effectué juste après les élections de 1942, plutôt qu'avant [9]... » Puis, la conversation prenant un tour politique, il ajouta que « il lui semblait de son devoir de se présenter encore à la présidence ». Ainsi mûrissait le projet d'un quatrième mandat... Le trajet de Tunis au Caire fut effectué à bord du cuirassé *Iowa*. Feuilletons le procès-verbal d'une réunion avec les chefs d'état-major le 19 novembre. La rupture de l'unité allemande y fut discutée. Roosevelt préconisait trois sphères d'influence, américaine, britannique et russe. Mais il contestait les propositions anglaises. « Les Anglais, dit-il, voudraient le nord-ouest en nous laissant nous occuper de la France et de l'Allemagne au sud de la Moselle. Je ne suis pas d'accord. Nous ne voulons pas avoir la responsabilité de reconstruire la France. La France est un " bébé " britannique [10]. Les États-Unis n'y sont pas actuellement populaires. Les Anglais devraient se charger de la France, du Luxembourg, de la Belgique, du pays de Bade, de la Bavière et du Wurtemberg... »

De ces problèmes, réservés pour Téhéran, on ne parla guère

9. Voir p. 59.
10. « *France is a British baby.* »

au Caire. L'Europe y tint une place mineure. Churchill, une fois de plus, se prononça en faveur d'une stratégie méditerranéenne, « au prix, s'il le fallait, d'un nouvel ajournement de " Overlord "[11] ». Il n'insista pas, cependant, connaissant assez Roosevelt pour savoir qu'il n'aboutirait à rien. L'attention de F.D.R. était effectivement concentrée sur l'Extrême-Orient. Il favorisa, malgré les réticences des Britanniques, plus intéressés par Hong Kong et Singapour, un projet de reconquête de la Birmanie. Surtout, il fit adopter par les trois puissances une Déclaration définissant leurs buts de paix en Asie : une reddition inconditionnelle serait exigée du Japon, qui perdrait toutes les îles du Pacifique acquises au traité de Versailles en 1919 et restituerait à la Chine la Mandchourie, Formose et les Pescadores [12] ; sur la Corée, les Alliés se montrèrent moins catégoriques : elle recouvrerait son indépendance « en temps utile ».

28 novembre 1943. Le grand jour est arrivé : Roosevelt est en face de Staline. Il n'éprouve aucune appréhension. « J'ai passé ma vie à manier des hommes, avait-il dit à Harry Hopkins, et, au fond, Staline ne peut pas être si différent des autres. » Conclusion : « Je suis fort capable de venir à bout de ce vieux rapace [13]. » Les premiers contacts ne démentirent pas cet optimisme. « Il vous plaît ? » demanda Elliott Roosevelt à son père : et celui-ci d'incliner sa tête affirmativement. Les deux chefs d'État eurent plus d'une occasion de s'étudier pendant les quatre jours que dura la conférence. En arrivant, F.D.R. s'était installé dans son ambassade ; invoquant des motifs de sécurité, son hôte lui suggéra de se transporter dans une villa proche de l'ambassade des Soviets. « Que leur sécurité soit désormais

11. L'échec du coup de main sur Dieppe en août 1942, les pertes sanglantes du débarquement à Salerne, moins de trois mois avant la réunion du Caire, lui paraissaient « de mauvais augure », note le Dr Moran.
12. On notera qu'il n'était question ni de l'Indochine ni des Indes néerlandaises, ni des possessions anglaises.
13. *« I can handle that old buzzard. »*

assurée, le Président et sa suite n'en doutèrent jamais, écrit
Robert Sherwood, car l'on découvrit vite que le personnel mis
à leur disposition ne se composait que d'agents de la
N.K.V.D., ce qui exaspéra au-delà de toute expression les
représentants du Service secret américain. »

Le second front et l'avenir de l'Allemagne furent au centre
des discussions. Arguant que l'on ne pouvait laisser sans
emploi les effectifs considérables concentrés sur le théâtre
méditerranéen d'opérations, Churchill suggéra que « Overlord » fût précédée d'une diversion vers les Balkans. Est-il utile
de préciser que Staline ne voulut pas en entendre parler ? « Si
vous avez des troupes disponibles, répondit-il, pourquoi ne pas
les employer à un débarquement dans le Sud de la France ? »
Le principe en fut retenu sans fixation de date et le Premier
ministre britannique ne donna son accord que du bout des
lèvres. A « Overlord » même on affecterait trente-cinq divisions
(dont dix-neuf américaines) au lieu des vingt-neuf prévues.

De l'Allemagne, que ferait-on ? Les imaginations se donnèrent libre cours. Roosevelt proposa de la diviser en sept
parties : cinq autonomes, deux (les anciennes cités hanséa-
tiques d'une part, la Ruhr et la Sarre d'autre part) sous contrôle international. Churchill avait d'autres idées : avant tout,
détacher la Prusse et fondre les États du Sud dans une confédération danubienne. On peut imaginer que Staline réfréna difficilement un sourire de satisfaction lorsque le président des
États-Unis ne fit aucune objection à son projet d'annexer la
Prusse Orientale, Kœnigsberg compris. Sur le reste du problème, il resta énigmatique.

Il le fut moins, parlant de la France. Un mémorandum américain résume ses vues. A son avis, dit ce document, « la
France devrait être dépouillée de ses colonies et de toutes bases
stratégiques en dehors de son territoire. Elle ne devrait pas être
autorisée à entretenir des forces militaires appréciables ».
C'était vraiment le *Vae victis*. Pourquoi tant de rigueur ? Molotov l'expliqua : « La France n'a pas voulu se défendre elle-
même. » D'ailleurs, qui la représente ? Les Soviétiques ne semblaient pas attacher grande importance à de Gaulle. Anglais et

Américains se sentirent fort déconcertés lorsque Staline soutint que Pétain incarnait « la vraie France ». Interprétons cette remarque pour ce qu'elle signifiait, car son auteur ajouta aussitôt que « les classes dirigeantes françaises étaient pourries jusqu'à la moelle »... Une telle nation, comment l'admettre dans les organismes de direction des futures Nations Unies ? Peut-être pourrait-on l'inclure dans la quarantaine de pays qui, d'après Roosevelt, en seraient membres. Mais étant entendu que « les Quatre Gendarmes [14] » disposeraient exclusivement du pouvoir.

Restait l'Extrême-Orient. « Roosevelt, écrit le Pr Duroselle, prit lui-même l'initiative d'offrir aux Russes des ports en mer chaude — Dairen et Port Arthur au sud de la Mandchourie. » Ainsi serait rétablie « la situation d'avant 1905 ». Toutefois, pour éviter l'apparence d'une annexion trop flagrante, le principe d'un bail à long terme fut admis.

Un seul incident troubla la bonne entente. On parlait des horreurs nazies. Staline, fort calmement, expliqua qu'il faudrait « liquider au moins 50 000, peut-être 100 000 officiers allemands ». Churchill, outré, déclara qu'il refusait de s'associer à de pareils assassinats. Suivant son habitude, Roosevelt ironisa : « Ne pourrait-on se mettre d'accord sur 49 500 ? » Mais le Premier ministre avait quitté la salle. Staline le suivit et lui expliqua qu'il plaisantait. Le tout finit par un baiser Lamourette, « les deux adversaires se tenant chacun par l'épaule et se regardant au fond des yeux ».

Tout était oublié lorsque la conférence se sépara le 1er décembre. Churchill porta un toast à Staline le Grand. Puis un communiqué définit l'atmosphère : « Nous sommes venus ici pleins d'espoir et de détermination. Nous partons amis, en fait, en esprit et en projets. » Roosevelt était plus affirmatif que jamais [15] et persuadé que la Russie apporterait sa « coopéra-

---

14. « *The Four Policemen* » : États-Unis, Russie, Angleterre, Chine. Staline et Churchill étaient également sceptiques sur les capacités de Tchang Kaï-chek.
15. Staline, dit-il, était « *getable* ». « On peut l'avoir » donne à peu près l'idée.

tion à l'établissement de la paix ». Du dictateur, il traça un portrait sympathique. « C'est un homme qui allie une extraordinaire, une implacable volonté à une robuste bonne humeur. » Comment, connaissant ce dernier trait du caractère stalinien, la séduction du Président ne jouerait-elle pas [16] ?

Ainsi fut esquissée une politique qui devait — avec quelles conséquences ! — s'affirmer à Yalta et à Potsdam.

16. Rentrant aux États-Unis, F.D.R. s'arrêta de nouveau trois jours au Caire du 4 au 6 décembre pour rencontrer avec Churchill le président turc, Ismet Inonu. En dépit de l'insistance des Alliés, la Turquie se refusa obstinément à entrer en guerre.

6.

La défaite de l'Allemagne

EISENHOWER, COMMANDANT EN CHEF DE « OVERLORD ».
— SA CARRIÈRE. — SES SUBORDONNÉS. — BRADLEY ET
PATTON. — PRÉPARATION MINUTIEUSE DU
DÉBARQUEMENT. — LE JOUR J. — EN MOINS DE DEUX
MOIS, LA NORMANDIE ET LA BRETAGNE SONT LIBÉRÉES.
— DÉBARQUEMENT EN PROVENCE. — L'ARMÉE DE LATTRE
DE TASSIGNY. — ENTRÉE DE LECLERC À PARIS. — RÔLE
DE LA RÉSISTANCE. — RELATIONS DIFFICILES DE DE
GAULLE ET DE ROOSEVELT. — LES ALLIÉS RECON-
NAISSENT LE GOUUVERNEMENT PROVISOIRE FRANÇAIS. —
ÉTAT PRÉCAIRE DE LA SANTÉ DE ROOSEVELT. —
SA RÉÉLECTION POUR UN QUATRIÈME MANDAT. —
CONFÉRENCE DE BRETTON WOODS ET DE DUMBARTON
OAKS. — ROOSEVELT ET CHURCHILL SE RENCONTRENT À
QUÉBEC POUR LA SECONDE FOIS. — SITUATION MILITAIRE
TRÈS SATISFAISANTE EN FRANCE, MÉDIOCRE EN ITALIE. —
PROGRÈS CONTINUS DES ARMÉES RUSSES. — LES
SOVIÉTIQUES LAISSENT LES ALLEMANDS ÉCRASER LA
RÉSISTANCE POLONAISE A VARSOVIE. — DISCUSSION DU
PLAN MORGENTHAU SUR L'ALLEMAGNE D'APRÈS-
GUERRE. — CHURCHILL SE REND À MOSCOU. — IL FAIT
APPROUVER PAR STALINE LE PRINCIPE DE ZONES D'IN-
FLUENCE ANGLAISE ET RUSSE EN EUROPE ORIENTALE. —
« LE VIOL DE LA POLOGNE ».

1944 ne risque pas d'être omise dans une chronologie des États-Unis. Des résultats militaires éclatants furent obtenus [1] : Roosevelt, malgré son état de santé, se fit réélire pour un quatrième mandat; contrastant avec ces développements sensationnels, l'activité diplomatique fut toutefois moindre que l'année précédente : Roosevelt et Churchill ne se rencontrèrent qu'une fois au lieu de six en 1943.

Date, effectifs, l'essentiel était prévu pour « Overlord ». Restait à décider qui exercerait le commandement. Forts de leur prépondérance numérique et de la supériorité de leur matériel, les États-Unis obtinrent à la première Conférence de Québec en 1943 que l'honneur en fût réservé à un Américain. Marshall paraissait le choix idéal, mais, après quatre mois d'hésitation, Roosevelt conclut que sa présence était indispensable à Washington : Eisenhower lui fut substitué.

D'où venait ce général de 53 ans, qui allait être projeté dans l'immortalité ? Sorti de West Point en 1915, puis onze années plus tard de l'École de Guerre de Fort Leavenworth, sa carrière s'était déroulée sans à-coups. Il avait eu la chance d'être attaché à l'état-major de Pershing en France, et de servir de collaborateur à MacArthur aux Philippines. Sa désignation à la tête de la Division des plans de guerre le mit en vedette en 1942. On sait la suite. Commandant en chef des forces alliées, il allait donner la preuve de ses capacités stratégiques : on lui attribue le choix de la Normandie ; à lui revient aussi le mérite des attaques frontales conjuguées dont la répétition finit en 1944 par désagréger les divisions allemandes. Puis, Eisenhower, c'était « Ike », avec ses accès de colère et le charme de son sourire. Montgomery — avec qui il eut un si grand nombre de différends — résume les raisons de son succès : « Il avait le pouvoir d'attirer les cœurs comme l'aimant

---

1. La défaite du Japon fera l'objet du chapitre IX.

attire le métal. Il lui suffisait de sourire et l'on avait confiance en lui. »

Ces qualités n'eussent pas été suffisantes si Eisenhower n'avait su choisir ses subordonnés. Bradley, Patton, Hodge, Devers, Patch, tous vont se révéler capables d'affronter la meilleure armée du monde. Arrêtons-nous un moment sur les deux premiers, tant leur rôle fut important et le contraste de leurs personnalités saisissant.

Voici Omar Bradley. Il a 51 ans et est sorti de West Point la même année que Eisenhower. C'est un soldat, mais aussi un professeur. Il a enseigné les mathématiques à l'École militaire, puis à l'École d'infanterie de Fort Benning. Il s'y fait remarquer par Marshall et, à la veille de la guerre, devient directeur de cette pépinière d'officiers. En Afrique du Nord, il est l'artisan de la victoire finale ; en Sicile, il sert sous Patton ; le 6 juin 1944, il commande les troupes de débarquement. Homme d'origine modeste, peu amateur de beaux uniformes, d'allure discrète, tenant moins son autorité de l'éclat de ses étoiles que de la force de sa personnalité ; avant tout, un tacticien hors série.

George Patton ne lui ressemblait guère. « West Pointer », lui aussi, depuis 1909. Sa famille, d'origine écossaise, est arrivée en Virginie quelques années avant la Révolution ; les ancêtres du futur général sont hommes politiques, avocats, militaires ; son mariage l'introduit dans les milieux élégants de Boston. Il n'imagine pas pouvoir faire sa carrière dans une autre arme que la cavalerie. En 1913, il est à Saumur où il se familiarise avec la pratique du sabre. Chasse à courre et polo sont deux de ses distractions favorites.

Mais toute nouveauté l'intéresse. Au cours de l'expédition de Pershing au Mexique en 1916, il découvre, dit-on, le premier les avantages de la motorisation. En France, il dirige les chars dans l'attaque de Saint-Mihiel, est gravement blessé à l'offensive de l'Argonne, revient aux États-Unis couvert de décorations et déjà légendaire. Nommé à la tête de la cavalerie en 1932, puis, dès 1940, chargé des premières unités mécanisées, il va s'en faire une spécialité. « Toujours plus vite », deviendra

sa devise, et il ne laissera de répit ni à ses ennemis ni à ses soldats. Ceux-ci, qu'il lui arrive d'exaspérer [2], le suivraient en
enfer tant sa personnalité les fascine.

Car « Blood and Guts [3] » était haut-en-couleur, avec son
uniforme et son casque impeccables, ses bottes cirées, surtout,
à son ceinturon toujours ses revolvers à manches d'ivoire. Puis,
quel assortiment de jurons ! Et, de plus, un homme profondément religieux, grand lecteur, poète à ses heures.

Eisenhower établit son quartier général aux environs de
Londres vers le milieu de janvier 1944. Ses instructions étaient
impressionnantes : « Vous pénétrerez sur le continent européen,
puis, en liaison avec les autres pays des Nations Unies, vous
entreprendrez des opérations qui devront vous conduire au
cœur de l'Allemagne et aboutir à la destruction de ses forces
armées. » Le jour J étant alors fixé au début de mai, le général
en chef disposait de fort peu de temps : il obtint un délai d'un
mois qui permit l'arrivée de trois divisions supplémentaires.

Les Britanniques, dont on se rappelle les réticences, continuaient à n'être pas sans appréhensions. Sans remonter jusqu'à
leur équipée de la Corogne, lors des guerres napoléoniennes,
leurs récents souvenirs n'étaient pas encourageants : Dunkerque, la Grèce, la Crète, Dieppe, autant d'échecs. Les Américains, au contraire, non handicapés par l'expérience, ressentaient l'enthousiasme des novices. Puis, ils savaient que les
Alliés disposaient de deux cartes essentielles : la maîtrise de la
mer (1 500 000 hommes traversèrent l'Atlantique sans qu'un
seul transport fût coulé) et celle du ciel (leur supériorité
aérienne était estimée à trente contre un).

2. Un incident faillit lui coûter sa carrière en 1943. Il insulta et alla
jusqu'à gifler deux soldats soignés dans un hôpital pour choc nerveux.
Eisenhower le força à s'excuser, mais, l'estimant irremplaçable, ne lui retira
pas son commandement.
    3. Cette expression d'argot implique une double idée d'intensité et de
continuité. On pourrait la traduire littéralement par « sang et tripes ».

La mise en place des troupes fut un chef-d'œuvre d'organisation anglo-américaine. Une remarque de Eisenhower illustre les problèmes qu'elle posa : « La guerre méditerranéenne nous avait appris, écrit-il, qu'une division engagée dans des opérations militaires a besoin de six cents à sept cents tonnes d'approvisionnements par jour. » Or, les spécialistes évaluent à 2 800 000 hommes les effectifs basés en Grande-Bretagne en 1944 et à 39 divisions les seules forces de débarquement. Celles-ci installées, les Américains au sud-ouest, les Britanniques au sud-est de l'Angleterre, étaient isolées du reste du pays par une véritable ligne de démarcation. Churchill rappelle les mesures de sécurité qui furent prises à l'approche du jour J : « La zone côtière interdite, la censure resserrée, la distribution du courrier retardée... » Même, décision exorbitante du droit international, « interdiction fut faite aux ambassades d'expédier des télégrammes chiffrés et des délais furent imposés à l'envoi des valises diplomatiques ».

La date du 5 juin avait été retenue. Depuis le début du mois, les prévisions météorologiques, optimistes jusque-là, étaient devenues inquiétantes : un ciel bas, beaucoup de nuages, qui gêneraient également parachutistes et bombardiers. Laissons la parole à Eisenhower : « La dernière conférence pour examiner si l'attaque pourrait être lancée au jour fixé eut lieu à 3 heures du matin, le 4 juin... Certains contingents avaient déjà reçu l'ordre de prendre la mer. Des vents violents, une mer démontée faisaient paraître le débarquement comme une entreprise extrêmement hasardeuse... Montgomery croyait qu'il fallait passer outre... Je décidai que l'attaque serait ajournée... L'énervement grandissait... Le lendemain matin, 5 juin, à 3 h 30, notre petit campement était secoué par un vent atteignant les proportions d'un ouragan, et la pluie tombait comme horizontalement, à tel point qu'il paraissait inutile d'engager une discussion sur l'opportunité de l'attaque... » Mais les experts firent des « déclarations inattendues » : « Pour la matinée du 6 juin s'annonçait une période d'un temps relativement calme qui durerait à peu près trente-six heures. En quelques instants, j'annonçai que l'attaque commencerait le lendemain. Il était alors exactement 4 h 15 du matin. »

6 juin 1944. Peu de temps après minuit, trois divisions de parachutistes prenaient leur vol. Plus tard, six cents navires, quatre mille « landing crafts », transportent 176 000 hommes. Ils jettent l'ancre vers 3 heures ; le bombardement naval commence à 5 h 30 ; les premiers détachements touchent terre à 6 h 30 : « Utah Beach », « Omaha Beach », plages sanglantes dont les plus émouvants cimetières du monde entretiennent le souvenir. A Washington, le soir, Roosevelt, à la radio, invite ses compatriotes à prier avec lui.

Des opérations qui suivent, on comprendra que nous ne puissions rappeler que les développements essentiels. Six jours après le jour J, les Alliés contrôlent une centaine de kilomètres de côtes sur une profondeur de huit à quinze kilomètres. « 926 000 hommes, 50 000 véhicules, plus de cent mille tonnes d'approvisionnements » sont déjà à pied d'œuvre. Les légendaires ports artificiels, dits « Mulberrys », vont hâter le ravitaillement. Anglais et Américains ont droit à un satisfecit de Staline, peu coutumier du fait : « L'histoire des guerres ne connaît pas d'entreprise d'une conception si vaste, d'une proportion si grandiose, d'une exécution si magistrale. » Appréciation qui n'est pas une hyperbole. Après de terribles combats, lorsque juillet s'achève la Normandie et la Bretagne sont libérées. Trois semaines plus tard, à la 2ᵉ division blindée du général Leclerc est échu l'honneur d'être la première à pénétrer dans Paris. « Libérez Paris pour Noël, et nul ne peut vous demander davantage », avait dit Churchill à Eisenhower : « Ike » était en avance de quatre mois.

Mais un nouveau coup a été porté aux Allemands. Cette fois, les Français y jouent un rôle éminent. De Lattre de Tassigny, en liaison avec les Américains de Patch et de Devers, a débarqué le 15 août en Provence. Jusqu'à la dernière minute, Churchill s'est opposé à cette opération, dite Dragon. Il la considère comme inutile et la juge sévèrement dans ses *Souvenirs* : « Elle n'a nullement soulagé Ike, écrit-il, et a empêché l'armée d'Italie de porter un coup décisif à l'ennemi, et peut-être d'atteindre Vienne avant les Russes, avec toutes les conséquences qui auraient pu en résulter. » Mais l'histoire ne s'arrête pas aux hypothèses, elle ne retient qu'une chose, c'est que, trois mois après « Overlord », un mois après « Dragon », le territoire français était entièrement libéré, à l'exclusion de quelques ports sur la côte atlantique.

« La part des Français dans tout cela ? », se demande le Pr Duroselle. « On sait qu'elle est limitée, surtout en Normandie, malgré l'action de retardement des maquis, bloquant les renforts allemands, au prix d'épouvantables représailles. Elle est beaucoup plus marquée en Italie... Elle culmine lors du débarquement du 15 août sur la côte de Provence... » Eisenhower se montre reconnaissant envers la Résistance : « Pendant toute la campagne de France, affirme-t-il, les Forces Françaises Libres ont joué un rôle particulièrement important... Sans elles, la libération de la France et la défaite de l'ennemi en Europe occidentale auraient été bien plus longues et nous auraient coûté davantage de pertes. » M. Henri Michel apporte quelques précisions sur l'importance des effectifs. Il évalue à « 260 000 hommes [4], ou sept divisions, dont deux blindées » l'armée de Lattre de Tassigny ; il estime que, dès septembre, « 40 000 volontaires des F.F.I. auraient rejoint les unités régulières ; ils seront 60 000 le 15 octobre, 137 000 en novembre ». Robert Aron, de son côté, ajoute un ou deux chiffres, rappelant que la division Leclerc comptait 16 000 hommes et que, en Bretagne, la Résistance « participa à des batailles rangées, à des opérations de siège dont parfois même elle assuma l'entière responsabilité sans concours des forces alliées ». Sur cette

4. Mais combien de Nord-Africains ?

question si controversée, il est malgré tout bien difficile de parvenir à la vérité.

Celle-ci, hélas !, se laisse dévoiler plus facilement lorsqu'il s'agit de décrire les rapports de Roosevelt et de De Gaulle. Le Général, comme pour l'Afrique du Nord, n'avait pas été avisé de la date du débarquement. Churchill fut chargé de la lui faire connaître la veille du jour J. L'entrevue eut lieu le 4 juin [5] dans le train du Premier ministre, à proximité du quartier général de Eisenhower. Eden, Bevin, le général Ismay et Smuts [6] étaient présents. On mit au courant de Gaulle qui, suivant son habitude, s'était fait prier pour venir d'Alger [7]. « Il était hérissé. » A un moment, Churchill s'emporta : « Si vous voulez que nous demandions aux États-Unis de vous confier le droit d'administrer la France, ma réponse est " non ". Si vous souhaitez seulement que votre comité soit reconnu comme l'autorité principale avec laquelle traiter, ma réponse est « oui ». » L'atmosphère se détendit dans le bureau de Eisenhower. « Ike et Bedell Smith, son chef d'état-major, firent assaut de courtoisie. » Le Général finit par accepter de prendre la parole à la radio et d'envoyer en Normandie des officiers de liaison. Toutefois, il déclina l'invitation à dîner de Churchill et préféra rentrer à Londres séparément avec ses officiers.

L'accueil qu'il reçut à Bayeux, le 14 juin, consacra à ses yeux une légitimité, dont il n'avait, d'ailleurs, jamais douté. Roosevelt ne voyait pas la situation sous le même angle. A une conférence de presse, neuf jours plus tard, il désapprouva les nominations auxquelles de Gaulle était en train de procéder. Se rappelait-il que l'amiral Leahy, raconte Eden, lui avait soutenu quelques mois plus tôt que « pour nous aider à rallier les Français quand nos troupes entreront en France, nous ne pourrions nous fier à personne mieux qu'à Pétain » ? Non que le Président

5. Le jour J n'avait pas encore été reculé de vingt-quatre heures.

6. Le Premier ministre sud-africain, qui, un an plus tôt, avait prédit la disparition définitive de la France, et avait ainsi réussi le tour de force de provoquer les réactions communes de Londres et de Vichy.

7. « *He hemmed and hawed* », écrit Churchill. On pourrait traduire : « Il grogna et ronchonna. »

fût disposé à suivre ce conseil, mais sa perplexité restait grande et son animosité envers le Général intacte. En attendant que le peuple français décidât lui-même de son destin, il s'était rallié à une solution, typique de sa conviction que tout valait mieux que de Gaulle : la France libérée serait soumise comme l'Italie à un gouvernement militaire interallié [8]. On sait que de ce projet autant en emporta le vent.

La situation risquait de devenir inextricable. F.D.R. finit par se résigner à inviter de Gaulle à Washington. Mais que de questions ! Une surtout : le chef des Français Libres serait-il reçu comme général de brigade, conformément à son grade, ou comme président du gouvernement provisoire de la République française ? Roosevelt insistait pour la première solution. Un compromis régla la question : la pompe de l'accueil fut limitée, mais le visiteur logea à Blair House, résidence des hôtes de marque. D'après un témoin, le Général descendit de l'avion « avec une expression d'arrogance qui touchait à l'insolence ». Conduit sans tarder à la Maison Blanche, il trouva Roosevelt, toujours imprévisible, décidé à faire jouer pour lui les grandes eaux de sa séduction. Il n'y fut pas insensible : sur son hôte, il porte un jugement remarquable : « Grand esprit, écrit-il, le président américain éprouve pour la France... une réelle dilection. Mais c'est précisément en raison de ce penchant [9] qu'il est au fond de lui-même déçu et irrité de notre désastre d'hier et des réactions médiocres que celui-ci a suscitées chez beaucoup de Français. » Deux jours de conversations accentuèrent l'atmosphère de détente. Avant le départ du Général, le Département d'État reçut l'ordre de préparer un projet de reconnaissance de fait du Comité français de libération nationale [10]. Ce fut officiel le 26 août, le lendemain de l'entrée de De Gaulle à Paris.

La reconnaissance *de jure* n'interviendra toutefois que le

8. Baptisé Amgot (Allied Military Government of Occupied Territories).

9. Faut-il ajouter d'« avant 1939 », à l'époque où tant d'Américains, Roosevelt compris, comptaient sur l'armée française pour vaincre les nazis et leur épargner d'entrer en guerre...

10. Mais non sous l'appellation « gouvernement provisoire ».

23 octobre. Elle ne réglera rien. Comment imaginer une entente sincère entre deux personnalités également sûres d'elles-mêmes ? Le succès qu'allait remporter Roosevelt n'était pas, au surplus, de nature à diminuer son assurance.

Une élection présidentielle approchait. On sait comment Roosevelt s'était décidé à briser la tradition qui datait de George Washington en sollicitant un troisième mandat : pourquoi pas un quatrième ? Les arguments ne manquaient pas. F.D.R. s'entoura longtemps d'un voile de silence. Le 11 juillet, huit jours avant la réunion de la convention démocrate, il annonça finalement qu'il ne se déroberait pas au cas où il serait désigné. Il le fut le 20 juillet. Se rendait-il compte de son état de santé ? Était-il inconscient ? Depuis plus d'un an, il avait changé. Churchill s'en aperçut dès le printemps de 1943 : « Avez-vous remarqué que le Président est un homme très fatigué ? » dit-il à son propre médecin ; « son esprit semble rigide, on se demande s'il n'a pas perdu sa merveilleuse élasticité. » Impression similaire de Elliott Roosevelt au Caire, n'ayant pas vu son père depuis Casablanca : « Il a sensiblement vieilli. » A Téhéran, Harry Hopkins confia ses inquiétudes au Premier ministre britannique : « Le Président n'a pas été à la hauteur : on lui a posé une foule de questions et il a répondu ce qu'il ne fallait pas. » Le *Journal* d'un fonctionnaire de la Maison Blanche, qui voyait quotidiennement Roosevelt, est pathétique. Au hasard, quelques notations : « 27 mars 1944 : " Le Président avait l'air épuisé et malade. " 7 juin : " Le Président semble surmené. " Le 25 août, Morgenthau est effrayé : " Pour la première fois, je suis vraiment bouleversé. C'est un homme très malade ; il a l'air à bout de forces. " »
La campagne électorale s'en ressentit. Où étaient les beaux jours de 1932 et 1936 ? Ses intimes ne reconnaissaient plus F.D.R. : il semblait indifférent. Contraste entre la grandeur de ses responsabilités et la médiocrité d'une contestation politique ? Lassitude qu'il ressentait sans vouloir se l'avouer ? Il

prononça un nombre limité de discours. « C'était maintenant un infirme », avoue un admirateur. En quelques occasions, « il réussit à parler debout pendant une demi-heure sur la plate-forme de son train ». Mais presque toujours, il devait rester assis. A deux reprises, on craignit le pire. « A San Diego, précise le Pr Bailey, il devint subitement pâle comme la mort et était tordu par la souffrance : à Bremerton, dans l'État de Washington, il fut pris au cours d'une allocution de violentes douleurs à la poitrine : il ne s'arrêta pas, mais l'auditoire fut stupéfait de son élocution décousue. » Robert Sherwood ne l'avait pas vu depuis huit mois ; il en trace un portrait émouvant : « Je fus consterné. On m'avait dit qu'il avait beaucoup maigri, mais je ne m'attendais pas à l'aspect presque ravagé de son visage. Il avait enlevé son veston et le col de sa chemise, beaucoup trop large, flottait autour de son cou terriblement amaigri. »

La partie n'en était pas moins gagnée d'avance, tant le prestige du Président restait immense. Écartant son vice-président, Henry Wallace, homme de gauche qui inquiétait l'aile conservatrice du parti, il le remplaça par un sénateur du Missouri, Harry Truman, membre de la Haute Assemblée depuis dix ans. Choix habile, car le bénéficiaire connaissait mieux que quiconque les arcanes du sérail, où il ne comptait guère d'ennemis ; puis son poste de président de la commission d'enquête sur le programme d'armements [11] lui avait donné suffisamment de notoriété pour que l'on ne pût accuser F.D.R. de ne tolérer autour de lui que des personnalités de second ordre.

L'équipe républicaine était composée de deux gouverneurs d'État, celui de New York, « Tom » Dewey, et celui de l'Ohio, John Bricker. Personnalités estimables, des nains toutefois à côté du géant qu'ils devaient affronter. Puis le G.O.P. [12] n'avait guère de programme : un seul slogan, « Il est temps de changer », passablement dérisoire dans une atmosphère où résonnait déjà la victoire.

Le 7 novembre, Roosevelt ne l'emporta que de trois millions

11. Voir p. 61.
12. Voir p. 59 ; n. 11.

et demi de bulletins, 25 602 505 contre 22 006 278. Le mécanisme électoral lui fournit l'apparence d'un triomphe. 432 voix
et 36 États contre 99 et 12. Les démocrates gardaient le contrôle de la Chambre et du Sénat.

Deux conférences s'étaient tenues aux États-Unis pendant
l'été.

La première réunion eut lieu du 1er au 22 juillet à Bretton
Woods dans le New Hampshire, station de villégiatures fort
éloignée des réalités de la guerre. La puissance invitante y était
représentée par le Secrétaire du Trésor, Morgenthau, ou plus
exactement par son collaborateur, Harry White ; la Grande-
Bretagne, par l'inévitable Keynes, et les Soviets par un certain
Stepanov, commissaire aux Finances, fort expert, semble-t-il,
dans la technique du « niet ». Bien que non reconnu, le Comité
français de libération nationale avait obtenu d'y envoyer un
porte-parole : à M. Mendès France avait été confiée une responsabilité mal définie.

Quarante-quatre pays, vingt et un d'Amérique latine, dix
d'Europe, sept d'Asie, quatre d'Afrique, deux d'Amérique du
Nord, participèrent aux discussions ; treize cents experts,
affirme-t-on, apportaient aux délégués le concours de leur technique. L'objet des délibérations était de taille. Il s'agissait de
prévoir pour l'après-guerre un mécanisme de stabilisation
monétaire et un processus de reconstruction économique. La
Trésorerie étudiait le problème depuis plus de deux ans, et des
échanges de vues anglo-américains en avaient dégagé les
grandes lignes en 1943. Les controverses n'en furent pas moins
vives. On s'entendit assez facilement sur la création de deux
organismes, un Fonds monétaire international et une Banque
pour la reconstruction et le développement. Le débat fut plus
âpre lorsqu'il s'agit de préciser le rôle de ces institutions, d'en
fixer le capital, et surtout de répartir celui-ci.

Sur la Banque, peu de difficultés. Son titre même indiquait
son objet. La mise de départ fut évaluée à $ 10 milliards, dont

les États-Unis devaient fournir un peu moins du tiers. Le Fonds soulevait, au contraire, de multiples points d'interrogation ; les professionnels s'en donnèrent à cœur joie [13]. Tenterait-on de revenir à l'étalon-or d'avant 1914 ? Les Britanniques ne voulaient pas en entendre parler. Il n'était pas, d'autre part, question d'envisager les changes flottants auxquels ont aujourd'hui abouti — fort logiquement — des années de flottement. Un compromis prévalut : les changes seraient stabilisés, mais pas trop... ; l'or reprendrait sa place, discrètement toutefois, et rattaché au dollar, dont trente-cinq unités vaudraient, une fois pour toutes, paraît-il, une once d'or. Le capital du F.M.I. se monterait à $ 8 milliards 8, les États-Unis y contribuant pour $ 2 milliards 750. Le droit de vote étant lié au montant de la participation, on devine les marchandages. La Russie finit par obtenir le même chiffre que la Grande-Bretagne, $ 1 milliard 250 [14]. M. Pierre Mendès France se plaignit amèrement : le quota français ne dépassait pas $ 450 millions (moins que les Chinois) ; Morgenthau lui répondit que la France avait obtenu deux « faveurs prestigieuses [15] » : celle d'être parmi les cinq principaux dépositaires et celle d'occuper un siège au Comité exécutif du Fonds...

Mais pas celle d'être admise à la Conférence de Dumbarton Oaks [16] un mois plus tard. Cette fois, on était « entre soi », puisque les seuls participants furent les Quatre Grands, ce qui exigea, d'ailleurs, deux sessions, Russes et Chinois refusant de siéger ensemble [17]. Il s'agissait d'ébaucher une première esquisse de la charte des Nations Unies. Cordell Hull, encore sous l'impression de la Déclaration signée à Moscou dix mois

13. Keynes, qui ne souffrait d'aucun complexe d'infériorité, traitait de « Cherokee » (un dialecte indien) le jargon de ses collègues américains. En quoi il n'avait peut-être pas tort...

14. Pour, d'ailleurs, refuser ensuite de signer l'accord, lequel fut ratifié à la Chambre des représentants par 345 voix contre 18, et au Sénat par 61 contre 16.

15. *« Prestigious favors. »*

16. Une vaste propriété privée près de Washington.

17. D'où une période « russe », 21 août-28 septembre, et une période « chinoise », 29 septembre-7 octobre. Leur différence de durée est significative.

plus tôt [18], était plein d'espoirs. Gromyko se chargea de le
détromper. Au début, tout se passa à merveille. Sur les
membres permanents du Conseil de sécurité, peu de divergences. Les Américains eurent cependant grand-peine à y faire
inclure la Chine, et l'on se borna à réserver une place pour la
France, sans plus de précisions. Les choses se gâtèrent quand
le Commissaire soviétique aux Affaires étrangères, toujours
glacial, revendiqua seize sièges à l'Assemblée pour les seize
Républiques soviétiques, prétendument autonomes. La tension
fut pire lors de la discussion du droit de veto. L'unanimité des
membres permanents était nécessaire pour rendre exécutoire
une décision du Conseil. Gromyko prétendit appliquer cette
règle même dans les différends concernant un des cinq Grands.
C'était leur conférer un privilège totalement contraire à l'idée
des Nations Unies. Roosevelt essaya d'influencer Staline :
celui-ci lui répondit que certains milieux influents « avaient des
préjugés ridicules » contre les Soviets et ne céda sur rien. On se
mit d'accord pour constater le désaccord et l'on se sépara.

F.D.R. et Churchill, toujours fascinés l'un par l'autre, mais
de plus en plus méfiants, venaient de passer cinq jours
ensemble à Québec du 11 au 16 septembre. Le Premier
ministre britannique, que l'avance des armées russes commençait à alarmer, avait, au printemps, suggéré une nouvelle rencontre. Il s'était heurté à un refus poli. En revanche, dès juillet,
Roosevelt, une fois de plus, avait tenté d'obtenir de Staline la
promesse d'une entrevue à trois. La personnalité du trente-
deuxième Président n'est pas grandie par les commentaires
plaintifs dont il accompagna la nouvelle rebuffade soviétique :
« Cette réunion, télégraphia-t-il, m'aurait été utile pour ma
politique intérieure... *(sic)* »
    Quand les deux hommes d'État se retrouvèrent à la Cita-
delle de Québec, où ils avaient siégé treize mois plus tôt, la

18. Voir p. 92.

situation militaire leur apportait de réels motifs de satisfaction. A l'ouest, Bruxelles et Anvers [19] venaient d'être libérées ; Le Havre devait l'être le lendemain même de l'ouverture de la conférence. Plus au sud, dépassant Luxembourg, les alliés avaient franchi la frontière allemande en direction d'Aix-la-Chapelle. Enfin, la jonction s'était effectuée entre les libérateurs de la Normandie et ceux de la Provence. Anglais, Américains, Français progressaient désormais sur une ligne continue de la mer du Nord à la frontière suisse. En Italie, il est vrai, les forces alliées piétinaient, affaiblies par le prélèvement de renforts au bénéfice d'« Overlord ».

En Russie, fonctionnait « le rouleau compresseur », bien différent de celui dont on avait bercé les imaginations françaises en août 1914. Au nord, la Finlande a dû solliciter un armistice ; au sud, Odessa et Sébastopol ont été reconquises ; l'armée roumaine s'est désintégrée ; la Bulgarie s'est retirée de la guerre ; en Yougoslavie et en Grèce, les nazis sont isolés. Au centre de ce front de plus de mille deux cents kilomètres, de la Baltique à la mer Noire, les lignes allemandes ne cessaient de plier. Le 26 juillet, les armées russes approchaient de Varsovie et leurs adversaires espéraient encore tenir à l'ouest de la Vistule. Alors se produisit un drame qui déshonore les étendards soviétiques. Staline ayant rompu depuis avril les relations diplomatiques avec le gouvernement polonais en exil, qualifié, bien entendu, de « réactionnaire », sinon de « hitlérien », se décida à reconnaître comme « légitime » un Comité, dit de libération nationale, organisé à Moscou et à sa complète dévotion. Deux jours plus tard, les résistants polonais prirent les armes à Varsovie, ayant appris que les Russes se trouvaient à une quinzaine de kilomètres de la capitale. Leur martyre fut de soixante-trois jours, à l'issue desquels ils durent se rendre. Les Russes restèrent l'arme au pied, interdisant même aux Américains d'envoyer aux défenseurs le moindre secours. Ainsi fut décimée l'élite polonaise déjà victime du massacre de

19. Le port restait toutefois inutilisable, les Allemands tenant encore l'estuaire de l'Escaut.

Katyn [20] ; ainsi commença le « viol de la Pologne », pour
employer l'expression d'un de ses derniers chefs de gouvernement démocratique.

Roosevelt n'aimait guère parler de cette question. Elle fut à
peine soulevée à Québec, où l'Allemagne — sujet plus facile —
fut le centre des discussions. On s'attendait à son effondrement
rapide, peut-être avant la fin de l'année. Eisenhower reçut
l'ordre de porter le coup final par une double offensive au nord
et au sud de la Ruhr. Pour donner satisfaction à l'idée de Churchill, on n'écarta pas la possibilité d'une attaque, partant de
l'Istrie, en direction de Vienne, « si la guerre dure assez longtemps ». Puis l'on délibéra sur l'après-guerre. Il fut finalement [21] entendu que les Anglais occuperaient le Nord-Ouest de
l'Allemagne et les Américains le Sud-Ouest. Mais quel sort
allait être réservé à la population ?

Morgenthau, convoqué seul par Roosevelt à l'exclusion de
Cordell Hull et même de Harry Hopkins, crut son jour de
gloire arrivé. Il faut avoir feuilleté ses papiers, présentés par le
Pr Blum, pour apprécier à quels excès la haine peut conduire
lorsqu'elle n'est pas tempérée par l'intelligence. Le Secrétaire
du Trésor ne s'embarrassait pas de nuances. Laissons-lui la
parole. 1er septembre. L'ambassadeur de Grande-Bretagne à
son gouvernement : « Morgenthau pense qu'une forte inflation,
comme celle de 1919, graverait dans les cerveaux allemands
l'idée que la guerre est génératrice de ruine. » Était-ce pour ce
faire que, quelques jours plus tôt, il avait recommandé de fixer
à 20 marks pour 1 dollar le taux de change dont bénéficieraient
les forces alliées [22] ? Mais il n'entendait pas se cantonner dans
les problèmes monétaires. Conversation avec Stimson [23],
25 août : « Je lui ai fait part de mon idée d'enlever toute
industrie aux Allemands et de les réduire à une population
agricole de petits propriétaires. » A Roosevelt, 2 septembre :
« Vous ne les changerez pas, et il se peut que vous ayez besoin

20. Voir p. 91.
21. Voir p. 94.
22. Alors que le Département d'État proposait 8 et les Anglais 5.
23. Le Secrétaire de la Guerre.

de transférer tous ceux entre 20 et 40 ans dans le centre de l'Afrique où vous pourriez leur faire construire une autre T.V.A. [24]. » A son adjoint, Harry White, 4 septembre : « La Ruhr doit devenir une terre fantôme... Que l'on détruise d'abord tout, acier, charbon... On s'occupera de la population après... »

Le « plan Morgenthau » — puisqu'ainsi l'on a baptisé ces élucubrations — fut soumis à Roosevelt et à Churchill peu de temps après l'ouverture de la conférence. Roosevelt ne lui opposa pas un refus de principe [25]. Churchill hésita : d'abord « vitriolique » (*dixit* le Secrétaire du Trésor), il finit par donner son accord. Consentement fugitif, car rentrés l'un à Washington, l'autre à Londres, les deux hommes d'État se hâtèrent de classer dans des tiroirs un projet qui n'aurait jamais dû en sortir.

Un tête-à-tête avec Staline semble avoir été l'ambition commune de Roosevelt et de Churchill. Le premier n'y parvint jamais ; le second avait atteint cet objectif, on se le rappelle, en août 1942 ; il se décida à retourner à Moscou en octobre 1944. Pour éviter les susceptibilités américaines, on convint que l'ambassadeur des États-Unis, Averell Harriman, assisterait, comme observateur, aux conversations.

On parla d'abord de la situation militaire. L'offensive vers le Rhin ne progressait guère, moins par manque d'effectifs qu'en raison du retard dans les approvisionnements. Les experts décidèrent d'accélérer ceux-ci et de prévoir une triple ligne d'attaque : la principale, vers Berlin ; deux, accessoires, l'une en direction de Francfort, puis de Leipzig, l'autre ayant pour objectif la Bavière. Quant aux opérations en Italie, il fallut se

24. Tennessee Valley Authority.
25. A Stimson, 25 août : « Je ne veux pas que les Allemands meurent de faim, mais, à titre d'exemple... ils devraient être nourris, trois fois par jour, de soupe venant des cuisines de l'armée. Cela les maintiendrait en parfaite santé, et c'est une expérience dont ils se souviendraient toute leur vie. »

résigner à leur semi-échec : les forces alliées n'arrivaient pas à atteindre le Pô. Évolution curieuse et que les spécialistes n'expliquent guère, Staline ne voyait plus d'un œil défavorable une percée sur Vienne. Était-ce, observe Herbert Feis, une application des « sphères d'influence » que le Premier ministre britannique et lui s'étaient attribuées ?

Car, à leur première réunion, le 9 octobre, une étrange scène s'était produite, que Churchill raconte avec un étonnant mélange de sincérité et d'impudence : « Le moment me parut favorable et je dis : " Arrangeons nos affaires dans les Balkans... Ne nous gênons pas les uns les autres. " » Et sur un bout de papier, j'écrivis :

Roumanie	Russie	90 %
	Autres	10 %
Grèce	Grande-Bretagne	90 %
	(d'accord avec les États-Unis)	
	Russie	10 %
Yougoslavie		50-50 %
Hongrie		50-50 %
Bulgarie	Russie	75 %
	Autres	25 %

« Je passai le papier à Staline. Il y eut une légère pause. Puis il prit son crayon bleu et marqua le papier d'un large trait. Tout fut réglé en moins de temps qu'il n'en avait fallu pour l'écrire... De nouveau un long silence. Je finis par dire : " Est-ce que cela ne donnera pas une impression de cynisme, s'il semble que nous ayons décidé d'une manière si cavalière de questions qui peuvent avoir de telles répercussions sur des millions d'êtres ? Brûlons ce papier. — Non, gardez-le ", répondit Staline. »

Triumph and Tragedy, dont ce récit est extrait, fut publié en 1953. Pendant cinq ans, les Soviets ne réagirent pas. Depuis 1958, ils n'ont cessé de multiplier les démentis, note le Pr Resis, à qui nous devons les informations qui vont suivre.

Les archives secrètes britanniques sont formelles. Le lendemain même de ce dialogue, la discussion continua entre Eden et Molotov. Pendant quarante-huit heures, et dans les meilleures traditions des marchands de tapis orientaux, les ministres des Affaires étrangères tentèrent de remanier, chacun au profit de leur pays, les pourcentages sur lesquels leurs chefs étaient tombés d'accord. Les Russes sortirent vainqueurs de ce maquignonnage : 80 % leur furent concédés en Bulgarie et en Hongrie [26].

Churchill était fort préoccupé de la réaction de Roosevelt. Il l'assura que ces accords ne le liaient en rien ; il les présenta, d'ailleurs, comme de simples mesures de prudence, destinées à éviter des conflits, toujours possibles, entre les troupes soviétiques et les troupes britanniques dans cette partie de l'Europe. Il semble que F.D.R. n'ait jamais eu connaissance des « pourcentages » eux-mêmes. Fait significatif, son ambassadeur, Averell Harriman, n'était pas présent à la réunion du 9 octobre. De Londres, puis d'Ankara, parvinrent au Département d'État quelques vagues renseignements. Le Président tenait-il vraiment à être renseigné ? Il prit grand soin de ne pas approuver des arrangements si contraires à ses principes de sécurité collective, mais nous n'avons pas trouvé trace qu'il s'y fût ouvertement opposé.

La Pologne, on l'aura remarqué, n'était pas sur la liste des « protégés » anglo-russes. Churchill essaya — sans guère y croire — d'obtenir pour elle un minimum d'indépendance. En vain : les dés étaient jetés. Préoccupé de l'échéance électorale qui s'approchait, Roosevelt déconseilla toute décision hâtive. « Si vous parvenez à une solution (du problème polonais), j'aimerais être consulté sur l'opportunité de ne pas la rendre publique avant deux semaines. Vous me comprendrez. » Le Premier ministre du gouvernement de Londres, Stanislaw Mikolajczyk, vint à Moscou se heurter à un mur. Tout au plus lui laissa-t-on espérer quelques strapontins dans le Comité de Libération nationale qui, installé à Lublin, et marchant à la baguette soviétique, se parait sans vergogne des oripeaux de la démocratie.

26. Voir p. 354.

7.

Yalta et la mort de Roosevelt

CONFÉRENCE DE YALTA. — SES RÉSULTATS. — MYTHES ET
RÉALITÉS. — AGGRAVATION IMMÉDIATE DES DIFFICULTÉS
AVEC LES RUSSES. — MÉCONTENTEMENT DE DE GAULLE. —
MORT DE ROOSEVELT.

Yalta. Autour de ce mot les passions se sont cristallisées.
Avant de risquer un jugement, tâchons de préciser les faits.

Staline et Roosevelt ne se rencontrèrent qu'en deux occasions. Dans les deux cas, ce fut Staline qui décida du lieu de la
réunion. On se rappelle comment il avait imposé Téhéran en
1943 ; en 1945, il en fit de même pour Yalta. F.D.R. et Churchill avaient envisagé une liste de noms également séduisants :
Athènes, Chypre, Malte, Salonique, Constantinople,
Alexandrie, Jérusalem, Rome, Taormine, la côte adriatique, la
Riviera. Le maréchal (puisque c'était son titre favori) fut formel : *primo*, il ne pouvait quitter le territoire russe ; *secundo*,
ses médecins lui recommandaient la Crimée. Churchill était
prêt à se contenter de Molotov. Mais Roosevelt n'était pas disposé à se passer de Staline. En Crimée on irait donc, à dix

mille kilomètres de Washington, et plus précisément à Yalta, ancienne villégiature de la cour impériale. L'ouverture de la Conférence fut prévue pour le 4 février, immédiatement après la séance du Congrès du 20 janvier où le trente-deuxième Président devait, pour la quatrième fois, prononcer le discours traditionnel d'entrée en fonctions ; sept jours de délibérations parurent suffisants [1] ; aucun ordre du jour rigide ne fut adopté.

Des contacts préliminaires entre Anglais et Américains s'imposaient. F.D.R. redoutait, cependant, que Staline ne prît ombrage d'un nouveau tête-à-tête entre Churchill et lui. Il s'arrangea pour ne faire qu'une courte apparition à Malte qui avait été choisi comme lieu de rendez-vous. Les chefs d'état-major s'y rencontrèrent du 30 janvier au 2 février. Les controverses furent violentes [2]. On convint finalement d'une double offensive vers le Rhin, au nord et au sud de Düsseldorf, avec l'espoir de traverser le fleuve en mars.

Roosevelt et Churchill arrivèrent à Yalta le 3 février, accompagnés d'une suite de sept cents personnes. Leurs hôtes les avaient installés à plus de vingt kilomètres l'un de l'autre, ce qui ne facilitait pas leurs entrevues... Le président des États-Unis résidait dans le palais de Livadia, réservé naguère à Nicolas II. Les débats y commencèrent le dimanche 4 février.

Sous ses apparences de rustre, Staline cachait une grande finesse. Il semble avoir merveilleusement compris F.D.R. Brisant au bon moment la continuité de ses « non » par quelques « oui », ou tout au moins quelques « peut-être », il savait donner à son interlocuteur l'impression de céder à sa séduction. Cette tactique lui avait réussi à Téhéran : elle ne le desservit pas à Yalta. Puis, cette fois, il sentait Roosevelt en position de faiblesse. Ce dernier était résolu, quoi qu'il arrive, à parvenir à une entente, tant il était convaincu que seule la collaboration militaire et diplomatique de la Russie lui permettrait de réussir

---

1. F.D.R. n'envisageait que cinq ou six jours ; Churchill lui objecta que « le Tout-Puissant lui-même en avait eu besoin de sept ».

2. « Marshall, ordinairement le plus calme des hommes, en arriva, écrit Robert Sherwood, à menacer les Anglais d'une démission de Eisenhower si ses plans n'étaient pas adoptés. »

là où Wilson avait échoué. Dès le départ, il se trouvait ainsi demandeur. Son entourage affirme que ses facultés intellectuelles n'étaient pas amoindries : les photographies n'en conservent pas moins la trace de son visage ravagé [3]. En tout cas, sa capacité de travail était des plus réduites, et il n'avait guère préparé la réunion [4]. Ses principaux collaborateurs, malheureusement, ne se montrèrent pas de taille. L'indispensable Harry Hopkins, en piètre condition lui-même, passa la plus grande partie de la conférence dans son lit, n'en sortant que pour les séances plénières ; Edward Stettinius avait été nommé Secrétaire d'État quelques mois plus tôt ; l'expérience des conférences internationales lui faisait défaut ; grand admirateur de Roosevelt, il était décidé, comme lui, à ne pas contester la bonne foi des Soviets. Du livre où il présente Yalta comme un succès de la diplomatie américaine se dégage une curieuse impression de sincérité et de naïveté.

Puis Staline avait beau jeu de comparer la situation militaire à l'Est et à l'Ouest. L'avance des Russes était irrésistible ; leurs armées occupaient la totalité de la Prusse Orientale, sauf Königsberg, et n'étaient qu'à soixante-dix kilomètres de Berlin. Les Alliés, au contraire, marquaient le pas. A la fin de septembre, les parachutistes de Montgomery avaient subi une défaite cuisante à Arnhem. Trois mois plus tard, les Américains s'étaient laissé surprendre par une contre-offensive dont ils n'avaient imaginé ni le lieu ni l'ampleur ; conduite par von

---

3. La description que le médecin de Churchill fait de lui à sa sortie de l'avion n'est pas rassurante : « Le Président avait l'air d'un vieux monsieur, maigre et épuisé ; il donnait l'impression d'être recroquevillé sous la cape qui entourait ses épaules ; on l'assit dans une jeep pour lui permettre de passer en revue la garde d'honneur ; il regardait droit devant lui, la bouche entrouverte, comme s'il ne comprenait pas ce qui se passait. » L'historien Bishop surenchérit : « Il était incapable de discuter parce que son artériosclérose du cerveau l'empêchait de suivre longtemps une idée. Souvent, il souffrait, ce qui l'empêchait de faire attention. » L'auteur de « *F.D.R.'s last year : April 1945* » affirme qu'une fois même Staline eut pitié de lui.
4. James Byrnes, le futur Secrétaire d'État de Truman, faisait partie de la délégation. Il rappelle que, à bord du cuirassé qui conduisit Roosevelt à Malte, les séances d'études furent rares...

Rundstedt, à l'initiative de Hitler, une attaque allemande dans les Ardennes, entre Malmédy et Bastogne en direction d'Anvers, avait failli, pendant une dizaine de jours, bouleverser les plans de Eisenhower ; l'équilibre n'avait été rétabli qu'au milieu de janvier.

Les réunions des « Trois Grands » furent entourées du plus grand secret : on était loin des rêves de Wilson.

Les problèmes militaires eurent priorité. Chaque côté amplifia ses difficultés ; chaque côté réclama de l'autre un effort supplémentaire ; de chaque côté on le promit et on s'engagea au maximum de coordination.

D'un autre sujet — un de ceux qui donnèrent lieu à le plus de controverses —, nous parlerons dans le chapitre suivant puisqu'il portait sur l'Extrême-Orient.

La Pologne vint à l'ordre du jour. Question brûlante qui « désolait Churchill, préoccupait Roosevelt et irritait Staline ». On en débattit pendant six jours et six nuits, employant les mêmes mots dans un sens totalement différent. Averell Harriman, à qui son poste d'ambassadeur à Moscou avait permis d'acquérir une certaine compréhension du langage communiste, avait signalé à Roosevelt cette source de malentendus. Ses conseils ne semblent pas avoir fait grande impression. A Yalta, on ne parla que d'une Pologne « libre », « indépendante », « amicale », « démocratique ». Mais laquelle ? Staline avait à cet égard des idées fort claires : « le gouvernement » de Lublin, désormais installé à Varsovie, remplissait toutes ces conditions. L'imposture était si flagrante que, même dans le plus grand esprit de conciliation, il était impossible de ne pas la contester. D'où des conversations interminables. « Réorganiserait »-on ledit gouvernement ? C'était la thèse de Churchill, soutenu — mollement — par Roosevelt, et cette « réorganisation » permettrait-elle aux Polonais d'exprimer « librement » leur opinion ? Se bornerait-on à l' « agrandir », en lui adjoignant quelques comparses qui procéderaient, eux aussi, à de « libres » élections ? C'était la thèse de Staline. On se mit d'accord à la dernière minute sur la constitution d'un « gouvernement provisoire d'unité nationale », dont Molotov et les ambassadeurs de Grande-Bretagne et des États-Unis seraient chargés d'assurer la venue au monde dans une atmosphère « démocratique ».

Restaient à déterminer les limites du nouvel État. Là encore, Staline savait ce qu'il voulait. La ligne Curzon [5] servirait de frontière à l'Est, garantissant ainsi les territoires saisis par ses armées en 1939. Les Occidentaux essayèrent d'obtenir que Lvov, tout au moins, restât polonais : le Maréchal s'y refusa, mais, en grand seigneur, concéda quelques rectifications territoriales [6]. Décider jusqu'où la Pologne s'étendrait à l'Ouest fut plus ardu. On avait posé le principe que, amputée par la Russie, elle se dédommagerait sur l'Allemagne. Les Soviets y étaient d'autant plus favorables que la tension qui ne pouvait manquer d'en résulter forcerait la Pologne à se rapprocher d'eux. La ligne de l'Oder et de la Neisse occidentale leur paraissait fournir une solution parfaite. C'était avoir à déplacer des millions d'Allemands. La pudeur interdit aux Trois Grands de se montrer précis dans leur communiqué final. Il y fut seulement mentionné que la Pologne « avait droit à de substantielles concessions de territoire au nord et à l'ouest » ; toutefois, « la délimitation définitive de sa frontière occidentale devrait attendre la Conférence de la Paix ». Il était difficile de se méprendre sur le sens de cette formule.

Une politique d'expectative prévalut également à l'égard de l'Allemagne.

On sait que, à Téhéran, Churchill et Roosevelt avaient préconisé son démembrement. A Yalta, Staline le leur rappela,

5. La ligne Curzon (du nom du Secrétaire britannique aux Affaires étrangères) avait été adoptée à Versailles. Elle passait à l'ouest de Brest-Litovsk et de Lvov. Lorsque, en 1921, les Polonais triomphèrent des Bolcheviques, le traité de Riga porta leur frontière à 150 km à l'est, leur restituant une partie de l'Ukraine qu'ils occupaient avant le premier partage de leur pays en 1772.

6. Pas plus de cinq à huit kilomètres...

insistant pour une décision et se déclara favorable au plan du
Premier ministre britannique [7]. A la veille de la victoire, les
Anglo-Américains n'étaient plus sûrs que rompre l'unité de
l'Allemagne et la mettre à la merci des Soviets fût souhaitable.
On trouva une formule de compromis. Le principe du morcel-
lement ne fut pas écarté, mais l'étude de son application
confiée à une commission.

Même tactique pour la liste des criminels de guerre et, surtout, pour les réparations. Ce dernier sujet tenait au cœur du
Maréchal. La veille de la clôture, aucun compromis n'avait été
réalisé. Churchill et Roosevelt, forts de l'expérience de la Première Guerre, s'opposaient à toute évaluation chiffrée. Le
Pr Snell, à qui ces paragraphes doivent beaucoup, note que ce
fut la seule occasion où Staline s'emporta : « Il se leva, s'ap-
puya sur sa chaise, gesticulant pour donner plus de poids à ses
paroles : " Si les Anglais estiment que les Russes ne doivent
recevoir aucune réparation, ils feraient mieux de l'avouer franchement. " » On imagine l'émotion de Roosevelt. Churchill se
hâta de dire qu'il n'en était rien. Finalement, on renvoya la
décision à une Commission des réparations qui siégerait à
Moscou. Les Soviets eurent gain de cause sur deux points
essentiels. On prendrait comme hypothèse de travail la somme
de $ 20 milliards qu'ils avaient avancée, étant entendu qu'en
toute hypothèse 50 % leur reviendraient. Le principe de réparations en nature fut, d'autre part, admis : son application allait
permettre aux Russes de démanteler des usines allemandes et
de garder comme travailleurs des prisonniers de guerre.

Envisager ce que deviendrait l'Allemagne en ignorant la
France eût été une gageure.

L'attitude de Roosevelt n'avait guère changé. Lors de la
contre-offensive des Ardennes, un vif incident avait opposé
Eisenhower et de Gaulle. Le premier, jugeant la situation du

7. Voir p. 96.

seul point de vue militaire, avait ordonné l'évacuation de Strasbourg, récemment libérée. De Gaulle, se rendant compte des répercussions psychologiques de cette mesure, enjoignit aux forces françaises qui occupaient la ville de ne pas en tenir compte. Puis il alla voir le « commandant suprême [8] ». La discussion fut chaude. « Je lui rappelai, écrit Eisenhower, que l'armée française ne recevrait ni munitions ni vivres si elle n'obéissait pas à mes ordres. » Ce n'était pas pour impressionner son visiteur qui obtint finalement gain de cause. Mais, rapporté à Washington, l'épisode ne fit que confirmer F.D.R. dans l'opinion qu'il se faisait du président du gouvernement provisoire. Les « Trois Grands » ayant décidé de ne pas inviter celui-ci à Yalta, Roosevelt lui envoya Harry Hopkins, dans l'espoir de l'adoucir. Tâche difficile. L'entrevue eut lieu à Paris le 27 janvier. « Elle se termina dans une atmosphère aussi glaciale que celle qui l'entourait au début. »

Attribuer à la France une zone d'occupation en Allemagne tombait à tel point sous le sens que l'on en discuta dès le premier jour de la conférence. Roosevelt dit à Staline qu'il en avait parlé à Churchill et que « ce n'était pas une mauvaise idée » ; il se hâta d'ajouter qu'il l'approuvait « purement par bonté [9] ». Staline déclara que c'était en effet le seul argument valable. « La France, dit-il, est un pays sans armée... La Pologne et la Yougoslavie ont été plus utiles qu'elle aux Alliés... Elle a ouvert toutes grandes ses portes à l'ennemi... D'ailleurs, qu'a-t-elle fait pour la civilisation ? » « Ces mots laissèrent Winston abasourdi, raconte le Dr Moran. A ses yeux la France *est* la civilisation. » « Churchill et Eden se battirent comme des tigres » pour que la France obtînt une zone, commente Harry Hopkins qui y était lui-même favorable. Efforts qui étaient loin d'être désintéressés. A l'ouverture de la conférence, Roosevelt avait commis l'imprudence de déclarer que les troupes américaines ne resteraient pas en Europe plus de deux ans. « Occuper seul tout l'ouest de l'Allemagne dépassait

8. Le titre de Eisenhower était « Supreme Commander of Allied Forces ».
9. *« Only out of kindness. »*

nos possibilités, écrit Churchill. Une France forte était vitale, non seulement pour l'Europe mais pour la Grande-Bretagne. Seule, elle pouvait empêcher l'installation de rockets sur les bords de la Manche et former une armée pour contenir les Allemands. » Le point de vue britannique finit par l'emporter, étant entendu que les régions affectées à la France seraient prélevées sur les zones anglaise et américaine. Il fallut toutefois attendre la veille de la clôture pour que Roosevelt et Staline consentissent à la présence d'un représentant français dans la Commission de contrôle interalliée qui devait administrer l'Allemagne.

Deux autres sujets, également importants, se posaient aux négociateurs.

D'abord, qu'allaient devenir les pays libérés d'Europe centrale et orientale, les uns, anciens alliés de l'Allemagne, Tchécoslovaquie, Hongrie, Roumanie, Bulgarie, les autres associés aux Alliés, Yougoslavie, Grèce, tous, sauf ce dernier, chassegardée de Churchill depuis l'accord de Moscou [10], sur l'orbite soviétique ou à la veille de l'être ?

On sait à quel point F.D.R. était amateur de documents idéologiques, sonores et vagues. L'occasion lui parut bonne de rappeler la Charte de l'Atlantique, fort estompée, et, pour faire bonne mesure, de se référer à la Déclaration sur les Nations Unies signée trois ans plus tôt [11]. Le Département d'État avait été chargé de préparer un projet, qui fut soumis à Staline dans la séance plénière du 9 février. Le Maréchal ne souleva aucune objection ; on eut cependant grand-peine à lui faire admettre que la France serait appelée à signer cette profession de foi.

Le texte fut approuvé en vingt-quatre heures. Lisons-le attentivement tant il se prête à des interprétations diverses.

10. Que Staline respecta, (voir p. 116), ce qui permit aux Britanniques d'écraser une tentative communiste de prise du pouvoir et leur valut la réprobation, mal dissimulée, de Roosevelt.
11. Voir p. 37.

D'abord, les prémisses : les « Trois Grands » se déclaraient disposés *conjointement* [12] à aider les peuples libérés à « résoudre par des moyens démocratiques leurs problèmes urgents, politiques et économiques » ; puis, les conséquences : « Les trois gouvernements, *conjointement*, aideront les pays, quand ils le jugeront nécessaire... à établir des autorités provisoires, largement représentatives de tous les éléments démocratiques, et qui se seront engagées à procéder le plus tôt possible à des élections libres en vue de former un gouvernement émanant de la volonté populaire... Ils s'engagent, si besoin est, à faciliter ces élections. » « Moyens démocratiques », « élections libres », « volonté populaire », comment ne pas admirer l'habileté des communistes à utiliser à leur profit le langage de leurs contradicteurs ?

Assuré d'avoir obtenu l'essentiel, c'est-à-dire le contrôle de la moitié de l'Europe [13], Staline allait se montrer souple dans la discussion sur les futurs organismes internationaux. On se rappelle que, à Dumbarton Oaks, on avait abouti à une impasse. Cette fois, les Soviets donnèrent l'impression d'être ralliés à la thèse américaine : les membres permanents du Conseil de sécurité renonceraient à leur droit de veto dans toute controverse où ils seraient impliqués. Cette gracieuseté valait bien une contrepartie. L'Union soviétique obtint trois sièges à l'Assemblée [14], Roosevelt se réservant le droit d'en demander autant pour les États-Unis. Enfin, on décida de convoquer le 25 avril à San Francisco une conférence internationale chargée de rédiger la Charte des Nations Unies.

Un grand dîner, offert par Staline le 8 février, précéda de trois jours la clôture de la conférence. Rarement vit-on tel encensement réciproque. Dans une veine poétique Churchill déclara que, à l'époque moderne, le rôle des gouvernements est « de conduire les peuples vers les plaines ensoleillées de la paix

12. C'est nous qui soulignons.
13. Et la consolidation des positions russes en Extrême-Orient. Voir chap. IX.
14. Les deux sièges supplémentaires étaient destinés à l'Ukraine et à la Russie Blanche.

et du bonheur ». Plus réaliste, le maréchal rappela que maintenir une alliance « est toujours plus difficile en temps de paix
qu'en temps de guerre », mais se dit persuadé que l'alliance
actuelle ne se dissoudrait pas. Quant à Roosevelt, attendri, il
affirma que l'ambiance de ce dîner « était celle d'une famille »
et qu'il lui plaisait de se servir de ce terme pour « caractériser
les relations entre nos trois pays ».

Trente ans après, ces mots semblent dérisoires. Avant de les
condamner il faut essayer de recréer le climat d'alors.

Les illusions américaines étaient extraordinaires. Lisons ce
qu'un bon observateur dit de Harry Hopkins à la fin de la conférence : « Dans son lit de malade, il est fermement convaincu
que c'est l'aube d'une nouvelle Utopie. Il affirme que les Russes
ont montré qu'ils écoutent la raison... » Vanité de négociateur ?
Conviction que Roosevelt ne pouvait échouer ? Mais d'autres
voix plus impartiales en dirent autant. Des centaines de télégrammes félicitèrent le Président pendant son voyage de
retour [15]. N'en citons qu'un, révélateur de la volonté d'union
nationale qui régnait au Capitole. Il émanait du sénateur Barkley, chef de la majorité démocrate : « Acceptez mes sincères
félicitations pour le communiqué historique qui vient d'être
publié. Je l'ai lu au Sénat où il a fait une profonde impression.
Le sénateur White, chef de la minorité, s'est joint à moi pour
exprimer son approbation et sa satisfaction. Je considère ce qui
vient de se passer comme un pas des plus importants vers la
paix et le bonheur universels. » Sentiments partagés par une
majorité dont le Pr Levering résume les sentiments : « L'Union
soviétique, écrit-il, était antipathique à la plupart des Américains avant Pearl Harbor ; ils se mirent à l'admirer deux ans
après, et se sentaient vaguement désenchantés au début de
1945, tout en restant disposés à lui conserver leur amitié. » En

15. Il est difficile de ne pas penser à l'accueil que Paris réserva à Dala-
dier revenant de Munich...

réalité, seuls quelques experts, diplomates ou militaires à qui un séjour en Russie avait ouvert les yeux, voyaient avec lucidité la pente où les États-Unis se laissaient entraîner.

Au demeurant, si l'on veut bien se dégager des mythes et s'en tenir aux textes, tout n'était pas à condamner dans les accords de Yalta. Ce n'était pas négligeable d'avoir renvoyé *sine die* les projets de démembrement de l'Allemagne, qui risquaient d'étendre la domination soviétique jusqu'aux bords du Rhin ; pas négligeable non plus que le plan Morgenthau y eût été enterré. Encore plus important que la France ait été reconnue comme grande puissance, qu'elle ait été admise avec les États-Unis, la Grande-Bretagne, l'Union soviétique et la Chine à participer aux invitations à San Francisco, surtout qu'on lui ait enfin donné la certitude qu'aucune décision sur l'Allemagne ne serait prise sans son assentiment. Même pour l'Europe de l'Est, rien, théoriquement, n'était perdu. Si les arrangements avaient été appliqués, et si les élections « libres » qu'ils prévoyaient avaient eu lieu, qui peut douter que les Russes auraient été chassés ? On a beaucoup dit qu'à Yalta les États-Unis et la Russie s'étaient partagé le monde. Peut-être en trouvera-t-on la preuve dans les documents soviétiques. Aujourd'hui, il serait difficile de la déceler dans les procès-verbaux et les témoignages anglais et américains. L'idée était entièrement contraire à la pensée rooseveltienne, éprise d'universalité, et l'on aura noté à quel point la Déclaration sur une Europe libérée insiste sur une action *conjointe*, faisant fi des sphères d'influence que Churchill et Staline avaient cru pouvoir s'attribuer à Moscou.

Alors, pourquoi de ces sept jours d'entretien une impression désastreuse se dégage-t-elle ? Sans doute, parce qu'il est si difficile de comprendre comment Roosevelt ne se rendit pas compte de ce qui l'attendait. Yalta n'inaugura rien : ce qui y fut conclu était l'aboutissement inévitable de la politique d'entente à tout prix qui avait été la sienne depuis Pearl Harbor. Pouvait-il faire autrement ? Sans les Soviets, comment venir à bout des Allemands ? Même en février 1945, les militaires américains croyaient encore avoir besoin d'eux pour vaincre le Japon. Comment, d'ailleurs, les empêcher, à moins de leur faire la guerre, de saisir en Europe et en Extrême-Orient les territoires qu'ils convoitaient ? Sans Yalta, a-t-on soutenu, la carte du monde d'après-guerre aurait été identique. Il se peut. Toutefois, s'ils s'étaient abstenus de signer des accords, les Anglais et les Américains n'auraient pas été accusés d'avoir donné leur aval aux conquêtes soviétiques. Rester spectateur impuissant d'un acte de violence ou s'y trouver associé, même malgré soi, n'implique pas la même responsabilité. De ces arrangements, au surplus, l'encre n'était pas sèche que déjà en emportait le vent. « Yalta, commente M. Raymond Aron, marque le sommet moins de la grande alliance que de la grande illusion. »

La veille de la clôture, Roosevelt apprit à Churchill, fort intrigué, qu'il avait donné rendez-vous à « trois rois » à Alexandrie, Farouk, Haïlé Sélassié et Ibn Saoud. Le Premier ministre britannique ne fut pas rassuré, soupçonnant toujours F.D.R. de vues machiavéliques sur l'empire de Sa Majesté. Harry Hopkins donne une interprétation plus plausible de ce curieux projet : « Un certain goût de l'extravagance, et le plaisir de rencontrer cette panoplie de souverains, convaincus que le président des États-Unis pouvait probablement arranger toutes leurs affaires. » Il leur accorda des audiences du 12 au 14 février à bord du cuirassé *Quincy*. Seule la conversation avec Ibn Saoud semble avoir présenté quelque intérêt. Roosevelt fut déconcerté lorsque, « sans un sourire », son interlocuteur se borna à dire « non » à sa demande d'admettre plus de Juifs en Palestine...

Ces invitations lui donnèrent-elles l'idée de celle qu'il adressa à de Gaulle ? Si l'on se réfère aux documents américains, il semble que le Général ait commencé par accepter le principe d'une rencontre avec le président des États-Unis sur le chemin de son retour à Washington. Fut-ce le choix d'Alger qui l'exaspéra [16] ? S'imagina-t-il être assimilé à un potentat arabe ? On sait de quel ton sec il écarta la suggestion américaine. Son hôte éventuel prit mal la chose et, sans le nommer, le traita de « prima donna [17] ». Ainsi, une fois encore, les relations franco-américaines allaient-elles traverser une crise.

Des semaines qui suivent on retire une impression tragique. Le 2 mars, Roosevelt, assis, fait son compte rendu au Congrès. « Pour la première fois », note Robert Sherwood, il s'excuse de son infirmité ; manifestement, il n'est pas au mieux de sa forme. Les désillusions vont s'accumuler. Le 6 mars, Vychinski installe un gouvernement communiste en Roumanie ; la réaction anglo-américaine est pitoyable : refus de le reconnaître, mais maintien des ambassadeurs. L'emprise soviétique s'étend au même moment à la Bulgarie et à la Hongrie ; en Tchécoslovaquie, Beneš s'imagine qu'il va subsister, parce que son gouvernement de vingt-cinq membres ne compte que sept communistes ; du prétendu gouvernement polonais d'unité nationale, envisagé un mois plutôt, il n'est pas question : seuls en feront partie les hommes de Moscou. Ces succès ne suffisent pas à apaiser le Maréchal, plus sûr de lui que jamais. Il prétend qu'un représentant russe devrait participer à la reddition des forces allemandes en Italie, et, dans un geste de mauvaise humeur, décide que Molotov n'ira pas à San Francisco.

Churchill ressentait « un profond découragement ». L'écroulement de l'Allemagne n'était plus qu'une question de semaines. « Cette atmosphère de succès triomphal fut pour moi une période où j'étais loin de me sentir heureux. Les foules m'acclamaient : je ne faisais que recevoir des félicitations, et mon cœur me faisait mal et mon esprit était envahi par de sinistres pressentiments. » Que pensait Roosevelt ? Il semble

16. « Comment accepterais-je d'être convoqué en un point du territoire national par un chef d'État étranger ? Il est vrai que pour Franklin Roosevelt Alger, peut-être, n'était pas la France. Raison de plus pour le lui rappeler. »

17. C'était un de ses termes favoris. « Il appelait ses " prima donna ", écrit le Pr Schlesinger, ceux qui se sentaient négligés et passaient leur temps à demander de l'attention et de la sympathie. »

bien que le doute se soit alors insinué en lui, mais qu'il ait refusé jusqu'au dernier moment de s'y abandonner, tant la contradiction lui paraissait cruelle entre ce qu'il avait espéré et ce qu'il craignait maintenant d'apercevoir.

12 avril 1945. Le trente-deuxième Président était parti le 30 mars pour Warm Springs, en Georgie, un de ses lieux de repos favoris. Robert Murphy l'a vu peu de temps auparavant. « Son aspect me bouleversa... Il m'avoua qu'il avait perdu dix-huit kilos... Il n'était plus en état de fixer son attention... » L'ambiance de Warm Springs, qui lui était chère, sembla lui faire du bien. La femme qui avait failli rompre son ménage trente ans plus tôt, et qu'il n'avait cessé depuis lors d'aimer secrètement, Lucy Mercer Rutherford, l'y rejoignit. Il caressait encore de vastes projets. L'historien Bishop affirme qu'il confia à ses intimes son projet de démissionner de la présidence des États-Unis pour prendre celle des Nations Unies. Les journées se passaient monotones : un peu de travail, des essais de détente. Le 11 avril, Morgenthau, le fidèle, lui rendit visite : « Je trouvai qu'il avait vieilli de manière terrifiante, et qu'il avait l'air absolument hagard... Sa mémoire fonctionnait mal et il confondait sans cesse les noms. » Les habitudes furent respectées. « Il prit deux cocktails et sembla un peu mieux. » Un de ses collaborateurs a gardé trace de sa dernière matinée : « Son moral était bon mais il n'avait pas l'air bien... Avant de déjeuner, il dit qu'il signerait le courrier... A ce moment, on fit entrer Mme Shoumatoff [18], qui semblait ne se rendre compte de rien et commença à dessiner... Pendant qu'elle travaillait, le Président donnait l'impression d'être si fatigué, si épuisé... Je le quittai aux environs de 1 heure... Il fut frappé par une attaque vers 1 h 15, juste au moment où l'on mettait le cou-

18. Une artiste russe qui faisait son portrait.

vert pour le déjeuner... Il mourut à 3 h 35 après d'affreux râles d'agonie. »

Homme à facettes innombrables qui passionnera longtemps les historiens.

8.

La capitulation de l'Allemagne

ENTRÉE EN FONCTIONS DE TRUMAN. — CONFÉRENCE DE
SAN FRANCISCO. — HARRY HOPKINS À MOSCOU. —
FONDATION DES NATIONS UNIES. — LES DERNIÈRES
OPÉRATIONS MILITAIRES. — CAPITULATION INCONDITION-
NELLE DE L'ALLEMAGNE. — LES TROUPES AMÉRICAINES
SE RETIRENT DE LA ZONE RUSSE D'OCCUPATION. —
APPRÉHENSIONS DE CHURCHILL. — L'ENVOYÉ DE TRU-
MAN À LONDRES, JOSEPH DAVIES, LE JUGE SANS BIEN-
VEILLANCE. — CONFÉRENCE DE POTSDAM — ABSENCE
DE LA FRANCE. — DISCUSSIONS SANS ISSUE SUR LA
POLOGNE. — UNE SÉRIE DE DÉCISIONS CONCERNANT
L'ALLEMAGNE. — DÉBUT DES DÉSILLUSIONS.

« Le roi est mort, vive le roi ! » : les États-Unis sont restés
fidèles à cette maxime de notre monarchie.

La séance du Sénat s'était terminée un peu avant 5 heures.
Truman, qui s'était rendu dans le bureau du speaker de la
Chambre, y reçut un appel téléphonique le convoquant d'urgence à la Maison-Blanche. Il y arriva vers 5 h 25 et fut
introduit dans le cabinet de travail de Mme Roosevelt. « Elle
semblait calme, empreinte de cette dignité gracieuse qui la
caractérisait. Elle s'avança et mit affectueusement la main sur

mon épaule. " Harry, dit-elle tranquillement, le Président est mort. " Pendant un moment, je fus incapable de parler... " Puis-je faire quoi que ce soit pour vous ? " finis-je par dire. Je n'oublierai jamais sa réponse pleine d'une profonde compréhension : " Pouvons-*nous* [1] faire quelque chose pour *vous* [1] ? répliqua-t-elle, car c'est vous qui allez connaître toutes les difficultés ". » A 7 h 09, Truman prêta serment, répétant la formule que George Washington avait prononcée à New York le 30 avril 1789.

Du trente-troisième Président, nous parlerons plus longuement dans le chapitre suivant. Bornons-nous pour le moment à noter que les quatre premiers mois de son mandat furent marqués par une série d'événements d'une importance exceptionnelle, la fondation des Nations Unies, la reddition de l'Allemagne, la conférence de Potsdam, le lancement de la bombe atomique, la reddition du Japon.

La conférence de San Francisco s'ouvrit, comme il avait été décidé à Yalta, le 25 avril, le jour même où les troupes russes et américaines faisaient leur jonction sur les bords de l'Elbe. Cinquante pays y participaient. Pour y être admis, il fallait avoir déclaré la guerre aux puissances de l'Axe. Ce fut une course à la lâcheté : le Chili, l'Équateur, le Paraguay, le Venezuela, l'Uruguay remplirent cette condition dès février ; l'Arabie Saoudite, l'Égypte et la Turquie furent moins pressées ; l'Argentine arriva bonne dernière le 27 mars. La délégation américaine était présidée par le nouveau Secrétaire d'État, Edward Stettinius. Roosevelt n'avait pas renouvelé l'erreur de Wilson à Versailles : sur huit membres, quatre étaient républicains, et parmi eux, le sénateur Vandenberg ; isolationniste jusqu'à Pearl Harbor, il apportait maintenant à ses convictions internationalistes l'ardeur d'un néophyte. Staline avait finalement accepté de se faire représenter par Molotov.

Trois sujets essentiels opposèrent les Russes aux Occidentaux.

Qu'allait-on faire de ce qu'on appelle aujourd'hui le Tiers

1. En italique dans le texte.

Monde ? Anglais et Français n'étaient nullement disposés à abandonner leur empire colonial ; quant aux Américains, ils étaient décidés à conserver les îles du Pacifique, dont la conquête leur avait coûté tant de sang. Les Soviets firent assaut d'anticolonialisme et d'anti-impérialisme. La souplesse du droit anglo-saxon sauva la situation : lesdites îles furent placées sous le contrôle fictif d'un « Trusteeship council [2] », avec une vague promesse d'indépendance [3].

Deuxième question. Se découvrant une vocation d'universalité et nullement gênés par leurs protectorats d'Europe de l'Est, les représentants de Staline s'opposèrent avec vivacité au principe de pactes régionaux. Ils visaient, en fait, le traité de solidarité panaméricain qui venait d'être conclu au début de l'année à Chapultepec. Là encore, un compromis prévalut : les groupements locaux seraient autorisés, mais dans le cadre des Nations Unies. Mécanisme, observe le Pr Bailey, qui devait permettre quatre ans plus tard la constitution de l'O.T.A.N.

La crise la plus sérieuse surgit à propos du veto des Grandes Puissances, obstacle que l'on espérait avoir surmonté à Yalta. Allait-on être acculé à une impasse comme à Dumbarton Oaks [4] ? Truman envoya Harry Hopkins à Moscou. Ce dernier y arriva le 26 mai et eut l'habileté de ne pas aborder l'objet principal de sa mission avant son sixième entretien avec le Maréchal la veille de son départ le 6 juin. Il sut présenter la controverse comme un malentendu. Staline était-il de bonne humeur ? En tout cas, il autorisa son interlocuteur à aviser Washington qu'il acceptait le point de vue américain.

La Conférence de San Francisco termina ses travaux le 26 juin, ayant organisé les Nations Unies telles que, à peu de chose près, elles fonctionnent encore aujourd'hui.

2. « Conseil de Tutelle. »
3. Voir p. 173.
4. Voir p. 112.

L'Allemagne avait capitulé le 7 mai.

L'offensive finale commença à la fin de janvier, essentiellement américaine, car les forces des États-Unis étaient plus de
trois fois supérieures à celles de la Grande-Bretagne ; elle fut
accompagnée d'attaques aériennes d'une importance croissante. En 1943, 200 000 tonnes de bombes avaient déjà été
lâchées sur l'Allemagne, soit près de cinq fois plus qu'en 1942.
Les Anglais opéraient la nuit, les Américains de jour. Jusqu'au
début de 1945, les installations pétrolières et les lignes de communication avaient été les objectifs prioritaires. Puis, « dans
une grande mesure pour plaire aux Soviétiques » (Liddell
Hart), on se rallia à une politique de terreur dont les villes
furent victimes. L'attaque de Dresde dans la nuit du 13 au
14 février par obus explosifs et engins incendiaires entraîna,
dit-on, cent trente-cinq mille morts.

Une première phase des opérations, jusqu'au milieu de mars,
a pour objectif l'occupation complète de la rive gauche du
Rhin. Au nord, les Canadiens, vers Clèves ; au centre, les
Américains, en direction de Cologne et de Trèves ; à l'extrême
sud, les Français qui, au prix de pertes sanglantes, liquident ce
que l'on appelait « la poche de Colmar ». Au début de mars, la
Rhénanie est entre les mains des Alliés, à l'exception du Palati-
nat.

Le Rhin reste une barrière redoutable et l'on sait que ses
ponts ont été détruits. Mais voici que se produit un fait extraordinaire. Le 7 mars, la 9e division blindée américaine arrive
devant le pont de Remagen près de Bonn. Stupéfaction : il est
intact ! Un détachement le traverse en hâte et neutralise ses
défenseurs pris par surprise ; seule une petite charge d'explosif
éclata. « La nouvelle, écrit Eisenhower, me parut presque
incroyable. Ce fut un des meilleurs jours de la guerre. »
Quarante-huit heures après, les Américains occupaient déjà
une zone de cinq kilomètres à l'est du fleuve ; un pont supplémentaire fut construit en dix heures et onze minutes.

Patton traverse en force le Rhin à partir du 21 mars ; une de
ses divisions parcourt près de cent cinquante kilomètres en un
jour. Attaquées par la 1re armée de Hodge, par la 9e armée de

Simpson, soumises à un bombardement aérien incessant, les unités allemandes qui tiennent encore la Ruhr se désintègrent. Dans la seconde quinzaine d'avril, toute résistance organisée a cessé et 350 000 prisonniers sont tombés aux mains des Alliés. Au nord, le 23 mars, Montgomery a lancé vingt-cinq divisions britanniques et américaines à l'assaut d'un front de cinquante kilomètres, défendu, précise Liddell Hart, par « cinq divisions allemandes peu nombreuses et épuisées ». Dans les premiers jours d'avril, il progresse, sans guère rencontrer de résistance, vers Brême et Hambourg.

Les derniers coups vont être portés à des adversaires dont il faut admirer le courage, car ils luttèrent contre toute espérance jusqu'à la dernière minute. Le 2 mai, tous les combats ont cessé sur le front italien, où les Allemands se sont rendus trois jours plus tôt. Le 4, une première capitulation est signée au quartier général de Montgomery, au sud de Hambourg. La reddition totale et inconditionnelle a lieu, on le sait, à Reims au quartier général de Eisenhower le 7 mai, prenant effet du lendemain.

Un témoin a laissé une description poignante de la découverte d'un camp de concentration. C'était le 13 avril. Eisenhower et Bradley étaient venus déjeuner au quartier général de Patton. Dans l'après-midi, un avion les emmena près de Gotha au camp de Ohrdruf. « Même avant d'entrer, l'odeur de mort et de pourriture était presque intolérable... Étendus, individuellement ou en piles, des cadavres de prisonniers récemment abattus... On ne nous épargna rien... Les piquets où l'on attachait les hommes pour les laisser mourir lentement, les fouets des tortionnaires, les fours crématoires à moitié remplis et encore fumants... Les officiers qui étaient là avaient connu la vie dans ce qu'elle a de pire ; cependant, je n'ai jamais vu sur aucun visage ailleurs une telle expression d'horreur et de dégoût. A un moment, le général Patton fut incapable de résister et disparut pour vomir derrière un bâtiment. »

« Au moment de partir, le général Eisenhower s'adressa à notre groupe. " Je veux, dit-il, que chaque unité américaine non engagée actuellement au combat voie cet endroit. On nous dit que le soldat américain ne sait pas pourquoi il se bat. Maintenant, au moins, il saura *contre* quoi il se bat. " »

Le commandant suprême avait été amené à prendre deux décisions d'une extrême importance.

Le 1er avril, les éléments avancés américains avaient atteint l'Elbe. Leur donnerait-il l'ordre de le franchir ? Ils étaient à une centaine de kilomètres de Berlin, et les Russes, pensait-on, à une cinquantaine de l'autre côté de la ville. Peut-être pouvait-on y arriver avant eux : la distance n'existait pas pour les hommes de Patton. Eisenhower raisonna en militaire. A quoi bon demander aux troupes un effort supplémentaire puisque, la capitale du IIIᵉ Reich étant située en zone russe d'occupation, il faudrait tôt ou tard l'évacuer ? Churchill voyait le problème sous un angle plus large. A Roosevelt, 1er avril 1945 : « Les Russes vont certainement entrer à Vienne. S'ils prennent aussi Berlin, ne vont-ils pas soutenir qu'ils ont joué un rôle prédominant dans la victoire, et cela ne créera-t-il pas chez eux un état d'âme générateur pour l'avenir de graves, de formidables difficultés ? Je considère donc que, d'un point de vue politique, nous devons avancer vers l'est aussi loin que possible, et que si nous pouvions saisir Berlin, il ne faudrait pas hésiter. » On sait que ce conseil ne fut pas écouté.

Allait-on au moins rester sur place ? Au moment de la capitulation, les Américains, précise Robert Murphy [5], « étaient enfoncés dans la zone russe sur une profondeur de deux cents kilomètres et sur un front d'environ deux cent cinquante kilomètres ». Le réalisme du Premier ministre britannique l'inclinait à tirer parti de cette situation : il imagina une subtile distinction entre les zones d'occupation, résultat de négociations diplomatiques, et les zones tactiques, imposées par les nécessités militaires : l'Elbe lui paraissait rentrer dans la seconde catégorie.

5. Qui allait être nommé conseiller diplomatique du général Clay, le futur gouverneur américain.

Il rappela à Truman, dès le 18 avril, que « les zones d'occupation avaient été tracées à Québec en septembre 1944 d'une manière quelque peu hâtive, alors que l'on ne prévoyait pas que le général Eisenhower pénétrerait si profondément en Allemagne... Je voudrais éviter que vos troupes ou les nôtres, victimes des assertions de quelque général russe, se croient obligées de se retirer précipitamment... ». Peu de temps après, l'auteur de ce télégramme ouvre son cœur à Anthony Eden, alors son représentant à la Conférence de San Francisco. 4 mai : « Le recul des armées américaines sur les lignes prévues à Québec signifierait que la marée de la domination russe recouvrirait près de deux cents kilomètres sur un front de plus de cinq à six cents. Ce serait là un des événements les plus accablants de l'histoire[6]. » Puis, huit jours plus tard, dans un nouveau télégramme à Truman, il emploie, pour la première fois, une expression destinée à devenir fameuse : « Un rideau de fer est descendu entre le front russe et nous. Nous ne savons pas ce qui se passe au-delà. » Et de prévoir qu'au moment où « nos peuples ne penseront qu'à punir l'Allemagne, qui est ruinée et effondrée, rien n'empêchera les Russes, s'ils le jugent bon de s'avancer en peu de temps jusqu'aux bords de la mer du Nord et de l'Atlantique ».

Ces sombres prophéties embarrassaient fort le nouveau président des États-Unis, projeté dans un drame où le héros d'hier semblait se transformer en traître. N'ayant d'autre choix, un mois après son entrée en fonctions, que d'appliquer la politique de son prédécesseur, il se résolut à envoyer à Londres un messager qui, espérait-il, apaiserait les passions churchilliennes. Son choix fut curieux : il se porta sur Joseph Davies, l'ancien ambassadeur[7], à qui ses vues prosoviétiques interdisaient toute impartialité. Plus curieux encore, le compte rendu que celui-ci fit de sa mission. C'est tout juste si, suivant la technique communiste, il n'insinue pas que Churchill est hitlérien : « Je dois dire franchement que, l'écoutant fulminer avec tant de violence

6. « *This would be an event which, if it occurred, would be one of the most melancholy in history.* »
7. Voir p. 38.

contre la menace d'une domination soviétique et la diffusion
du communisme en Europe, et, en même temps, révéler un tel
manque de confiance dans la bonne foi des dirigeants soviétiques, j'en arrivais à me demander si le Premier ministre
n'était pas prêt à déclarer maintenant au monde que lui et la
Grande-Bretagne s'étaient trompés en ne soutenant pas Hitler ;
en effet, tel que je le comprenais, il exprimait la doctrine que
Hitler et Goebbels n'ont cessé pendant quatre ans de proclamer et de répéter pour essayer de rompre l'unité des Alliés. Les
conditions qu'ils décrivaient et les déductions qu'ils en reti-
raient étaient exactement celles que lui-même (Churchill)
semble maintenant prendre à son compte. »

Nous ignorons ce que Truman pensa de ces appréciations.
En tout cas, malgré de nouvelles instances de Churchill, il ne
céda pas. Au début de juin, l'invraisemblable statut quadripar-
tite de Berlin fut adopté par les Alliés. Le 1ᵉʳ juillet, les troupes
américaines et britanniques commencèrent leur retraite vers
leur zone d'occupation, suivies par des masses de réfugiés. La
Russie soviétique était établie au cœur de l'Europe. « Étape
fatale pour l'humanité », commente Churchill.

« A bientôt, à Berlin ! », avait dit Roosevelt à Staline en
quittant Yalta. L'urgence d'une nouvelle rencontre ne fit que se
préciser au fur et à mesure que les Russes dévoilaient leur jeu.
L'idée n'était pas pour déplaire à Truman, probablement curieux de juger par lui-même pour quelles raisons Staline avait
exercé une telle fascination sur son prédécesseur.

Après maintes tergiversations, il fut décidé que les « Trois
Grands » se réuniraient à Potsdam, qui offrait des possibilités
de logement et de travail dont l'ancienne capitale allemande, en
ruine, était totalement dépourvue. Churchill se méfiait. A Truman, 9 juin 1945 : « Je ne pourrais accepter le principe que
nous soyons, comme à Yalta, les invités des Soviets... Chaque
délégation doit avoir ses propres bâtiments, son propre service
de sécurité et un immeuble spécial doit être affecté à nos réu-

nions. » La méthode prévalut, mais les Soviets y apportèrent le minimum de bonne volonté. D'après Robert Murphy, « il fallut en appeler à Staline lui-même pour que, le 22 juin, une permission nous fût accordée d'envoyer du personnel à Berlin pour préparer notre installation ».

La conférence s'ouvrit le 17 juillet. La France, une fois encore, n'était pas invitée. La délégation américaine était dirigée par un Président en fonction depuis trois mois et cinq jours, et un Secrétaire d'État, James Byrnes, qui avait succédé à Stettinius quatorze jours plus tôt. La continuité était assurée par l'amiral Leahy ; la présence de Joseph Davies garantissait aux Soviets que leur point de vue ne resterait pas incompris ; en la personne de Charles Bohlen [8], compétence et objectivité étaient heureusement réunies. Churchill, accompagné de Eden, avait jugé courtois de prier le leader des travaillistes, Attlee, de l'accompagner ; des élections devaient, en effet, avoir lieu le 25 juillet. On sait que, à la surprise générale, une majorité décida que le héros de 1940 avait cessé de plaire ; huit jours après le début des travaux, les Britanniques se trouvèrent ainsi dirigés par un chef de parti qui venait de former son gouvernement. Le contraste était grand entre Truman et Attlee, ces deux novices, et l'immuable Staline, suivi du non moins immuable Molotov.

Téhéran et Yalta étaient loin. On chercha à atténuer une hostilité latente par des réceptions. Dès les premiers jours, chaque délégation offrit un dîner en l'honneur des deux autres ; « même à ces occasions, les chefs d'État et leur entourage restaient sur la réserve ». A son retour, Truman confia à un intime ce qu'il avait ressenti : « Il y eut des moments où j'avais envie de tout faire sauter » ; puis cette opinion sur Staline : « Je n'ai jamais vu personne qui ressemblât davantage à Tom Prendergast [9]. »

8. Le futur ambassadeur en France.
9. La comparaison est inattendue : Prendergast était un « boss » irlandais de Kansas City, qui avait contribué à l'élection de Truman au Sénat en 1934. Le nom de « boss » était généralement attribué au chef d'une petite bande qui avait réussi à s'assurer le contrôle absolu d'un parti ou d'une ville.

Nous parlerons dans le chapitre suivant des décisions sur l'Extrême-Orient. Pour l'Europe, la Pologne, subsidiairement, l'Allemagne, essentiellement, firent l'objet de contestations interminables, « confuses et irréelles » (George Kennan).

Du premier sujet Staline, manifestement, souhaitait ne plus entendre parler. Quelques semaines plus tôt, seize membres du gouvernement polonais de Londres, rentrés dans leur pays sous la protection d'un sauf-conduit, avaient été arrêtés et envoyés en prison. Ils furent bientôt accusés de « terrorisme » et d' « espionnage sur les arrières de l'Armée rouge ». « C'est ainsi qu'il faut agir contre les perturbateurs », dit tranquillement Staline à Churchill. Pendant les huit jours qu'il passa à Potsdam, le Premier ministre britannique tenta un effort suprême. Il se trouvait en présence d'une situation que ni Roosevelt ni lui n'avaient sanctionnée : encouragés par les Russes, les Polonais avaient occupé l'Allemagne jusqu'à l'Oder et la Neisse occidentale, saisissant ainsi la Silésie et Breslau, c'est-à-dire allant bien au-delà de ce qui avait été envisagé. Churchill montra qu'une telle situation aurait pour effet de déplacer vers l'ouest des millions d'Allemands, dont les Alliés allaient avoir la charge. Staline fut rassurant : « Il n'en reste déjà plus dans ces territoires », répondit-il, sans indiquer ce qu'ils avaient pu devenir. Le Premier ministre du gouvernement communiste polonais s'efforça d'être plus précis : « un million et demi, tout au plus », se porta-t-il garant. Controverse sans issue à laquelle Truman s'abstint de participer. « Mon appel n'aboutit à rien », conclut Churchill.

La division de l'Allemagne et de Berlin en quatre zones — et non un démembrement — fut confirmée. Toutefois, l'ensemble du pays devait être considéré comme une seule unité économique. Les Russes tenaient plus que tout à ce principe qui leur permettait d'exiger que les zones industrielles occupées par les Alliés fournissent une part appréciable des réparations qu'ils exigeaient. On se rappelle que, à Yalta[10], on était resté vague sur les chiffres. La même attitude prévalut à Potsdam, les Soviets continuant à démanteler les industries sous leur con-

10. Voir p. 124.

trôle. Du « plan Morgenthau » à peu près rien ne subsista. On convint, cependant, de décourager la formation de cartels et de trusts et, si possible, de donner prééminence à l'agriculture.

Mais le rôle des autorités d'occupation n'était pas supposé se borner à administrer l'Allemagne et à assurer sa vie économique. Elles devaient la décentraliser, la désarmer, la démocratiser, avant tout la « dénazifier ». A cet égard fut prévue la création d'un tribunal militaire international destiné à juger les criminels de guerre.

« Le destin voulut qu'une atmosphère de frustration pesât sur la dernière conférence des " Trois " », résume Churchill.

Mais il faut maintenant nous tourner vers l'autre côté du monde.

9.

La défaite du Japon

MACARTHUR. — TRAITS DISTINCTIFS DE LA GUERRE DU PACIFIQUE. — COMMENT LES AMÉRICAINS EN SORTIRENT VAINQUEURS. — LA STRATÉGIE DES « SAUTS DE GRE-NOUILLES ». — PROGRESSION LE LONG DE LA CÔTE DE LA NOUVELLE-GUINÉE. — PRISE DE SAIPAN. — CONFÉRENCE DE HONOLULU. — OCCUPATION DES PHILIPPINES. — CONFÉRENCE DE YALTA. — BOMBARDEMENTS AÉRIENS DU JAPON. — IWO JIMA. — OKINAWA. — PREMIÈRE EXPÉRIENCE ATOMIQUE. — CONFÉRENCE DE POTSDAM. — ULTIMATUM AU JAPON. — HIROSHIMA. — ENTRÉE EN GUERRE DE LA RUSSIE. — NAGASAKI. — CAPITULATION JAPONAISE.

On se rappelle[1] que 1943 avait été marquée par une série de contre-attaques américaines couronnées de succès. Ce n'était qu'un lever de rideau. Avec 1944, commence la grande offensive qui a pour objectif le Japon lui-même. Avant d'en décrire les développements, arrêtons-nous un moment sur l'homme qui en fut le principal maître-d'œuvre, puis tâchons d'expliquer

---

1. Voir ch. IV.

pourquoi cette guerre du Pacifique fut si différente de la guerre en Europe.

MacArthur a alors 64 ans. Fils d'un général, il est sorti premier de West Point à 23 ans[2]. Il commence sa carrière aux Philippines dans le Génie, puis découvre l'Asie comme aide-de-camp de son père. En 1917, il est colonel. Participant aux batailles de la Marne, de Saint-Mihiel et de l'Argonne, sa bravoure est célèbre ; il revient de France couvert de décorations. Sa réputation lui vaut d'être nommé directeur de West Point. Dans la suite, il reçoit de fréquentes affectations aux Philippines ; en 1935, il est désigné comme conseiller militaire du président Quezon qui le fait maréchal de son armée. 1937 — il a 57 ans —, il prend sa retraite. Dès juillet 1941, il est rappelé au service et Roosevelt lui confie le commandement des forces terrestres en Extrême-Orient. Il ne partage pas les opinions de F.D.R. : d'hérédité et d'instinct, c'est un conservateur ; il juge avec lucidité, même avec fanatisme, le péril communiste que le Président considère avec tant de légèreté, sinon de parti pris. Mais les deux hommes sont faits pour se comprendre : tous deux issus de la haute bourgeoisie, fort sûrs d'eux-mêmes, ayant également le sens de la grandeur et le goût du dramatique, visionnaires et réalistes, complexes, contradictoires même, en un mot, capables de susciter des admirateurs enthousiastes et des détracteurs non moins passionnés.

Un témoin raconte que, se trouvant au Q. G. de MacArthur le jour où parvint la nouvelle du passage du Rhin, il demanda au général Willoughby, chef du 2e bureau, ce qu'il en pensait ; pour réponse, il n'aurait obtenu qu'un haussement d'épaules, accompagné d'un : « Nous nous f... de ce qui se passe en Europe. » Réaction d'un homme obsédé par une situation qui ne ressemblait à aucune autre. Singulière, en effet, ne cessa

2. Un de ses biographes affirme qu'à l'examen d'entrée il avait obtenu 100%.

d'être la guerre du Pacifique. Ce fut, d'ailleurs, la seule fois qu'à travers cet océan sillonné par tant d'explorateurs et de commerçants deux grandes puissances s'affrontaient. Lutte à mort où les chances, au départ, n'étaient pas du côté des Américains, tant les obstacles auxquels ils se heurtaient pouvaient sembler insurmontables.

En premier lieu, la distance. Le problème n'était pas le même pour les deux adversaires. Dans leurs heures d'illusion les plus exaltées, les Japonais n'envisagèrent jamais la conquête des États Unis[3] ; leurs adversaires étaient décidés, eux, à les frapper au cœur. Or, près de neuf mille kilomètres séparent San Francisco de Yokohama, six fois environ l'espace qui s'étend des plages de Normandie à Berlin.

Dans cette immensité on compte des myriades d'îles et d'archipels, dont les dimensions varient à l'infini. La Nouvelle-Guinée, Bornéo correspondent à peu près à une fois et demie la France ; les Philippines s'étendent sur plus de mille cinq cents kilomètres ; en revanche, certains atolls atteignent à peine quelques kilomètres carrés. On imagine l'angoisse que les stratèges devaient ressentir en regardant une carte. Qui conçut la tactique que les Américains ont appelée « leap frogging[4] »? On en attribue généralement la paternité à MacArthur. Un de ses biographes, Gavin Long, soutient qu'il n'accepta l'idée qu'avec hésitation et que l'initiative en revient aux chefs d'état-major et à l'amiral Halsey. Il ajoute qu'elle n'était pas aussi originale qu'on l'a soutenu et que les Japonais furent les premiers à la pratiquer dès 1941, en contournant les Philippines avant d'encercler Java. La méthode consistait à « sauter » d'un point stratégique à un autre, en négligeant les îles intermédiaires, où les

3. Ils songèrent à les bombarder de curieuse manière par des ballons chargés d'explosifs et poussés par les vents d'ouest à 10 000 mètres de hauteur. Environ un millier touchèrent leurs objectifs, un grand nombre n'explosèrent pas. Les effets furent négligeables, mais les Américains se demandèrent un moment si « le Japon ne venait pas d'entreprendre une guerre bactériologique » et si ces engins « n'étaient pas porteurs de germes pathogènes dangereux ».

4. Littéralement, « sauts de grenouille ».

garnisons japonaises seraient condamnées à « sécher sur pied [5] ». Si MacArthur n'inventa pas les « sauts de grenouille », il les pratiqua magistralement.

Ainsi, dans une certaine mesure, la distance fut-elle domptée. Restait le terrain, d'un abord peu accueillant. Feuilletons quelques descriptions. Nouvelle-Guinée : « Il fallait se frayer la route à coups de hache, entourés, presque étouffés, par une végétation luxuriante, traverser des vallées marécageuses où pullulaient les moustiques, monter des pentes glissantes, souvent détrempées. " En avant sur ses mains et ses genoux, à reculons sur son derrière " », ainsi définissait-on la marche sur la célèbre piste de Kokoda. Nouvelle-Bretagne : « Les Américains n'avaient encore rien vu de semblable. Tout ce qu'ils touchaient était flasque, mou, poisseux : tout était miné par une gigantesque décomposition végétale... Même les emballages tropicaux les plus étanches étaient gorgés d'eau. Une boue implacable recouvrait les hommes, les armes, les munitions. De plus, la chaleur tropicale faisait exhaler de cet immense cloaque de puissantes odeurs de putréfaction [6]. » Plus au nord, une poussière d'atolls où ne poussent que broussailles et cocotiers. Iwo Jima : « Un sol recouvert de laves, de scories, et d'une poussière noire incroyablement fine, faite de cendre et de soufre, mélangée de sable... à peine quelques arbres rabougris et pratiquement pas d'eau douce. » Leyte : « De la lave, de la pluie, des gorges desséchées qui deviennent tout à coup des torrents ; une jungle épaisse ; des pistes étroites, dangereuses, à travers des broussailles inextricables. » Ailleurs, un autre type de configuration, celle-ci se ressentant encore de secousses volcaniques. Biak : « Une île toute en cavernes ; les unes de la dimension d'un corridor étroit, les autres de la profondeur et de la largeur d'une maison de cinq étages ; toutes reliées entre elles par des galeries ; certaines garnies de stalagmites et de stalactites étranges. »

Cette configuration était évidemment plus favorable à la

5. « *Wither on the vine.* »
6. Nous empruntons ce texte à M. Bernard Millot, à qui ce chapitre doit beaucoup.

résistance qu'à l'attaque. Troisième obstacle, et le pire, ces ennemis déconcertants, sauvages et héroïques qu'étaient les Japonais. Déconcertants, certes, ils l'étaient, ces officiers, qui, après avoir brûlé leurs emblèmes et leurs documents, se faisaient harakiri sur le sol où ils n'avaient pu empêcher les « barbares » de pénétrer ; ces hommes, considérant se rendre comme le pire des déshonneurs et qu'il fallait tuer un à un ; ces charges sans espoir à la baïonnette, accompagnées du sinistre « banzaï ». Plus étonnant encore, cette folie hystérique qui se propageait comme une contagion : à Saipan, « on voit des groupes de soldats se suicider devant la population civile, des hommes égorger ou étrangler leurs enfants, puis se jeter dans le vide... des femmes et des vieillards se tenant par la main courir jusqu'au bord d'un précipice et disparaître... ».

Scènes d'horreur, précédées par une lutte où les défenseurs avaient su merveilleusement tirer parti de tout. A Tarawa, petite île de l'archipel des Gilbert, les plages de débarquement sont « ceinturées d'une palissade de troncs de cocotiers reliés entre eux par des crampons » ; les Japonais ont construit des blockhaus « recouverts de plusieurs mètres de terre et de sable qui résistent aux obus les plus lourds ». A Truk, les Marines restent stupéfaits devant l'ingéniosité de leurs adversaires ; ils ont imaginé « de longs tunnels faits de fûts d'essence assemblés bout à bout ; quand leur position devient inextricable, les défenseurs s'engouffrent dans ces tunnels et ressortent cinquante ou cent mètres plus loin », toujours décidés à ne pas céder. A Manille, il faudra plus de deux semaines aux Américains pour se rendre maîtres de la ville : ils durent « progresser de porte en porte contre un ennemi qui se dissimulait derrière des fenêtres ou des monceaux de débris ».

A quoi bon plus de faits ? Les « kamikaze [7] » illustrent mieux que tout autre exemple les tragiques et folles passions de l'âme japonaise. Ce furent toujours des volontaires. Leur sacrifice fit découvrir que, avec un seul avion, on pouvait détruire un cui-

---

7. Le mot signifie « vent divin ». Ainsi fut appelée la tempête qui en 1281 anéantit une flotte d'invasion mongole.

rassé. Le Haut Commandement finit par se demander — tel
Hitler à la fin de la guerre — s'il ne disposait pas là d'une
« arme secrète », capable de redresser une situation qu'il savait
désespérée. Vers le milieu de 1944, ces attaques se multiplièrent ; surtout, elles devinrent systématiques et si efficaces
que, du début d'avril au milieu de juin 1945, trente-neuf vaisseaux furent ainsi coulés ou mis hors de combat. Seul, le
manque d'avions empêcha leur développement, car le nombre
des volontaires dépassa toujours les disponibilités de matériel.
Il se dégage une étonnante grandeur des paroles d'un de leurs
chefs à des « kamikaze » qui vont prendre leur vol : « Déjà vous
êtes des dieux et les dieux ont oublié les désirs humains. Si
pourtant, vous en éprouviez encore un, ce serait de savoir que
votre sacrifice n'a pas été inutile. A mon immense regret, ma
voix ne vous parviendra pas dans votre éternel sommeil, mais
je puis vous assurer que je veillerai sur vous jusqu'au bout, et
que l'empereur connaîtra vos exploits. Je vous demande de
faire de votre mieux. »

De tels adversaires, de tels obstacles, comment les Américains en triomphèrent-ils ?

Certainement pas grâce à leur supériorité numérique. A la
fin de 1944, leurs troupes en Extrême-Orient étaient encore
inférieures de moitié à celles engagées en Europe et ne dépas-
saient pas 150 000 hommes. Chiffres insignifiants au regard de
ceux des Japonais : à la veille de la capitulation, l'armée nipponne s'élevait encore à près de 3 millions de combattants. Les
Marines, certes, témoignèrent dans le Pacifique d'exceptionnelles vertus militaires, mais on a vu de quel esprit leurs adversaires étaient également animés.

Il faut, croyons-nous, chercher ailleurs une explication de la
victoire des États-Unis. Comme en Europe, on peut l'attribuer
à leur puissance de feu. La bombe atomique ne fut que la
cruelle apothéose de bombardements auxquels l'ennemi était
incapable d'opposer la moindre défense. Car les Japonais

avaient perdu aussi bien la maîtrise du ciel que celle de la mer. Hommes surprenants que ces aviateurs américains, qui, par leur adresse et leur initiative, arrivèrent rapidement à surclasser des adversaires infiniment mieux préparés ! Mais si la souplesse des forces aériennes contribua à leur supériorité, la mobilité des forces navales fut, au moins autant, une cause de leur succès.

A la conférence de Québec, en septembre 1944, il avait été décidé que la marine britannique, jusque-là occupée à d'autres tâches, prêterait son concours aux opérations du Pacifique, aussitôt acquise la défaite de l'Allemagne. Effectivement, des unités anglaises participèrent à la conquête d'Okinawa[8]. Leurs alliés ne les avaient pas accueillies sans réticences et il avait fallu une intervention de Roosevelt pour surmonter les réserves de l'amiral King, commandant en chef américain. Celui-ci ne contestait pas la gloire dont son passé auréolait la « Royal Navy », mais il lui opposait une objection qu'il estimait sans réplique : elle était, disait-il, « *short-legged*[9] », entendant par là qu'à intervalles réguliers il lui fallait aller se ravitailler dans les ports. Obligation dont la marine américaine, elle « *long legged*[10] », avait su se libérer. « Décisive dans la victoire, écrit l'historien Morison, spécialiste des questions maritimes, fut la force mobile d'approvisionnement, dite " Service Squadron 10 ". " Servron 10 " — ainsi qu'on l'appelait communément —, était composée de tankers, de remorqueurs, de navires porteurs de munitions, d'autres transformés en ateliers de réparation, de porte-avions de secours, en un mot de tout ce dont une escadre pouvait avoir besoin... Ainsi la flotte du Pacifique retrouva-t-elle cette indépendance des bases terrestres que la marine avait perdue depuis que la voile avait été remplacée par la vapeur. »

Exemple frappant de ce pragmatisme, caractéristique du génie américain. On en trouve une preuve constante dans l'exé-

8. Voir p. 165.
9. « A jambes courtes. »
10. « A jambes longues. »

cution des plans arrêtés par le Haut Commandement. Contrastant avec l'inflexibilité japonaise qui interdisait toute initiative
aux exécutants, elle fournit peut-être la meilleure explication de
la victoire des États-Unis.

Au cours du premier semestre de 1944, l'offensive améri-
caine continua de se développer dans le Pacifique du Sud-
Ouest sous les ordres de MacArthur. Simultanément, l'amiral
Nimitz, dont les forces venaient de s'emparer des îles Gilbert et
Marshall, s'attaqua au bastion des îles Mariannes, à quelque
deux mille cinq cents kilomètres à l'Ouest.

Conquérir la Nouvelle-Guinée par l'intérieur aurait représenté une campagne d'une durée indéterminée et des résultats
aléatoires. La tactique du « leap-frogging » fit merveille. Pro-
gressant le long de la côte Nord, les Américains, appuyés par
les Australiens, limitèrent leurs ambitions à la saisie de
quelques points stratégiques : à la fin d'avril, Hollandia, à huit
cents kilomètres de l'extrémité de l'île, puis, un mois plus tard,
Biak, qui servait d'étape aux Japonais entre les Philippines et
l'Insulinde. Comme, au début de l'année, la pointe ouest de la
Nouvelle-Bretagne avait été également l'objet d'un débarquement victorieux, il suffit de regarder une carte pour se rendre
compte que, à l'approche de l'été 1944, MacArthur avait établi son emprise sur la zone dont la responsabilité lui incombait.
Près de cinq mille kilomètres le séparaient encore de Tokyo.

Au nord, une autre force amphibie, celle de Nimitz, progressait au prix de pertes sanglantes. Pour s'approcher des
Mariannes, il fallut d'abord neutraliser Truk, dans les Carolines, « sorte de super Pearl Harbor », dont on ne savait pas
grand-chose, sinon qu'elle servait de point de départ aux escadrilles japonaises. Il est révélateur de la puissance qu'avait
déjà atteinte l'aviation américaine que deux raids aient suffi
pour rendre cette base inutilisable. La disproportion des
pertes est éloquente : chez les défenseurs, 296 avions, chez
les attaquants 25. Dans les semaines qui suivirent « des tonnes

de bombes furent régulièrement déversées sur Truk, détruisant ce que les Japonais tentèrent inlassablement de rebâtir ».

Le 8 juin 1944, le jour même où la nouvelle du débarquement en Normandie parvint dans le Pacifique, une flotte de plus de huit cents navires, servie par deux cent cinquante mille marins et transportant environ cent mille Marines et troupes de terre, quitta le mouillage d'Eniwetok [11], conquis trois mois et demi plus tôt. Son objectif était l'île de Saipan, au sud des Mariannes. Les Japonais n'ignoraient pas que la chute de cet archipel mettrait leur pays à la portée des appareils ennemis. Ils décidèrent d'engager la presque totalité de leur flotte. Un message à la Nelson galvanisa les équipages : « Le sort de l'Empire dépend de cette rencontre. Chacun devra faire de son mieux. » La bataille débuta le 16 juin. La veille, les Marines avaient débarqué et progressaient péniblement. Cuirassés et porte-avions s'affrontèrent trois jours. La supériorité américaine était écrasante : 112 navires contre 55, 956 avions contre 473 [12]. Le 19 juin, les Japonais avaient perdu la partie. Plus grave, quatre jours plus tôt, partis de Chine, 68 B29, annonciateurs de l'apocalypse, avaient effectué sur une usine de l'île de Kyushu la première attaque des moyens de production japonais.

Le 10 juillet, Saipan était conquis, au prix de 14 000 morts. La nouvelle fut considérée si grave à Tokyo qu'elle entraîna la démission du Premier ministre Tojo et son remplacement par un général en retraite, Kudiako Koïso, « vieux dur à cuire, poil hirsute, œil dur, moustache en balai, face cruelle de samouraï ». Il reçut la mission de « reconsidérer toute la situation en vue de mettre fin à la guerre ». *Quos vult perdere Jupiter dementat...* Ces instructions mystérieuses n'enjoignaient pas au nouveau gouvernement de négocier la paix, mais bien au contraire de rechercher la victoire avec plus de ténacité.

11. Au nord-ouest des Marshall.
12. Les aviateurs américains dominèrent à ce point le ciel que le « Marianas Turkey Shoot » (« le tir aux pigeons des Mariannes ») devint légendaire.

Dans la seconde quinzaine de juillet, MacArthur reçut un télégramme qui l'intrigua fort. On l'invitait à se rendre à Pearl Harbor sans lui indiquer le motif de cette convocation. Il apprit seulement à son arrivée qu'il s'agissait de participer à une conférence, qui, présidée par Roosevelt, réunirait avec lui les chefs d'état-major et l'amiral Nimitz. L'enjeu était de taille. On devait décider quelle stratégie adopter pour la mise à mort du Japon. La Marine et l'Armée avaient deux points de vue opposés. Nimitz préconisait de saisir Formose et les îles Ryukyu, puis, s'en servant comme point de départ, de débarquer sur la côte chinoise d'où l'on soumettrait le Japon à un bombardement tel celui qui était alors infligé à l'Allemagne [13]. MacArthur, pour sa part, restait fidèle au « leap-frogging » du sud vers le nord ; s'emparer des Philippines était à ses yeux l'objectif prioritaire ; de là, quelques « sauts de grenouilles » permettraient d'envisager en 1945 une attaque sur Kyushu, l'île sud de l'archipel japonais.

Un des commandants d'armée de MacArthur, le général Eichelberger, raconte — peut-être à sa manière — comment son chef emporta la décision. Le Président, lui avait-on dit, était acquis aux idées de la Marine. Il évita de se placer sur un terrain militaire et présenta la reconquête des Philippines comme une sorte de croisade. « Comment, soutint-il avec cette éloquence qui imprégnait de magnétisme ses propos, pourrions-nous abandonner sous le joug païen dix-huit millions de chrétiens à qui nous avons promis de revenir [14] ? » On sait à quel point F.D.R. était impulsif. Au moment où son visiteur prenait congé, il entendit tomber des lèvres présidentielles une autorisation inattendue : « Douglas, vous avez gagné. »

Aux Philippines on irait donc, mais au cœur de l'archipel, pour s'emparer de l'île de Leyte, position stratégique à sept cents kilomètres environ de Manille. Fixée d'abord en

13. Mais il aurait fallu d'abord s'emparer des aérodromes, dont la plupart étaient tombés aux mains des Japonais au printemps.
14. « Il lui semblait aussi monstrueux de vaincre le Japon avant de libérer les Philippines qu'il aurait semblé monstrueux à de Gaulle de vaincre l'Allemagne avant de libérer la France », commente S. E. Morison.

décembre, l'attaque eut finalement lieu le 20 octobre. Ce jour-
là, 73 transports et 56 « landing crafts » débarquèrent, dans la
même baie où quatre cent vingt-trois ans plus tôt Magellan
avait découvert les Philippines, les éléments avancés d'une
armée, qui, six jours plus tard, comptait 132 000 hommes. La
partie, néanmoins, allait se jouer, une fois encore, sur mer.
Pendant quatre jours, « la plus grande bataille navale de tous
les temps », disent les spécialistes, fit rage dans les eaux avoisi-
nantes. L'aviation et la marine japonaises en sortirent hors de
combat.

Ce 20 octobre avait été un des grands jours de la vie de Mac-
Arthur. Il était « revenu », ainsi qu'il l'avait annoncé deux ans
et demi plus tôt. Il n'était pas homme à laisser passer l'occasion. Suivant les premières troupes d'assaut, il mit le pied au
lever du soleil sur le sol philippin, accompagné du président
Osmena, de son chef d'état-major et de plusieurs officiers supérieurs. Un microphone fut hâtivement installé ; sous une pluie
torrentielle, le commandant suprême prit la parole. « Peuple
des Philippines, je suis revenu. Le général MacArthur vous
parle, il est la voix de la liberté... Levez-vous et frappez. Que
nul cœur ne faiblisse ! » Puis, détachant une feuille de papier de
son carnet, il écrivit à Roosevelt le message suivant : « Je suis
persuadé que si, une fois la libération réussie, on annonce
solennellement aux Philippins que l'indépendance leur est
accordée, le prestige américain en Extrême-Orient atteindra un
niveau inégalé... J'ose suggérer que cette grande cérémonie soit
présidée par vous en personne. Une telle mesure électrisera le
monde et pendant mille années elle rejaillira sur le crédit et
l'honneur des États-Unis... »

Pour le moment, les perspectives étaient moins radieuses.
Climat hostile : 225 pouces [15] de pluie en un mois ; des adversaires aussi acharnés qu'ailleurs. Il fallut près de trois semaines
pour arriver au stade de ce que les militaires appellent pudiquement des « opérations de nettoyage [16] ».

15. Plus de 5 000 millimètres.
16. « *Mopping up operations.* »

Le mois de novembre mérite, pour des raisons plus importantes, de figurer dans une chronologie de la guerre du
Pacifique. Laissons la parole à M. Robert Guillain, que les
circonstances amenèrent à vivre alors au Japon. « Le
1er novembre à 13 heures, les appels courts des sirènes hurlent
sur Tokyo... C'est la première alerte depuis le raid de Doolittle [17]. L'a-t-on assez attendue cette première invasion du ciel
japonais ! Pendant un moment des tirs aériens ébranlent l'horizon... Puis le calme... La radio annonce qu'un unique B29 a
survolé la capitale sans lâcher de bombes... L'invisible visite se
répète de matin en matin... Avant la fin de novembre ont lieu
les premiers raids sérieux, où une quarantaine de super-
forteresses arrivent par essaims successifs de grosses mouches
d'argent dans l'éblouissant ciel de l'automne japonais, lâchant
régulièrement à midi leurs engins explosifs ou incendiaires...
Dans la nuit du 29 au 30 novembre, la première attaque noc-
turne : des millions d'êtres apprennent... à se jeter hors de leurs
maisons sous la pluie glaciale, dans des trous primitifs et
boueux, déjà remplis d'eau jusqu'à la hauteur de la cheville...
L'exode commence dès les premiers jours de décembre. La
ville est terrorisée par la rumeur qu'un raid monstre aura lieu
pour l'anniversaire de Pearl Harbor... Mais à Tokyo, le 7 et le
8 se passent en définitive dans le calme. »

Les souvenirs du « jour d'infamie » n'en animent pas moins
d'un mystérieux élan les conquérants du Pacifique. L'île de
Luçon était l'objectif final. « Dans le déchaînement de l'artillerie navale, illuminant les ténèbres d'éclairs aveuglants », les
Américains y débarquent dans la nuit du 8 au 9 janvier 1945.
Le 5 février, les voilà aux portes de Manille. « Je pouvais voir
la ville toute blanche brillant au soleil ; je pouvais voir Corregidor, écrit un témoin. Mais bientôt s'élèvent des colonnes de
fumée et, le soir venu, la lueur de nombreux feux projette des
traînées rougeâtres sur le ciel tropical... L'armée japonaise
détruisait systématiquement la cité magique, traditionnellement appelée la perle de l'Orient. »

17. Voir p. 70.

La veille, à Yalta, les « Trois Grands » avaient commencé leurs travaux.

En Extrême-Orient comme ailleurs Staline avait réussi à mettre les États-Unis en position de demandeurs. Dès Pearl Harbor, Roosevelt ne cacha pas à Litvinov, alors ambassadeur à Washington, combien une participation russe à la guerre contre le Japon lui paraissait souhaitable. Tchang Kaï-chek en fit autant. Les Soviets restèrent muets pendant deux ans. Puis, on se le rappelle [18], à Moscou en octobre 1943, Staline, spontanément, et à la grande joie de Cordell Hull, annonça qu'il se joindrait aux Alliés en Extrême-Orient dès la défaite de l'Allemagne. Il ne semblait alors poser aucune condition.

Promesse qui fut répétée à Téhéran, mais cette fois accompagnée de commentaires plus ou moins précis sur l'opportunité de contreparties. Le Maréchal fit comprendre à Roosevelt qu'un port libre de glaces sur la mer de Chine ne serait que justice ; que la Russie puisse gérer conjointement avec la Chine les chemins de fer de Mandchourie ne lui semblait pas moins équitable ; enfin, les îles Kouriles et la partie sud de Sakhaline ne compléteraient-elles pas harmonieusement les possessions russes dans cette partie du monde ? Son interlocuteur ne paraît s'être opposé à aucune de ces exigences ; en tout cas, il donna formellement son accord à l'inclusion de Dairen et de Port-Arthur dans la zone d'influence soviétique.

Au cours de l'année 1944, les conversations se poursuivirent entre Staline et l'ambassadeur des États-Unis, Averell Harriman. Le Maréchal voulait bien consentir à ce que l'aviation américaine utilisât des aérodromes près de Vladivostok, quand la Russie participerait au conflit. Mais il ne donnait jamais quoi que ce soit pour rien. Les États-Unis devraient participer à la constitution des approvisionnements nécessaires aux soixante divisions que les Soviets avaient l'intention d'engager ;

18. Voir p. 92.

surtout, il leur faudrait se porter garants de l'accord de la
Chine aux revendications russes.

Ce dernier point était délicat. La situation chinoise devenait
sans cesse plus chaotique, et l'autorité de Tchang Kaï-chek
chaque jour plus discutée. Churchill considérait comme une
« farce » (*sic*) l'admission de la Chine dans le directoire des
Grandes Puissances. Roosevelt, sinophile déterminé, gardait
des illusions. Toutefois, il commençait à se demander si dans
le conflit qui opposait Chou En-Lai au gouvernement de
Tchoung King une partie des torts n'incombait pas à ce dernier. Ce qui l'amenait, par une pente naturelle de son esprit, à
envisager, pour la Chine comme pour la Pologne [19], un de ces
gouvernements dits d'union nationale, où les communistes
entrent par la petite porte et occupent bientôt tout l'immeuble.
Bref, de l'adhésion chinoise aux demandes de Moscou, on ne se
préoccupait guère à Washington, certains comme on l'était que
la faiblesse de Tchang lui interdisait de se montrer difficile.

Deux mois avant Yalta, Staline précisa à Averell Harriman
ce qu'il était prêt à consentir et ce qu'il exigeait en échange. La
Russie entrerait en guerre « deux ou trois mois après la capitulation de l'Allemagne » ; elle consentait à signer un pacte
« d'alliance et d'amitié » avec Tchang. Tant de bonne volonté
méritait des compensations : la liste en était voisine de celle
discutée à Téhéran : annexion des îles Kouriles et de la moitié
sud de Sakhaline, bail de longue durée de Dairen et de Port-
Arthur, contrôle des chemins de fer mandchouriens ; puis, pour
faire bonne mesure, reconnaissance de « l'indépendance » de la
Mongolie extérieure.

Staline se refusa à tout engagement écrit. Tout cela devait
rester confidentiel, exigea-t-il, sous peine de voir les Japonais
prendre l'initiative d'opérations militaires. Cette condition fut
si bien remplie que ni le Département d'État ni les chefs d'état-
major n'eurent connaissance de ces déclarations, dont le con-
tenu fut télégraphié directement à la Maison-Blanche par le

code de la Marine. Rarement vit-on aussi parfait exemple du
« secret du roi ».

C'est dire que les termes d'un arrangement étaient pratiquement arrêtés lorsque s'ouvrit la conférence de Yalta. Effectivement, en dehors d'échanges de vues techniques entre militaires,
les problèmes d'Extrême-Orient tinrent une place minime dans
les délibérations.

Le Pr Lensen en a retracé les détails. Les discussions,
rappelle-t-il, revêtirent la forme de conversations personnelles
entre Roosevelt et Staline, accompagnés de deux fonctionnaires servant d'interprètes[20]. Le premier de ces entretiens eut
lieu le 8 février, quatre jours après l'ouverture de la conférence.
Staline joua à l'homme d'État démocratique. Il expliqua que,
si on ne lui donnait pas satisfaction, « il lui serait difficile
d'expliquer au peuple soviétique pourquoi la Russie attaquerait
le Japon... pays qui ne lui causait guère de difficultés ». « Roosevelt essaya de sauvegarder la souveraineté chinoise et le principe de la Porte Ouverte[21], mais sans grande éloquence.
D'après les procès-verbaux la discussion ne dura pas plus
qu'un quart d'heure... Roosevelt était moins soucieux de s'opposer aux demandes de Staline que de les limiter à celles déjà
mentionnées. »

L'avenir de l'Indochine fit également l'objet d'un échange de
vues. F.D.R. avait sur ce problème des idées fort arrêtées. Il en
avait fait part à Eden dès le début de 1943. Un mystérieux
régime de « trusteeship » lui paraissait fournir la solution. Le
Secrétaire aux Affaires étrangères, redoutant que les colonies
de Sa Majesté fussent, un jour ou l'autre, victimes de ce précédent, montra peu d'enthousiasme. Roosevelt n'en fut pas

20. Du côté américain, Charles Bohlen, futur ambassadeur en France.
21. La politique, dite de la Porte Ouverte, telle que la précisa le Secrétaire d'État, John Hay, en 1899, avait essentiellement pour objet de faciliter
le commerce des États-Unis en Chine. Elle ne se proposait nullement de
garantir l'intégrité du territoire chinois, comme on l'a souvent écrit.

découragé. A la Conférence du Caire, il fit la même suggestion
à Tchang Kaï-chek. L'accueil ne se révéla pas plus chaleureux : « Les populations indochinoises ne sont pas d'un manie-
ment facile », observa le généralissime. Il préconisa plutôt une
complète indépendance, idée à laquelle Roosevelt « se rallia
sans hésitation ». Staline, à Téhéran, fut plus réceptif : un
« trusteeship » de 20 à 30 ans lui parut raisonnable. A Londres
on s'inquiéta. L'ambassadeur de Grande-Bretagne reçut l'ordre
de s'informer. Le Président, « de fort bonne humeur », lui
confirma sa thèse favorite. « Mais pourquoi pas les Indes néerlandaises ou la Malaisie ? » osa demander le visiteur. On le rassura : « Les Anglais et les Hollandais ont fait du bon travail,
mais il n'y avait rien à espérer des Français[22]. »

Nous ignorons si ce jugement fut agréable à Lord Halifax.
En tout cas, entre les vues de la Maison-Blanche et celles du
Foreign Office, favorable, pour des raisons évidentes, au maintien de la présence française en Indochine, il y avait incompatibilité. La patience de la diplomatie britannique eut raison des
improvisations rooseveltiennes. A Yalta, lorsqu'il en parla à
Staline, Roosevelt avait finalement accepté l'idée qu'il n'y eût
« trusteeship » qu'avec l'agrément de la France. Staline ne s'y
montra pas hostile, mais ne témoigna pas grand intérêt. Mais
saisissant, comme toujours, l'occasion de faire plaisir à F.D.R.
quand cela ne l'engageait à rien, il approuva son refus de transporter des troupes françaises sur des navires américains[23].

Le maréchal était évidemment plus intéressé par le Nord
que par le Sud de l'Asie. Une deuxième entrevue eut lieu le
10 février, veille de la clôture. Roosevelt, reconnaît Robert
Sherwood, était « fatigué et impatient d'en finir ». Il donna son

---

22. « *The French were hopeless.* »
23. M. Georges Gautier précise les termes de cette conversation.
« Roosevelt rapporte à Staline que de Gaulle a demandé des bateaux pour
transporter des troupes françaises en Indochine. Le maître de la Russie
demande, goguenard, où de Gaulle prendra ces troupes. Le président des
États-Unis réplique que de Gaulle prétend trouver des soldats quand il aura
des bateaux. Et Roosevelt ajoute que, jusqu'à présent, il n'y a pas eu de
bateaux... »

assentiment à toutes les demandes dont on a la liste. Mais il alla plus loin, admettant qu'en échange d'une vague mention de la souveraineté chinoise, les droits « prééminents » de l'Union soviétique en Mandchourie fussent reconnus. Plus grave, l'Union·soviétique, les États-Unis et la Grande-Bretagne prirent l'engagement qu'après la défaite du Japon « les revendications soviétiques seraient satisfaites sans contestation possible [24] ». Ce qui signifiait que, en cas de refus de la Chine, Anglais et Américains seraient tenus de la forcer à céder. Seule concession de Staline, Dairen serait « internationalisé ». Mais, là encore, sous réserve des droits « prééminents » de l'Union soviétique.

L'accord fut signé par Roosevelt, Staline et Churchill le 11 février [25]. Dans ses *Mémoires,* le Premier ministre britannique fait ce qu'il peut pour s'en désolidariser : « Je tiens à dire clairement... que ni Eden ni moi n'y avons en rien contribué. La question était considérée comme du ressort des Américains, et d'une grande importance pour leurs opérations militaires. Ce n'était pas à nous de prendre des initiatives. En tout cas, on ne nous a pas consultés, et on nous a seulement demandé notre approbation. Aux États-Unis, beaucoup ont critiqué les concessions faites à l'Union soviétique. La responsabilité en incombe à leurs représentants. »

Après les Philippines, Iwo Jima devint l'objectif de MacArthur. Petite île désolée de 20 km², à mi-chemin entre Saipan et Tokyo, atmosphère lunaire, mais base précieuse pour de futurs « leap-froggings ». 21 000 Japonais la défendaient. Les Américains y débarquèrent le 19 février 1945. Sa conquête dura pratiquement un mois et fut une cruelle épreuve. Seul geste romantique d'un conflit qui ne l'était guère, le folklore

24. « *These claims of the Soviet Union shall be unquestionably fulfilled after Japan has been defeated.* »
25. On convint que, pour ne pas offenser la susceptibilité chinoise, il resterait secret. Il ne fut rendu public qu'un an plus tard.

américain a immortalisé l'image de deux Marines plantant le
drapeau étoilé au sommet d'un ancien volcan, le Suribachi,
dont les cent soixante-dix mètres dominent le paysage. Lorsque
la résistance finit par s'effondrer le 16 mars, les pertes des vainqueurs s'élevaient à près de 7 000 morts et à plus de 24 000 blessés, le tiers de l'effectif engagé, d'après Liddell Hart.

Une semaine plus tôt, Tokyo avait connu l'enfer. M. Robert
Guillain en fut témoin. Depuis la fin de janvier, « les alertes,
écrit-il, se suivent maintenant à une cadence accélérée, de jour
et de nuit, les plus gros raids s'espaçant à des intervalles de
huit à quinze jours... ». Le 5 mars, « la neige et les bombes se
donnent rendez-vous sur la ville. Le raid a lieu dans une atmosphère irréelle de mauvais rêve, à travers une neige prodigieusement épaisse... Quatre jours passent, et c'est le 9 mars...
9 mars 1945, une date que Tokyo se rappellera, comme il se
rappelle le 1er septembre 1923, date du grand tremblement de
terre... Ce jour-là, le printemps a fait irruption par surprise...
Mais le vent a pris dans la soirée la violence d'un typhon de
printemps... Avant minuit, *ils* sont là... Un quart d'heure à
peine après le début de l'attaque, l'incendie, fouetté par le vent,
commence à moissonner dans l'épaisseur de la ville de bois... ;
par l'effet du vent et du formidable souffle de l'incendie, se
créent en plusieurs endroits d'immenses tourbillons ardents,
qui tournoient en abattant tout et en aspirant des pâtés entiers
de maisons dans leur maelstrom de feu... L'alerte est levée vers
5 heures du matin... La ville a reçu cette seule nuit, entre minuit
et 3 heures, environ 700 000 bombes contenant un
mélange de gelée incendiaire et d'essence ». Résultat :
« 197 000 morts et disparus [26] ».

Puis les autres grandes agglomérations sont atteintes. Le
12 mars, Nagoya, le 14, Osaka, le 17, Kobe, le 20, Nagoya de
nouveau, et Yokohama et Toyama, et à partir de juin une
soixantaine de villes de moindre importance. A cette date,
« quatre-vingt-dix kilomètres carrés, plus de la moitié de

26. « Environ 130 000 à Hiroshima, dont la moitié sur le coup, et le
reste des suites de leurs blessures... »

Tokyo, étaient rasés et en cendres... La population civile, décimée et affolée, avait fui dans les campagnes ».

Le moral des combattants ne faiblissait pas. Les Américains s'en aperçurent lorsqu'ils décidèrent de s'emparer de Okinawa, île principale de l'archipel des Ryukyu, à environ 1 700 kilomètres de la capitale du Japon — 100 km de longueur, 25 au maximum de largeur. Pour la première fois, le « sol sacré » de l'Empire est menacé. 100 000 défenseurs attendent les assaillants. Les voici, 1er avril 1945, jour de Pâques, protégés par une armada de quatorze cents navires. Les premiers éléments sortent des barges de débarquement. Le silence est impressionnant : pas un coup de fusil. La défense se déclenche trois jours plus tard dans la partie sud de l'île, transformée en gigantesque blockhaus. Dès lors, les attaquants ne feront plus que piétiner. Surtout, les jours qui suivent seront les heures de gloire des « kamikaze ». Leurs attaques se révèlent si efficaces qu'elles mettent un moment en péril la flotte américaine. Mais la supériorité des conquérants est trop écrasante. En vain les Japonais ont-ils engagé à peu près tout ce qui leur reste de forces navales : un cuirassé de 45 000 tonnes, le plus grand du monde, le *Yamato*, sur lequel ils ont fondé tant d'espoir, un croiseur léger, huit destroyers ; cette « marche au sacrifice » aboutit à un désastre [27]. Sur terre, l'occupation d'Okinawa est achevée le 19 juin. 11 920 Américains ont été tués, 36 625 blessés.

Le Japon est pratiquement bloqué, la flotte de surface et les sous-marins ayant le contrôle absolu de la mer.

L'empereur n'a pas quitté Tokyo. L'effondrement incroyablement rapide des Philippines l'a vivement frappé. Dans les jours qui suivent le 9 mars, il exige de visiter la ville « en dépit du commandement militaire qui redoute que le spectacle des destructions n'ait sur lui une funeste influence... C'est, en effet, à partir de ce moment qu'il est définitivement enfermé dans sa

27. Le *Yamato* fut coulé dans les mêmes conditions que le *Prince of Wales* en décembre 1941. Voir p. 26.

résolution d'arrêter l'hécatombe ». Le 5 avril, il confie le poste de Premier ministre à un marin de 77 ans, l'amiral Kanturo Suzuki, connu pour ses tendances pacifistes. Le rapport confidentiel qu'il remet au souverain ne laisse guère de place à l'optimisme. Surtout, on redoute pour l'automne une intervention russe, qui serait le coup de grâce. Dans les situations désespérées, les illusions sont toujours grandes. Au Palais impérial, on se berce de l'espoir d'une médiation soviétique. Le ministre des Affaires étrangères prend contact par intermédiaire avec l'ambassadeur des Soviets, Jacob Malik. Moscou reste muet. Le 12 juillet l'empereur décide d'y envoyer le prince Konoye [28]. On demande pour lui un visa : aucune réponse. Le Kremlin finit cependant par faire savoir que la décision est « retardée de quelques jours », Staline venant de partir pour Potsdam.

La dernière conférence de la guerre s'ouvrit, on le sait, le 17 juillet dans les lieux chers à Frédéric II. La veille, à l'aube, à Los Alamos, dans le désert du Nouveau-Mexique, des savants et des militaires avaient assisté au plus terrifiant des spectacles : la première bombe atomique avait explosé. « Un éclair aveuglant illumina le paysage et une gigantesque boule de feu, changeant de couleur, du violet foncé à l'orange et à un vert presque irréel, fit irruption, montant vers le ciel ; la suivant, surgit une immense colonne qui, finalement, donna à l'ensemble la forme d'un champignon. Puis l'on sentit une vague de chaleur intense et le sol vibra comme s'il était secoué par un tremblement de terre. » Oppenheimer se souvint d'un passage de Bhagavad-Gita [29] : « Je suis devenu la Mort, je suis celui qui ébranle le monde. » Un autre savant commenta : « Je suis sûr que, à la fin du monde... le dernier homme verra quelque chose de très semblable. »

Truman et Churchill eurent connaissance de la nouvelle le jour même de leur arrivée à Potsdam. Dès le début du mois, le Premier ministre britannique avait approuvé l'usage du nouvel

---

28. Le même que Roosevelt avait refusé de recevoir en 1941. Le prince n'avait vraiment pas de chance...

29. « Le chant du Seigneur », l'un des textes fondamentaux de la philosophie hindoue.

engin, si l'expérience réussissait. « La décision finale dépendait maintenant du Président ; j'étais sûr de celle qu'il prendrait, et je n'ai jamais douté depuis lors [30] qu'il eût eu raison. » Fallait-il prévenir Staline ? « Nous avions l'impression de n'avoir plus besoin de lui pour conquérir le Japon. » Truman estima judicieux de ne pas donner trop d'importance à l'information. A la fin de la réunion du 24 juillet, il alla trouver le Maréchal et lui dit, d'un ton détaché, que les États-Unis disposaient d'une nouvelle arme d'un « extraordinaire pouvoir de destruction ». Ici, les témoignages diffèrent. D'après Churchill, qui voyait la scène de loin, Staline eut l'air « ... ravi. Je suis sûr qu'il n'avait aucune idée de l'importance de l'événement... Tant que dura l'entretien, son visage n'exprima que gaieté et bonne humeur ». Truman est moins compliqué : « Le Premier ministre russe ne témoigna pas d'un intérêt spécial. Tout ce qu'il dit fut qu'il était heureux de la nouvelle et qu'il espérait que nous utiliserions cette arme au mieux contre les Japonais [31]. »

L'explosion du 16 juillet hâta l'envoi d'un ultimatum au Japon. Le 26, « le président des États-Unis, le président du gouvernement national de la République de Chine et le Premier ministre de Grande-Bretagne, représentant les centaines de millions de leurs compatriotes » sommèrent leur ennemi de capituler sans conditions. Un refus entraînerait « la destruction rapide et complète du pays ». « Le 27, écrit M. Robert Guillain, le cabinet, divisé et en plein désarroi, crut habile de gagner du temps et de tourner la difficulté en faisant publier un communiqué disant que le Japon a décidé " d'ignorer " ce document. » Le texte japonais emploie un mot *(makanin)* qui signifie mot à mot « reconnaître en silence ». A Potsdam, on interpréta cette réponse comme un refus pur et simple.

Le sort en était jeté. Les états-majors estimaient qu'avec les armes habituelles, et même avec le concours des Russes, la défaite du Japon prendrait un an et demi et entraînerait la perte

30. *Triumph and Tragedy* fut publié en 1953.
31. Compte tenu des infiltrations communisantes dans l'administration américaine, certains historiens expliquent cette surprenante indifférence de Staline par les renseignements fort précis dont il disposait.

de près d'un million d'hommes. Au demeurant, dans l'invasion qui se préparait, les Américains étaient pratiquement seuls. Churchill reconnaît que la contribution britannique ne pouvait se monter à « plus de trois divisions et, peut-être, deux plus tard ». Quant aux Australiens, occupés à reconquérir Bornéo, leur législation ne leur permettait pas d'engager leurs forces (en dehors des volontaires) au nord de l'Équateur.

Truman n'aimait pas les atermoiements. Ses *Mémoires* ne révèlent aucun drame de conscience. Quatre villes furent retenues, considérées comme « centres de production d'une grande importance militaire », Hiroshima, Kokura, Niigata et Nagasaki. Les conditions atmosphériques détermineraient le choix des militaires qui reçurent toute latitude pour opérer à partir du 3 août. Le 6 août, le Président, à bord du cuirassé qui le ramenait aux États-Unis, reçut le télégramme suivant : « La bombe a été lancée sur Hiroshima le 5 août à 7 h 15 du soir, heure de Washington. Les premiers rapports indiquent un succès complet, encore plus sensationnel que la première expérience. » Dans les milieux gouvernementaux de Tokyo règne « une extraordinaire effervescence ». N'y a-t-il pas là une occasion de sauver la face ? Mais les partisans de la résistance à outrance se refusent encore à admettre que la partie est perdue.

9 août 1945, jour décisif. Nagasaki, « la douce Nagasaki, la fleur de Kyushu, la ville en couronne, étagée autour de sa rade bleue, au pied de ses montagnes chevelues et des rizières en escalier... », Nagasaki, à son tour, a été anéantie. Simultanément, les troupes de l'Union soviétique envahissent la Mandchourie. Staline s'est hâté de tenir sa promesse. Trois mois exactement après la reddition de l'Allemagne, il a, le 6 août, déclaré la guerre au Japon : se souvient-il de Mussolini en 1940 ? Le 14, il signera avec Tchang le traité auquel il s'est engagé, espérant ainsi se qualifier pour intervenir dans la capitulation du Japon et participer à l'occupation. Ce même jour, un dernier conseil s'est réuni au Palais impérial. L'empereur, « qui pleure tout en parlant, s'exprime d'une voix lourde en martelant les mots... : " Quoi qu'il puisse m'arriver à moi-même, dit-il, je suis décidé à supporter l'insupportable. Je mets

fin aux combats de ma propre autorité " ». Une tentative de rébellion militaire est vite étouffée.

Aube du 2 septembre 1945 : « Une brume blafarde va être déchirée par le soleil. » Le cuirassé *Missouri* est ancré dans la magnifique baie de Tokyo. On a décidé que la capitulation aurait lieu à son bord par crainte de manifestations populaires. Il a été choisi comme une des unités les plus nouvelles et les plus puissantes de la marine victorieuse [32]. Les délégués japonais arrivent à 8 heures : chapeau haut de forme, jaquette noire, pantalon rayé, chaussures vernies pour les civils ; grand uniforme pour les militaires. MacArthur, qui est à Yokohama depuis trois jours, les fait attendre trois quarts d'heure. Généraux et amiraux alliés, la poitrine constellée de médailles, le saluent. Lui, comme d'habitude, ne porte aucune décoration : casquette galonnée d'or, chemise kaki ouverte, pantalon au pli impeccable, chaussures étincelantes. Il s'assied à une table, prononce un court discours qui est déjà un appel à la réconciliation, puis invite le ministre des Affaires étrangères japonais et un général à signer l'acte de capitulation. Les termes en sont durs, mais mention y est faite de l'empereur, sinon de sa souveraineté [33]. A leur tour, MacArthur, Nimitz et les représentants de la Grande-Bretagne, de l'Australie, de la Chine, de l'Union soviétique, des Pays-Bas, de la Nouvelle-Zélande, de la France [34] et du Canada apposent leur signature. Des centaines d'avions passent au-dessus du *Missouri* dans un bruit de tonnerre. La cérémonie n'a pas duré plus de vingt minutes.

Sur le quartier général du commandant suprême est hissé le drapeau qui flottait sur le Capitole le 7 décembre 1941 : Pearl Harbor est vengé.

32. Mais aussi, explique Truman, parce qu'il « porte le nom de mon État, qu'il a été baptisé par ma fille et que j'y ai pris la parole à cette occasion ».
33. Article 8 : « L'autorité de l'empereur et du gouvernement japonais pour régir l'État sera soumise au commandant suprême des forces alliées. »
34. Le général Leclerc fut chargé de cette mission.

10.

Les États-Unis après la victoire

SUPERFICIE. — « L'EMPIRE AMÉRICAIN ». — POPULATION. — FORTE NATALITÉ ET FAIBLE IMMIGRATION. — INDIENS ET NOIRS. — SENTIMENTS COMPLEXES DES AMÉRICAINS. — UNE CERTAINE APPRÉHENSION. — EN APPARENCE, LES ÉTATS-UNIS DE 1945 RESSEMBLENT À CEUX DE 1939. — EN RÉALITÉ, LES DIFFÉRENCES SONT PROFONDES. — SURTOUT, ILS SONT DEVENUS UNE PUISSANCE MONDIALE. — LEUR ISOLEMENT EN FACE DE LA RUSSIE SOVIÉTIQUE. — LE RÊVE D'UN MONDE UNIQUE. — TRUMAN À LA MAISON BLANCHE. — SES ORIGINES, SA CARRIÈRE, SES MÉTHODES DE TRAVAIL, SON CARACTÈRE. — UN PRÉSIDENT PARFAITEMENT ADAPTÉ À LA SITUATION.

Arrêtons-nous un moment et regardons les États-Unis après la victoire.

Depuis l'admission dans l'Union de l'Oklahoma en 1907, de l'Arizona et du Nouveau-Mexique en 1912, le pays est partagé en quarante-huit États dont les limites n'ont jamais été modifiées : le plus grand, le Texas, est plus étendu que la France ;

le plus petit, le Rhode Island, atteint à peine la dimension d'un de nos départements. A aucun moment, les États-Unis n'ont éprouvé le désir d'uniformisation, qui aboutit en France, il va y avoir bientôt deux cents ans, à des découpages administratifs arbitraires : en 1945 autant qu'en 1776, la variété territoriale reste chez eux la règle.

Trois guerres victorieuses, contre l'Espagne à la fin du XIXe siècle, puis la Première et la Seconde Guerre mondiale ont posé des problèmes que les Pères Fondateurs n'avaient certes pas envisagés. En 1945, les pays d'outre-mer, soumis au contrôle effectif ou déguisé des États-Unis, sont devenus si nombreux que le Pr Morris n'hésite pas à les grouper sous la rubrique « l'Empire ». Le terme s'applique à merveille à ces régions disparates, auxquelles la tradition anticolonialiste des Américains a interdit de donner le nom de colonies. Exemple significatif du pragmatisme traditionnel, leur statut est d'une remarquable souplesse.

Premier groupe, celui des Caraïbes. A Panama, le canal et une zone d'une dizaine de kilomètres jouissent de l'exterritorialité : juridiquement et en fait, la souveraineté américaine s'y exerce. L'indépendance de Cuba a été reconnue depuis 1934 : les États-Unis n'y disposent pas moins d'une importante base militaire. Pour Porto-Rico, on a trouvé une formule ingénieuse : l'île est « organisée et non incorporée »; en conséquence, elle est placée sous l'autorité d'un gouverneur nommé par Washington, mais ses habitants sont citoyens américains, ce qui les exempte des lois sur l'immigration. Les îles Vierges, cédées par le Danemark en 1917, bénéficient d'un régime à peu près analogue.

Second groupe, celui du Pacifique. Les Philippines sont, en 1945, au seuil de l'indépendance [1]; toutefois, leurs ports restent à la disposition des escadres américaines. Depuis le début du siècle, la Marine a pris en charge Guam et Samoa. On notera la subtilité des dispositions qui les régissent : Guam, tel Porto-Rico, est « organisé et non incorporé »; Samoa — moins évo-

1. Elle sera proclamée le 4 juillet 1946.

lué, faut-il croire — n'est « ni organisé ni incorporé ». La défaite du Japon a mis à l'épreuve la fertilité d'esprit des juristes. Les États-Unis étaient résolus à ne rendre aux vaincus ni les Marshalls, ni les Carolines, ni les Mariannes, dont la conquête leur avait coûté tant de sang ; or, il s'agit de plus de deux mille îles ou îlots de toutes dimensions, dispersés sur une superficie d'environ six millions de kilomètres carrés, où vivraient, dit-on, cent mille indigènes. Qu'en faire ? Le mot « annexion » était tabou : de « protectorat » il n'était pas davantage question ; un « trust » des Nations Unies fournit la solution : sous cette appellation pudique, la Micronésie devint bel et bien chasse gardée américaine.

Ainsi, d'une république en Amérique du Nord les treize colonies de 1776 ont fini en 1945 par se transformer en empire mondial [2].

A cette date, on compte 139 900 000 Américains, près de huit millions de plus qu'au recensement de 1940. Les pertes de la Seconde Guerre — 406 000 morts — ont dépassé largement celles de la Première — 116 000 —, mais sont loin d'atteindre celles de la Guerre Civile — 497 000 [3]. Les États-Unis restent un pays sous-peuplé : moins de vingt habitants au kilomètre carré.

Une fois de plus, les démographes ont prouvé que leur science est aussi incertaine que la météorologie. Le taux de natalité n'avait cessé de baisser depuis le début du siècle : 32,3 ‰ en 1900, 27,7 ‰ en 1920, 19,4 ‰ en 1940, et à cette tendance les experts prêtaient une orientation inéluctable. Mais voici que, en 1941, commence un revirement. N'était-il dû, comme on l'a prétendu, qu'à une multiplicité de mariages provoqués par le désir de retarder l'appel des armes ? Faut-il l'at-

2. Complété par un réseau de bases stratégiques dont nous parlerons plus loin.
3. 364 000 pour l'Union et — estime-t-on — 133 000 pour la Confédération.

tribuer aux élans sentimentaux de permissions trop rares ? Si ces explications suffisaient, le taux de natalité aurait dû, la guerre finie, décliner comme précédemment. Or, il n'en sera rien. En 1945, le pays est à peu près de retour au rythme de 1940 : 20,4 ‰. Puis, pendant une quinzaine d'années, la courbe ne cessera de monter pour atteindre en 1956 un taux de 25,2 ‰, proche de celui de 1920.

La natalité se trouve ainsi la cause principale de l'accroissement de la population. S'y ajoute une longévité inconnue jusque-là. La durée moyenne de la vie d'un Américain était 48 ans en 1900 (51 ans pour les femmes) ; cinquante ans plus tard, les hommes peuvent espérer atteindre 66 ans et leurs compagnes, décidément de plus en plus robustes, 72.

Sous l'effet de la « Grande Dépression » et de la guerre, l'immigration a considérablement diminué : 500 000 étrangers se sont établis aux États-Unis de 1931 à 1940 ; un peu plus de un million de 1941 à 1950 : chiffres insignifiants, comparés à ceux du début du siècle : près de 9 millions de 1901 à 1910, 5,5 millions la décennie suivante, encore 4 millions de 1921 à 1930.

De ce fait, la population tend à devenir plus homogène : en 1945, pour la première fois, plus de 90 % des Blancs sont nés dans le pays. Beaucoup s'en félicitent, persuadés que la cohérence du pays en sera accrue. Ont-ils raison ? Les États-Unis ont besoin de transfusions de sang constantes pour accomplir leur mission historique ; s'ils cherchent à s'y soustraire, ne risquent-ils pas de n'être plus que la caricature d'eux-mêmes et de s'étioler dans un nationalisme où succombera leur singularité ?

Au demeurant, cette homogénéité ne pouvait qu'être artificielle. A côté des Blancs il y avait en effet les gens de couleur, Asiatiques, Indiens, Noirs.

En 1945, les premiers ne causent aucun problème. Depuis 1930, leurs arrivées ont été insignifiantes, même pas 300 000.

Tout autre est le cas des Indiens. Non qu'ils soient nombreux, à peine 350 000. Mais alors que, pendant longtemps, on les avait crus inexorablement destinés à disparaître, leur population ne fait que s'accroître depuis le début du siècle : 237 000 en 1900, 244 000 en 1920, 332 000 dix ans plus tard, 343 000 en 1950. Leur survivance suscite dans la conscience américaine des remous complexes. On n'a pas oublié les angoisses que les Peaux-Rouges provoquaient chez les Visages Pâles, leurs apparitions terrifiantes à travers les feuillages dorés de l'automne, leurs raids nocturnes, leurs scalps sanglants. Mais tout aussi vivants, et générateurs de remords que l'usure du temps ne parvient pas à dissiper, sont les massacres de femmes et d'enfants, les exterminations systématiques des tribus les plus guerrières, les déplacements de milliers d'êtres, arrachés à la terre de leurs ancêtres pour aller végéter sur un sol où la voix de leurs dieux lares ne monte plus jusqu'à eux.

On espéra pendant un temps absorber les survivants de ces luttes atroces. « La politique du XIXᵉ siècle visait à supprimer la personnalité des Indiens en attendant leur assimilation. » Cette stratégie du dépérissement se révéla impuissante : les Indiens n'avaient manifestement aucune envie de s'occidentaliser. On essaya alors une autre méthode. En 1924, on fit d'eux des citoyens à part entière, généralisant un statut dont certains bénéficiaient déjà. Est-il utile de dire que les deux États où ils étaient les plus nombreux, l'Arizona et le Nouveau-Mexique, s'arrangèrent pour ne leur concéder le droit de vote qu'un quart de siècle plus tard ? L'impulsion ne semblait pas moins donnée vers une reconnaissance de la personnalité indienne. Effectivement, pendant le New Deal, la vie tribale reprit une certaine vitalité. « Liberté fut donnée aux Indiens d'accepter de vivre par eux-mêmes ou d'opter pour l'assimilation pure et simple... Les trois quarts environ choisirent la première solution. » A l'avant-garde du mouvement, les Navaho, une des plus anciennes tribus, en arrivèrent à « posséder leur langue, leur journal, leurs propres règlements pour les élections, leur propre parc national », note le Pr Fohlen à qui nous empruntons ces informations. En 1944, on en était arrivé à créer un Congrès national des Indiens d'Amérique qui devait se réunir chaque année pour étudier les affaires communes.

Tout cela était bien théorique. A la fin de la guerre, aucune solution satisfaisante n'a été trouvée. On peut en dire au moins autant de la question des Noirs.

On compte alors 14 600 000 Noirs, un peu plus de 10 % de la population, proportion voisine de celle d'après la Guerre Civile[4]. La ségrégation est la règle, atténuée dans le Nord, rigoureuse dans le Sud. Dans les anciens États de la Confédération, des places sont toujours assignées aux Noirs à l'arrière des autobus, la plupart des restaurants et des cafés leur sont interdits et de subtils règlements leur ferment l'accès des bureaux de vote ; enfants blancs et noirs ne fréquentent jamais les mêmes écoles.

Roosevelt s'est contenté de quelques gestes symboliques, soucieux, avant tout, de ne pas s'aliéner les sénateurs conservateurs du Sud. En 1936, il a fait entrer une Noire dans l'Administration de la jeunesse[5]. Femme remarquable, cette Mary McLeod Bethune, fille d'anciens esclaves de la Caroline du Sud, membre d'une famille de dix-sept enfants. Elle avait rêvé d'être missionnaire en Afrique ; elle dut se contenter de porter la bonne parole dans des écoles misérables. Plus tard, présidente d'un collège, animatrice du Conseil national des femmes de couleur[6], elle parvint à jouer un certain rôle national, grâce à l'amitié de Mme Roosevelt. Profondément religieuse, elle ne préconisa jamais la violence.

Tout autre était Asa Philip Randolph, plus attiré par les actes que par les mots. Né en Floride, venu travailler à New York puis à Cleveland, il avait été arrêté en 1917 pour son opposition à l'entrée de l'Amérique en guerre. Harlem devint son quartier général. Il y fonda le syndicat des conducteurs de wagons-lits qu'il força la compagnie Pullmann à reconnaître. En 1941, il avait suffisamment d'influence pour oser tenir tête à Roosevelt. Il le menace d'une « marche sur Washington » de

---

4. Leur taux de natalité est largement supérieur à celui des Blancs, 26,5 ‰ au lieu de 20,4 ‰, mais leur longévité est moindre : en 1950, 59 ans pour les hommes, 62 ans pour les femmes.
5. National Youth Administration.
6. National Council of Negro Women.

cent mille Noirs décidés à mettre fin aux discriminations dont ils sont victimes. Le Président le convoque. F.D.R., raconte-t-il, essaie sa tactique habituelle : il plaisante et joue de sa séduction. Mais son interlocuteur sait ce qu'il veut et il l'obtient. Une agence fédérale aura pour mission de s'assurer que, dans les services gouvernementaux et les entreprises travaillant pour la Défense nationale, les Noirs sont admis au même titre que les Blancs.

Mesure qui ne règle pas grand-chose, car elle ne vise ni les affaires privées [7], ni les forces armées. Ces dernières hésitent à employer des Noirs, surtout à les mêler aux Blancs. Le général Marshall estime que leur intégration serait néfaste pour le moral des troupes ; le Secrétaire de la Guerre, Stimson, considère que « la race noire n'est pas encore arrivée au stade du commandement : essayer de nommer officiers des gens de couleur et de mettre sous leurs ordres leurs semblables serait conduire les uns et les autres au désastre ». Les plus irréductibles sont les marins, les aviateurs et les Marines : ils n'admettront les Noirs qu'à la fin de la guerre et presque toujours comme non-combattants. L'Armée est plus libérale, mais avec quelles restrictions ! Le Pr Franklin cite des chiffres. Trois millions de Noirs sont passés devant les conseils de révision. Leur condition physique était-elle vraiment si inférieure à celle des Blancs ? 8 % seulement de ces derniers sont éliminés ; à 18 % des gens de couleur on trouve des incapacités. Finalement, un million d'entre eux seront incorporés et cinq cent mille environ serviront en Europe ou en Extrême-Orient. Ils ne fourniront l'effectif que de vingt-deux unités de combat ; le reste sera réparti dans les services de l'arrière, ou — surtout après l'entrée en Allemagne [8] —, intégrés dans les régiments ordinaires. Leur courage leur permettra de gagner quelques galons. L'un d'eux a même été promu général de brigade dès octobre 1940 ; mais la date de sa nomination — à quelques semaines de la deuxième

7. M. Jean Daridan évalue à 20 % le chômage des Noirs au cours de la guerre dans une période de plein emploi.
8. Les raisons de cette décision ne sont pas difficiles à deviner...

réélection de Roosevelt — laisse planer des doutes sur la spontanéité de cette mesure...

La passivité des Noirs, héritée de la servitude, amenait la plupart à supporter sans réagir les brimades dont ils étaient l'objet. Néanmoins, pendant la guerre s'organisent les mouvements de résistance qui, une dizaine d'années plus tard, revêtiront une telle ampleur : le Congrès pour l'égalité raciale [9], l'Association nationale pour l'avancement des gens de couleur [10] multiplient les revendications. En principe, ces groupements, composés d'hommes de bonne volonté, rejettent la violence. Quelques explosions montrent toutefois que l'orage couve : à Detroit, en juin 1943, trente-quatre morts.

Le problème noir ne comptait guère durant l'été de la victoire. Le Pr Leuchtenburg a fait revivre l'atmosphère de New York au cours des semaines qui suivirent la capitulation du Japon. « Des transports de troupes chargés de milliers de GI's revenant des quatre coins du monde passaient devant la Statue de la Liberté... à bord, soldats et marins poussaient des cris de joie en redécouvrant, découpée sur l'horizon, la ligne fantastique des gratte-ciel de Manhattan ; pour les saluer, des bateaux, affectés ordinairement à l'extinction des incendies, jaillissaient, tels des geysers, des jets d'eau dont les éclaboussures recouvraient la rade d'une mousse blanche. »

Tout, apparemment, était à l'allégresse, comme dans n'importe quelle ville des pays alliés. Mais les sentiments étaient-ils les mêmes à l'ouest et à l'est de l'Atlantique ? L'Amérique n'avait pas connu l'invasion ; ses villes avaient ignoré l'horreur des bombardements ; ses pertes en hommes étaient relativement faibles ; pour beaucoup la guerre avait surtout signifié la fin du chômage ; à la dépression avait succédé la prospérité. Sans trop se l'avouer, un grand nombre d'Américains se

9. « Congress for Racial Equality » (C.O.R.E.).
10. « National Association for the Advancement of Colored People. »

demandaient si ce qui les attendait vaudrait ce qu'ils avaient connu ; puis, songeant aux souffrances de millions d'êtres, leur générosité naturelle éveillait en eux un vague sentiment de culpabilité.

Toutefois, on s'occuperait plus tard du reste du monde. Les perspectives nationales n'étaient pas rassurantes. Qu'allaient devenir les dix millions d'ouvriers travaillant dans les usines de guerre et les douze millions de mobilisés impatients de retrouver leurs foyers ? Une semaine après la victoire, on comptait déjà un million de chômeurs de plus, conséquence de l'annulation immédiate par le gouvernement fédéral de contrats d'une valeur de trente-cinq milliards. Les experts, gens prudents, sachant qu'il y a toujours avantage à prévoir le pire, annonçaient une aggravation inévitable de la situation. Le fonctionnaire chargé des problèmes de la reconversion remit à Truman en septembre 1945 un rapport dont la lecture ne dut pas être agréable au Président. Il y était affirmé que, dans les trois prochaines années, on recenserait cinq millions de chômeurs et que leur nombre pourrait s'élever à huit millions, ou plus, au printemps de 1946 : ainsi serait-on revenu au niveau d'avant Pearl Harbor.

Il n'en fut rien. Les États-Unis s'étaient adaptés avec une rapidité stupéfiante aux besoins d'une production de guerre[11] ; ils retrouvèrent avec la même aisance leurs structures du temps de paix. Une fois de plus, laissée à elle-même, la libre entreprise révéla son étonnante souplesse. En 1946, il y avait moins de chômeurs qu'en 1942, époque où le programme d'armements commençait à faire sentir ses effets[12].

En 1920, les Américains avaient souhaité « *back to normalcy* », « le retour à la vie normale » ; en 1945, leurs revendications exprimaient le même désir : « *business as usual* », « les

11. Voir ch. III.
12. 2 660 000 en 1942 ; 2 270 000 en 1946.

affaires comme d'habitude ». La Seconde Guerre mondiale aurait-elle été comme la Première un épisode dans leur histoire, ne provoquant chez eux que des réactions négatives ? A première vue, on pourrait être tenté de le croire. Mais ici, il faut nuancer les jugements, et aux apparences opposer les réalités.

Lisons la Constitution. Aucun changement ne lui a été apporté depuis 1933 [13], et l'amendement suivant ne sera ratifié qu'en 1951 [14]. Faut-il en conclure que les institutions fonctionnent comme du temps de Hoover ? En fait, l'équilibre des pouvoirs s'est sensiblement déplacé au profit de l'Exécutif et au détriment du Législatif.

Un ensemble de circonstances y ont contribué. D'abord, la personnalité de Roosevelt qui entoura la présidence d'un prestige inconnu depuis longtemps. Ensuite la guerre, laquelle, par la force des choses, amplifia de manière démesurée les attributions gouvernementales. Cette évolution n'aurait peut-être été que passagère si la jurisprudence ne lui avait pas apporté la sanction du droit. A deux reprises, en 1936 et 1937, la Cour suprême, note le Pr Schlesinger Jr., posa le principe qu'une différence « fondamentale » existe entre les prérogatives du Président en politique intérieure et extérieure. Dans le premier cas, elle avait rappelé que les pouvoirs de l'Exécutif lui sont conférés expressément par la Constitution ; auxquels il faut ajouter, cependant, ceux qui se révèlent nécessaires pour l'exécution légitime desdits pouvoirs. Le principe est tout autre, continuait la Cour, lorsqu'il s'agit des Affaires étrangères. Alors, le Président, seul compétent parce que seul informé, est seul qualifié pour parler et agir au nom du pays. Ainsi avait été affirmée l'idée que l'Exécutif est habilité à se réclamer moins de la Constitution que de la souveraineté qu'il incarne. Ainsi, sans que les textes eussent été modifiés, avait été ébauchée la notion d'une « présidence impériale », dont les années d'après-guerre révéleront l'importance.

Tournons-nous maintenant vers la société et ses modes de

13. Date du 21e amendement supprimant la prohibition.
14. Voir p. 295.

vie. Nous y découvrirons le même contraste entre ce que l'on aperçoit et ce qui reste caché.

Quelques chiffres, d'abord. En quatre ans, le produit national brut est passé de 125 milliards à 214. La population active ne dépassait pas 45 millions en 1941 ; elle atteint 66 millions en 1945. Salaires et profits ont parallèlement progressé. La structure sociale ne s'est guère modifiée ; l'Amérique est toujours un pays capitaliste, dont les hiérarchies, cependant très accentuées, sont tempérées par la familiarité des manières. Dans le domaine politique, un démocrate était à la Maison Blanche au moment de Pearl Harbor. C'est encore un démocrate qui détient la présidence lorsque le conflit se termine.

Voilà les apparences : voici les réalités.

Derrière cette façade, étrangement semblable à celle d'avant-guerre, des courants souterrains, invisibles et puissants, sont en train de modeler une autre Amérique. Les démocrates, disions-nous, tiennent l'Exécutif, mais ils sont à la veille de perdre le Congrès ; en 1946, pour la première fois depuis dix-huit ans, les républicains disposeront de la majorité dans les deux Chambres. Élection significative. Le pays, qui semble n'aspirer qu'à « business as usual », est agité de remous multiples, lesquels, quinze ans plus tard, aboutiront à la violence. D'autre part persistent les tendances conservatrices, dont la guerre n'a nullement atténué la traditionnelle vitalité. Les syndicats ont beau annoncer des chiffres de victoire — 10 millions de membres en 1940, 14 millions en 1945 —, leur influence n'est plus la même qu'au zénith de l'ère rooseveltienne. Un climat de confiance s'est peu à peu créé entre les hommes d'affaires et le gouvernement. Beaucoup, parmi les premiers, se sont résignés aux réformes et n'ont plus l'intention de les contester. Les politiciens ont, eux aussi, fini par comprendre qu'entre une administration de plus en plus envahissante et des entreprises de plus en plus puissantes, la coopération était indispensable. Ainsi s'est établie, sans que personne tienne à l'avouer, une sorte de complicité tacite entre « Big Government » et « Big Business ».

Est-ce à dire que des aspirations généreuses du New Deal

rien ne subsiste ? Mais les États-Unis ne seraient plus les États-Unis si, même confusément, ils ne souhaitaient pas sans cesse plus de justice et moins d'inégalités. La société d'après-guerre est toujours hiérarchisée, avons-nous observé, mais l'écart commence à se combler entre les plus riches et les plus défavorisés. Les amateurs de statistiques apportent ici maintes précisions. Tenons-nous-en à l'essentiel. On peut, croyons-nous, admettre que les salaires les plus bas s'accrurent de près de 70 % pendant la guerre, alors que les revenus les plus élevés ne bénéficièrent que d'une hausse d'environ 20 %. Il semble aussi exact que la part du revenu national dont disposaient en 1940 5 % de la population tomba en cinq ans de 26 % à 16 %. Simultanément, ajoute le Pr Kirkendall, à qui nous empruntons ces chiffres, les classes dites moyennes doublèrent leurs effectifs, les conséquences étant que, en 1945, elles représentaient un tiers de la population.

Cette redistribution de la richesse, tendant vers l'égalisation des conditions, coïncida avec une similarité accrue des modes de vie. On sait à quel point les Américains sont peu sédentaires. Ils en fournirent la preuve dans les quatre années qui s'écoulèrent après Pearl Harbor. On évalue à vingt-sept millions les personnes qui, alors, changèrent de domicile. De gigantesques migrations se produisirent, les Noirs quittant le Sud pour s'installer dans le Nord, les Blancs attirés par l'Ouest : de cinquième dans la liste des États en 1940, la Californie était devenue deuxième en 1945. Trouvant l'occasion de se rencontrer davantage, les Américains s'uniformisaient encore plus : ainsi, leurs différences avec les Européens ne purent que s'accentuer.

D'autres évolutions, que l'on perçoit à peine en 1945, mais dont l'avenir montrera l'importance, tendent, elles aussi, à créer une société nouvelle. D'abord, le rôle des femmes. Pour la première fois depuis le début du siècle, elles seront, en 1946, plus nombreuses que les hommes[15]. Surtout, elles jouent un rôle croissant dans la vie économique : à la fin de la guerre

15. 70 757 000 contre 70 631 000.

elles fournissent 36 % de la main-d'œuvre. Cette fois, les forces armées, qui ne les avaient acceptées que comme volontaires en 1917, les ont incorporées en unités régulières. L'une d'elles est colonel dans l'Aviation ; une autre reçoit ses trois galons dans la Marine. Promotions, malgré tout, symboliques. En 1945, les Américaines se contentent encore du pouvoir de fait qu'elles exercent traditionnellement, et n'aspirent nullement à une égalité de droits. On aurait beaucoup de peine à déceler dans la société d'alors une ébauche des « mouvements de libération féminine ».

Le problème sexuel n'est d'ailleurs pas une obsession. On l'aborde avec prudence. « Il est certain, écrit le Pr Curti, que la décennie de 1940 ne témoigne pas plus d'intérêt pour la sexualité que celle de 1920. » « La question, ajoute-t-il, était surtout utilisée dans un but commercial. » Lorsque le rapport Kinsey [16] parut en 1948, son tirage à 500 000 exemplaires résulta plus de la curiosité que d'un intérêt réel. Les traditions puritaines étaient loin d'être ébranlées.

Un sondage de la même époque révèle à quel point l'influence religieuse reste forte. 90 % des personnes consultées croient en Dieu, 76 % appartiennent à une Église, 90 % disent de temps à autres leurs prières, 50 % les disent fréquemment, près de 75 % croient à une vie future — et voilà bien l'optimisme américain ! —, trois cinquièmes de ces derniers s'attendent à aller au ciel...

Faut-il conclure ? Mais tout est contradictoire, informe, indécis dans cette Amérique d'après-guerre. A la surface, le

16. On sait que, se fondant sur trois mille cinq cents interviews, le biologiste Alfred Kinsey affirmait être parvenu à des conclusions scientifiques sur ce qu'il appelait le « comportement sexuel du mâle humain » (Sexual Behavior of the Human Male). Il devait en faire autant cinq ans plus tard pour « la femelle humaine ». Kinsey prétendait, dit le Pr Curti, que le « comportement sexuel des " mâles " américains avait été relativement stable depuis deux générations ». Ce qui dut quelque peu décevoir les tenants de la pensée freudienne, laquelle, aux États-Unis, n'avait guère dépassé le stade des balbutiements.

calme ; en profondeur, des bouillonnements. Seul, le recul de
l'histoire permet d'apprécier les différences qui opposent les
États-Unis d'avant et d'après Pearl Harbor. Un visiteur qui y
serait arrivé pour la première fois en 1941, puis y serait
retourné en 1945, se serait probablement imaginé qu'ils
n'avaient guère changé.

A l'observateur le plus artificiel une évidence se serait,
cependant, imposée. Quatre ans auparavant, le pays s'était
volontairement enserré dans des lois de neutralité qui, espérait-
il, lui interdiraient de se mêler des affaires d'autrui. Il est maintenant libre de ses mouvements, en face de responsabilités que,
loin d'esquiver, il accepte. Colosse nullement préparé au rôle
qui l'attend, débordant de bonne volonté, aux gestes mala-
droits. L'histoire offre peu d'exemples d'une pareille métamor-
phose : l'Amérique de 1939, repliée sur elle-même, espérait ne
pas faire parler d'elle ; celle de 1945 est décidée à ce que, partout, l'éclat de sa voix se fasse entendre.

Écoutons Truman, la guerre à peine finie. « Nous pouvons
nous dire que nous sortons de ce conflit la nation la plus puissante du monde, peut-être la nation la plus puissante de l'histoire. » L'énergie atomique n'était pas le seul fondement de
cette puissance. En 1945, les États-Unis ont à leur disposition
une armée magnifiquement entraînée par des combats sur des
champs de bataille aussi différents que ceux de l'Europe et de
l'Extrême-Orient, une Marine, égale, affirment les spécialistes,
à la totalité des escadres des autres grandes nations, une Aviation telle qu'il n'en a jamais existé, une capacité industrielle
sans rivale, des bases stratégiques qui, disposées autour du
monde communiste dans le Pacifique, l'Atlantique, la Méditerranée, assurent à l'Amérique le contrôle des océans.

En face de ce géant, que reste-t-il ? A l'ouest, le Japon est
anéanti et la Chine se débat dans le chaos. A l'est, l'Europe
n'est plus que le fantôme d'elle-même. La Grande-Bretagne
vient de donner la preuve de sa lassitude en se séparant de celui
qui fut l'artisan de sa victoire ; la France, meurtrie par quatre
années d'occupation, est secouée par des passions si violentes
qu'on peut la croire à la veille de l'anarchie ; au demeurant, à

Washington on continue à regarder de Gaulle avec méfiance ; l'Italie est quantité négligeable et l'Espagne, entourée de suspicion ; personne n'ose prévoir ce que deviendra l'Allemagne dont on est surtout préoccupé de sanctionner les crimes. Contrastant avec cette poussière d'États, divisés et désarmés, l'empire soviétique, tache gigantesque sur la carte, s'étend de l'Oder au Pacifique, énigmatique, menaçant.

Cette puissance écrasante dont disposent les États-Unis, à quel usage l'employer ? Certains imaginent une *Pax americana* ; le XXe siècle finissant serait celui de l'Amérique, comme le XVIIe avait été celui de la France ou le XIXe celui de la Grande-Bretagne. Conception simpliste, qui n'attire que quelques théoriciens. Les vainqueurs de 1945 ne sont pas victimes d'une crise d'impérialisme telle que l'avaient connue leurs ancêtres cinquante ans plus tôt après la guerre hispano-américaine. Ils ont accédé à l'omnipotence malgré eux et ne savent trop qu'en faire. Une idée, cependant, les séduit, celle d'un monde unique, où le rêve américain serait devenu une réalité universelle. Un succès d'édition en porte témoignage : quand, en 1943, l'ancien candidat républicain à la présidence en 1940, Wendell Willkie, publia un récit de voyages qu'il baptisa *One World*, ce titre suffit pour que ce livre, d'une médiocrité désespérante, se vendît à un million d'exemplaires. Roosevelt exprimait parfaitement ce que ressentait la grande majorité de ses compatriotes, lorsque dans un de ses derniers messages au Congrès le 1er mars 1945, six semaines avant sa mort, il se grisait d'illusions. Écoutons-le : « La dernière conférence[17] marque la fin des systèmes d'actions unilatérales, d'alliances exclusives, de sphères d'influence, la fin aussi du prétendu équilibre des forces, en un mot de tous les expédients qui ont été essayés pendant des siècles... et ont toujours échoué. Nous nous proposons de les remplacer par une organisation universelle dans laquelle toutes les nations aimant vraiment la paix[18] trouveront finalement leur place... »

17. Il s'agit de Yalta...
18. « *All the peace-loving nations.* »

Hélas! Nous dirons comment le beau rêve d'un monde unique se traduisit dans la réalité par un monde plus divisé que jamais.

L'histoire ne s'arrête pas aux hypothèses. Il est difficile, malgré tout, de ne pas se demander ce que les pays occidentaux seraient devenus si les États-Unis de 1945 n'avaient pas eu à leur tête un homme de la trempe de Harry Truman.

Lorsqu'il arrive au pouvoir, le trente-troisième président va avoir soixante et un ans. Il est né le 3 mai 1884 dans un village du Missouri, Lamar. Ses grands-parents s'étaient établis dans la région une quarantaine d'années plus tôt, venant de la Virginie et du Kentucky. Typique de l'atmosphère d'alors, ses parents changeront de résidence trois fois en six ans. Independence au nom symbolique devint leur domicile permanent en 1890. C'était encore une de ces petites villes du style « *frontier towns* » que le cinéma a immortalisées. Des rues non pavées, au centre, le tribunal, toujours de style grec, la demeure du maire et du shérif, l'école, deux ou trois églises, quelques bureaux d'hommes d'affaires et d'avocats, puis les magasins. La liste des commerçants était toujours la même : tanneurs, cordonniers, forgerons, charpentiers, maçons, tailleurs, couturières, marchands de meubles, meuniers, négociants.

Le père de Harry s'était spécialisé dans le commerce des mules. Il ne semble pas avoir exercé grande influence sur son fils aîné, qui apprit cependant de lui un langage coloré, entrecoupé de jurons, par lequel les hommes d'alors espéraient affirmer leur virilité. Rien n'indique que Truman, Sr. ait ainsi réussi à impressionner son épouse... Créature énergique à qui le Président voua un véritable culte. Pendant la Guerre Civile, elle avait été internée par les troupes fédérales à Kansas City dans ce que son fils qualifie de « camp de concentration ». Elle ne mâchait pas ses mots et trouva, paraît-il, que la mort de Lincoln était « une bonne chose »... Au demeurant, baptiste invétérée, profondément religieuse, elle inculqua à ses trois enfants[19] le sens du devoir et leur donna l'habitude d'une vie simple.

« Independence », nom qui restera magique pour Truman. « Tout le *Moi* en moi se trouve dans ce petit village du Missouri juste au milieu du globe », aimait à dire Mark Twain en parlant de « son » Hannibal où il passa ses premières années. Truman citait volontiers cette remarque et se l'appropriait. Son enfance fut celle d'un petit garçon volontiers solitaire, que sa myopie condamnait à porter des lunettes et qui redoutait les moqueries de ses camarades. Deux passions semblent l'avoir animé très jeune : la musique — il jouera convenablement du piano — et, plus encore, la lecture. Il prétendait avoir lu les trois mille volumes de la bibliothèque locale, « encyclopédies comprises », précise-t-il. L'histoire surtout l'attirait, quelle que soit l'époque. « Il parlait de Marc Aurèle, de Henri de Navarre, de Thomas Jefferson, de Andrew Jackson comme s'il s'agissait d'amis ou de voisins. »

En dehors de ce qu'il apprit par lui-même, son instruction dut être assez rudimentaire ; en tout cas, elle ne dépassa pas le niveau de la « high school » d'Independence. A 17 ans, elle était terminée. Pendant cinq ans il trouve un emploi, tantôt dans une compagnie de chemins de fer, tantôt dans une banque. La vie militaire l'intéresse ; on l'enrôle comme volontaire dans une batterie d'artillerie de la Garde Nationale. Mais la terre le tente avant tout. De 1906 à 1917, il travaille dans l'exploitation familiale où avaient vécu ses grands-parents.

Il a 33 ans lorsque les États-Unis entrent en guerre. Quelques mois d'entraînement, puis en France en mars 1918, comme capitaine d'une batterie de 75. Son régiment est envoyé dans les Vosges. Baptême du feu peu glorieux qu'il raconte avec franchise : « Au premier bombardement, mes hommes furent pris de panique ; à l'exception de cinq ou six ils se dispersèrent comme des perdrix... » Mais le commandant de la batterie D du 129e régiment d'artillerie de campagne sut réta-

19. Truman avait un frère de deux ans plus jeune que lui, et une sœur dont il était l'aîné de cinq ans.

blir l'ordre. Son unité participa aux offensives de Saint-Mihiel et de l'Argonne. Il n'oubliera jamais la nuit qui suivit l'armistice : il est réveillé par les artilleurs d'une batterie française qui défilent devant son lit au cri de « Vive le président Wilson ! Vive le capitaine d'artillerie américain ». De quelques jours à Paris il garde un souvenir nuancé. On l'emmène aux Folies-Bergère : il juge le spectacle « dégoûtant ».

En mai 1919, il retrouve la paix de son cher Independence. Depuis plusieurs années il était amoureux d'une de ses camarades d'école, Bess Wallace. Il l'épouse, l'emmène en voyage de noces à Chicago, connaît le bonheur et ne sait trop de quoi ils vivront. Il avait mis de côté quinze mille dollars. Il les investit dans une affaire de chemiserie. Les débuts sont brillants, mais trois ans plus tard, l'affaire est en faillite. Il approche de la quarantaine. Sa femme et sa fille (plus « une insupportable belle-mère », précise un historien) sont à sa charge. C'est le moment de se rappeler Marc Aurèle. « Chaque fois que l'on me demandait de mes nouvelles, je répondais systématiquement que tout allait très bien. »

C'est ici, d'ailleurs, en 1922, que va commencer la carrière pour laquelle Harry Truman était fait. Un « boss » local, « Tom » Prendergast, de fâcheuse réputation [20], le prend sous sa protection. Il a senti que ce raté de la chemiserie est un animal politique. L'expérience prouve qu'il voyait juste. Pendant douze ans, le futur Président apprend, dans leurs moindres détails, les problèmes de l'administration locale. Il se fait un personnage d'« homme de gauche » modéré. Pourquoi ne pas tenter le Sénat ? Il y est élu en 1934, et devient vite une des personnalités les plus populaires du Capitole : beaucoup d'amis, peu d'ennemis. On a lu comment il présida une commission d'enquête sur le programme de défense nationale, comment, en 1944, cet homme qui n'effrayait personne parut à Roosevelt un vice-président idéal.

---

20. Il fut mis en prison pour fraude fiscale en 1939. Précisons que Truman ne fut jamais accusé de malhonnêteté.

Le voilà à la Maison Blanche. Son horaire est rigoureux. Réveil à 6 heures ; à 7 heures, quel que soit le temps, quarante-cinq minutes de marche rapide, entouré d'agents du Service secret et suivi de journalistes essoufflés et curieux ; à 8 heures, petit déjeuner familial ; au plus tard à 9 heures, au travail, dans le Bureau Ovale ; toute la matinée, des rendez-vous, généralement de dix minutes en dix minutes : malheur aux bavards ! Dans l'après-midi, conférence avec les membres du Cabinet et ses autres collaborateurs ; surtout, lecture intensive des journaux et des documents officiels. Le soir, parfois une partie de poker avec de bons camarades, arrosée du bourbon traditionnel ; le plus souvent, s'il n'y a pas de réception, le Président reste avec sa femme et sa fille.

Truman était en effet un homme de famille à un point exceptionnel. A peine a-t-il prêté serment le 12 avril 1945 qu'il téléphone dans le Missouri à sa mère, âgée de 91 ans. A peu près toutes les semaines, il lui écrit. Rien de plus touchant que ces lettres, où nouvelles politiques et personnelles se mélangent, en créant une impression extraordinaire de spontanéité. Feuilletons-en quelques-unes. Peu de jours après la mort de Roosevelt : « J'ai prêté serment sur une Bible qu'on a eu une certaine peine à trouver... Si j'avais prévu ce qui allait se passer j'aurais fait venir celle de "Grandpa Truman"... Nous aurions aimé rentrer dans notre appartement, mais on nous a dit que c'était impossible... notre mobilier y est encore... j'ai payé un mois d'avance... » 21 avril : « Il m'a fallu prendre des décisions moins d'une heure et demie après que j'ai prêté serment ; je ne fais que cela depuis lors... » 29 avril : « J'espère que les journalistes ne vous empoisonnent pas la vie... Je vous écris avant que personne ne soit réveillé. » 6 juin : « Je me prépare à rencontrer Staline et Churchill. C'est une corvée... il faut que j'emporte mon smoking et mon habit... » 13 juin : « Nous nous installons. J'ai déplacé mon bureau entre les fenêtres ; on a posé les rideaux dans notre chambre à coucher... Je vais prendre mon petit déjeuner avec Mr. Hopkins, Mr. Davies et l'amiral Leahy. » 16 juin : « Le général Patch m'a donné le bâton de maréchal de Goering... C'est un enfer d'être président. » De

Potsdam, 30 juin : « Je n'ai jamais rencontré de gens aussi têtus que ces Russes... »

Et bien d'autres. Truman entourait d'une même affection les quatre femmes de son entourage : sa mère, sa sœur, sa femme, sa fille. Mlle Truman, *alias* Margaret, se plaisait à chanter en public, mais n'avait guère de talent. Un journaliste osa la critiquer. Il reçut du Président une lettre d'une telle grossièreté que la plume se refuse à la reproduire.

Car Truman n'avait pas le caractère facile et la verdeur de son langage était légendaire. Il avait en horreur les hésitations prolongées et, après un temps de réflexion aussi court que possible, prenait sa décision. A Potsdam, Anthony Eden fut frappé par les manières décidées du nouveau président des États-Unis : « Il semble aimer les méthodes de travail des hommes d'affaires, en contraste avec son prédécesseur qui préférait l'improvisation. » Effectivement, Truman était fort systématique. « Il demandait à ses collaborateurs de lui préciser de quel délai il disposait pour choisir entre les solutions qu'ils lui proposaient ; l'échéance venue, sa résolution était prise et il n'éprouvait jamais de regrets [21]. » Il avait placé sur sa table de travail deux écriteaux porteurs de deux inscriptions. L'une était brève et toute traduction lui enlèverait sa saveur : « *The buck stops here* [22] » ; l'autre, plus longue, de Mark Twain : « Faites toujours ce qui est bien : cela fera plaisir à quelques-uns et stu-

---

21. Dean Acheson (voir p. 198) raconte à ce sujet une anecdote significative. « J'accompagnai un jour Oppie (il s'agit de Robert Oppenheimer, " le père " de la bombe atomique) dans le bureau du Président. Oppie se tordait les mains et disait : " J'ai du sang sur ces mains. " Lorsque je me trouvai seul avec Mr. Truman, sa réaction fut vive. " Ne me ramenez jamais cet espèce d'imbécile (l'américain est plus fort : ' *That damn fool* '), me dit-il. Ce n'est pas lui qui a fait exploser la bombe : c'est moi. Ce genre de pleurnicheries m'écœure. " J'éprouvais un peu la même sensation », conclut Acheson.

22. L'expression « *passing the buck* » signifie se décharger sur un autre d'une responsabilité. Elle a pour origine le poker. Le « *buck* » était un couteau que se passaient les joueurs ; à un certain moment, celui devant qui il était placé était forcé de dire son jeu.

péfiera les autres[23]. » Tout au début de son mandat, Truman manquait malgré tout d'assurance. « Être Président, disait-il, c'est comme avoir un tigre pour monture. Ou l'on tient bon, ou l'on est dévoré. » Pour accomplir une telle performance, des conseils ne lui paraissaient pas superflus. Il sollicitait l'avis de Mme Roosevelt « comme s'il avait consulté un médium ». Mais d' « Eleanor » et des autres il se passa vite. On le vit parfaitement sûr de lui dans ses conférences de presse, dédaignant le ton de plaisanterie qu'affectionnait F.D.R., répondant avec le maximum de franchise, fort capable de rappeler aux convenances un journaliste impertinent.

Car ce Président d'occasion avait une haute idée de la dignité de sa fonction. Il la puisait plus dans son sens de l'histoire que dans ses idées politiques. Celles-ci étaient vagues. On a dit de lui méchamment qu'elles consistaient en « une étrange combinaison de conservatisme sans âme et de libéralisme sans éclat ». Il était, d'abord et avant tout, un démocrate, ayant peine à concevoir que l'on puisse être républicain. Non qu'il éprouvât pour ses adversaires le moindre sentiment de haine ; ils lui inspiraient plutôt de l'étonnement, mêlé d'une certaine dose de méfiance. Homme avant tout de bon sens, les actes l'intéressaient plus que les mots. Pâle figure, dira-t-on, à côté de son prédécesseur. Truman n'aurait pas été le Président qui convenait aux États-Unis en 1933 : il fut exactement celui dont le pays avait besoin en 1945.

23. « *Always do right. This will gratify some people and astonish the rest.* »

11.

L'agonie
d'une « étrange alliance¹ »

LE « FAIR DEAL ». — ATMOSPHÈRE PEU PROPICE AUX
RÉFORMES. — HAUSSE DES PRIX ET GRÈVES. — ATTITUDE
ÉNERGIQUE DE TRUMAN. — SUCCÈS ÉLECTORAUX DES
RÉPUBLICAINS. — IMPORTANCE DES QUESTIONS
EXTÉRIEURES. — HÉSITATIONS DU PRÉSIDENT. —
CONFÉRENCES DE LONDRES ET DE MOSCOU. — DISCOURS
MENAÇANT DE STALINE. — CHURCHILL ET « LE RIDEAU
DE FER ». — « LE LONG TÉLÉGRAMME ». — ADOPTION
D'UNE POLITIQUE PLUS INTRANSIGEANTE. — ÉCHEC DU
PLAN BARUCH SUR L'ÉNERGIE ATOMIQUE. — COMPLEXITÉ
DU PROBLÈME ALLEMAND. — BYRNES DÉFINIT UNE NOU-
VELLE LIGNE DE CONDUITE. — SIGNATURE DE TRAITÉS DE
PAIX AVEC LES ANCIENS ALLIÉS DE L'ALLEMAGNE. —
GRAVITÉ DE LA SITUATION EN GRÈCE ET EN TURQUIE. —
« LA DOCTRINE DE TRUMAN ». — INTERPRÉTATIONS ET
CONSÉQUENCES.

Les thuriféraires de Roosevelt s'inquiétaient : son successeur allait-il renier son œuvre ? Truman était trop avisé pour
prendre ce risque. Il tenait d'autant plus à se poser en continua-

1. Nous empruntons cette expression au général Deane, qui commanda
pendant la guerre la mission militaire américaine à Moscou.

teur du New Deal que son instinct le poussait à empêcher le
pays de glisser plus avant sur la pente où F.D.R. l'avait engagé
à Téhéran et à Yalta. Convoquant le Congrès en session spéciale, il lui envoya dès le 4 septembre un interminable message[2] en vingt et un points suivant la mode américaine. Il
n'avait rien omis des thèses chères aux « libéraux » : principes
du plein emploi et de l'égalité de l'embauche entre gens de couleur et Blancs, augmentation de plus de moitié du salaire minimum, construction de quinze millions d'habitations à l'aide de
subsides fédéraux, prorogation pour un an des pouvoirs présidentiels de guerre, etc. Pour faire bonne mesure, le Président,
deux mois plus tard, prit l'initiative d'un programme
d'assurance-maladie. Enfin, complétant ce qu'il se plaisait à
appeler le « Fair Deal[3] », une loi de février 1946 confirma que
l'emploi maximum (on ne disait plus le « plein emploi ») et la
défense du pouvoir d'achat seraient les objectifs essentiels de la
politique gouvernementale.

Ce qui ne voulait pas dire grand-chose, et, au surplus,
n'avait qu'une valeur symbolique. Le « Fair Deal » ne dépassa
pas le stade des velléités. Le climat était peu favorable aux
réformes. A des problèmes plus urgents il fallait trouver une
solution. Des deux fléaux du monde contemporain, chômage et
inflation, le premier, seul, avait été maîtrisé[4]. Le second se
révélait chaque jour plus menaçant. Une frénésie d'achats, faci-
litée par une accumulation d'épargne restée inutilisée, exerçait
sur les prix une pression croissante. Fallait-il conserver l'organisme de contrôle créé peu de temps après Pearl Harbor ?
Convenait-il de faire confiance à la libre concurrence ? La pire
solution fut adoptée : le maintien d'une administration à
laquelle on enlevait la plupart de ses moyens d'action[5]. Le

2. « Seul Theodore Roosevelt en avait signé de plus longs », écrit un
amateur de précisions.
3. Imité du « Square Deal » de « Teddie » Roosevelt et du « New Deal »
de F.D.R.
4. Voir p. 179.
5. L'Office of Price Administration (« O.P.A. ») mourut d'une mort lente
en novembre 1946.

Pr Divine estime que dans le courant de l'été 1946 la hausse des prix correspondait à un rythme annuel de 38 %.

Comme il était inévitable, les grèves s'étaient multipliées depuis la fin de la guerre. On évalue à plus d'un million et demi, au début de 1946, le nombre d'ouvriers qui avaient cessé le travail. Au printemps, la situation faillit devenir tragique. Pour la première fois, une grève générale des chemins de fer semblait imminente ; simultanément, la production des mines de charbon fut arrêtée. Le pays risquait de se trouver paralysé. La crise fournit à Truman l'occasion de montrer de quel métal il était fait. Écoutons-le : « Les syndicats sont devenus fous et, par leur égoïsme, les patrons ne sont pas loin non plus de l'être. »

Mais il n'était pas homme à se contenter de mots. A la tête du syndicat des cheminots se trouvait un des plus ardents protagonistes du New Deal, Alexander Whitney, avec qui le sénateur du Missouri avait entretenu d'excellentes relations. Il le convoqua à la Maison-Blanche ainsi que son collègue Alvanley Johnson et proposa un arbitrage. Celui-ci fut refusé. La réaction ne se fit pas attendre. Le lendemain, 17 mai, réitérant une mesure prise pendant la Première Guerre mondiale, le gouvernement fédéral saisit les compagnies de chemins de fer. Seul résultat, huit jours plus tard, le trafic ferroviaire était pratiquement interrompu.

Puisque la nationalisation n'avait pas réussi, Truman n'hésita pas à envisager la mobilisation. L'Attorney general, qui reçut l'ordre de préparer un projet de loi, risqua quelques objections d'ordre constitutionnel. Son chef ne fut nullement impressionné : « Commençons par mobiliser les cheminots, et nous réglerons après la question juridique. » Le samedi 25 mai 1946 est resté célèbre dans les annales politiques américaines. Truman avait décidé de se rendre devant les deux Chambres réunies et d'y lire le texte par lequel il leur demandait des pouvoirs exceptionnels. « Il y reçut l'accueil réservé aux héros et une ovation telle qu'il n'en avait jamais connue. » Simultanément, ses collaborateurs négociaient avec les chefs syndicaux dont Truman dénonça « l'arrogance obstinée ». L'effet de sur-

prise était-il calculé ? Résulta-t-il d'un hasard ? Au moment
même où le Président prononçait les paroles décisives : « Je
demande au Congrès l'autorisation d'enrôler dans les forces
armées tous les travailleurs qui sont en grève contre leur gouvernement », on lui passa une note hâtivement écrite. « Je viens
juste d'être avisé, dit-il, que la grève des chemins de fer est terminée, aux conditions posées par moi. » Un tonnerre d'applaudissements accueillit ses paroles.

L'affaire des mines ne se régla pas aussi facilement. Truman
avait en face de lui un des personnages les plus pittoresques de
l'histoire syndicale, le fameux John L. Lewis, partisan enthousiaste d'abord, puis adversaire acharné de F.D.R. On l'a
décrit : « Une démarche majestueuse ; un physique impressionnant : une masse de cheveux gris et noirs, des yeux perçants
sous d'immenses sourcils. Lorsqu'il fronçait ceux-ci, il se dégageait de sa personne une férocité quasi olympienne, à laquelle
contribuait sa voix de baryton. » Le Président le détestait. « J'ai
peine à comprendre, écrivait-il à un ami, ce qui peut justifier la
présence simultanée sur terre de Molotov et de John Lewis, se
bousculant pour savoir qui sera le mieux l'image vivante de
Satan. » Il allait perdre une première bataille dans sa lutte avec
le représentant du diable. Le gouvernement saisit les mines
comme il avait fait pour les chemins de fer. Sur ce, les mineurs,
comme les cheminots, refusèrent de reprendre le travail. A la
fin de mai, Lewis réussit à obtenir un contrat qui lui donnait en
grande partie satisfaction. Truman croyait en avoir fini avec
lui. Mais il constata que l'on ne se débarrassait pas si facilement d'un tel adversaire. A la fin de novembre, nouvelle grève.
Il serait malséant de reproduire les commentaires dont cette
nouvelle fut entourée à la Maison-Blanche. On décida d'employer les grands moyens. Les juristes rappelèrent l'existence
d'un texte du temps de guerre interdisant les grèves dans toute
entreprise nationalisée. Le Président décida d'utiliser ces dispositions. Lewis fut cité en justice. Il refusa de comparaître, ce
qui lui valut une amende de $ 10 000[6], à laquelle s'ajouta une

6. Pour « mépris de la Cour ». La procédure du « contempt of court » est
une des plus redoutables de la jurisprudence américaine.

pénalité de $ 3 500 000 [7] visant son syndicat. Le 7 décembre, l'envoyé de Satan capitulait.

Victoire compensatrice de la défaite que, un mois plus tôt, Truman venait de subir aux élections biannuelles. Le slogan laconique que les Républicains avaient adopté : « N'en avez-vous pas assez [8] ? », et l'intensité du courant anti-communiste dont ils s'étaient fait les porte-parole leur valurent un succès dont ils avaient perdu l'habitude. Ils se trouvèrent 246 contre 188 à la chambre, 51 contre 45 au sénat. Ce Congrès, foncièrement conservateur, était bien décidé à ne pas rendre la vie facile au continuateur de Roosevelt. Au demeurant, l'indice de popularité du Président était tombé de 87 % à 32 %. Cette situation ne le décourageait en rien. « C'est la meilleure chose qui ait pu m'arriver », confia-t-il à un collaborateur ébahi, parlant du scrutin du 5 novembre. Pour un homme aussi batailleur, mieux valait, en effet, avoir affaire à des ennemis décidés qu'à des amis incertains. Puis, le Harry Truman de décembre 1946 n'était pas celui d'avril 1945. Un de ses confidents les plus intimes, Clark Clifford, analyse son état d'âme : « Je pense que cette épreuve de force avec John L. Lewis représente le moment précis où Truman, finalement et irrévocablement, se libéra de l'ombre de F.D.R. pour devenir un Président par lui-même... Je peux vous assurer qu'il y eut désormais une grande différence dans sa manière d'être. Il était enfin son propre patron [9]. »

Les Soviets allaient s'en apercevoir. Leurs représentants étaient d'ailleurs trop intelligents pour ne pas s'être déjà rendu compte que depuis la disparition de Roosevelt l'atmosphère de la Maison-Blanche avait progressivement changé à leur plus grand désavantage.

---

7. Dont le principe fut approuvé par la Cour suprême, qui réduisit toutefois le montant à $ 700 000.

8. L'américain est plus ramassé : « *Had enough ?* »

9. « *He was his own boss at last.* »

Au cours des dix-huit premiers mois de son accession au pouvoir, on peut, semble-t-il, distinguer trois périodes dans la politique extérieure de Truman. La première est caractérisée par un certain flottement ; dans la deuxième, le Président a pris sa décision et agit en conséquence ; la troisième lui fournit l'occasion de donner à sa pensée la forme d'une « doctrine » dont les États-Unis supporteront les conséquences pendant un quart de siècle.

James Byrnes est Secrétaire d'État jusqu'au début de 1947. A sa nomination, en avril 1945, il a 66 ans. Il a été membre de la Chambre des représentants pour la Caroline du Sud pendant quinze ans, puis sénateur onze ans. En 1941, bien que opposé au New Deal depuis 1936, Roosevelt le nomme juge à la Cour suprême. Il n'y reste que quelques mois. L'année suivante, F.D.R. lui confie le soin de mettre un peu d'ordre dans les innombrables services qui s'occupent de la production et des prix. Le Président a suffisamment de confiance en lui pour l'emmener à Yalta. C'est à peu près sa seule expérience de l'étranger. Mais sa vie au Capitole lui a appris l'art de la négociation. Fort sûr de lui, il ne craint pas les initiatives et certaines d'entre elles lui aliéneront les sympathies de Truman.

A ses côtés, le sous-secrétaire d'État, Dean Acheson, n'est pas disposé à jouer les seconds rôles. Beaucoup plus jeune — 52 ans en 1945 —, il est typique de ces diplomates américains enclins à prendre pour modèle leurs collègues britanniques. Il s'habille comme eux, affecte leur allure, et il ne lui déplairait pas que son accent de Yale pût être pris pour celui d'Oxford. M. Jean Chauvel a donné de lui une description pittoresque, à la tribune des Nations Unies : « Il était sûr de son jugement et des moyens dont disposaient les États-Unis pour y donner les sanctions appropriées. Élégant, grand, portant beau..., assenant sur les délégués le regard de ses yeux bleus, sans peur et sans reproche, frappant à chaque mot des deux mains le rebord de la tribune, quand il disait : " You must do this ! ", chacun pouvait entendre la voix de l'Ancien Testament. »

Truman confondait volontiers la décision réfléchie et l'impulsivité. Moins d'un mois après son arrivée au pouvoir, il arrêta sans le moindre préavis les versements du prêt-bail. Les protestations des bénéficiaires furent telles qu'il annula, non moins précipitamment, sa décision, quitte à la confirmer, cette fois de manière définitive, après la capitulation du Japon.

Il ne semble pas avoir été question de ces problèmes au cours de la visite que de Gaulle fit à Washington les 22, 23 et 25 août 1945 [10]. Comme à l'accoutumée, les divergences profondes furent qualifiées de malentendus superficiels. Tout en déplorant que le nouveau président des États-Unis « considérât sous l'angle d'une optique simplifiée... les problèmes compliqués de notre antique univers », le Général lui accorda une sympathie condescendante : « J'emportais l'impression d'un chef d'État bien à sa place, d'un caractère ferme, d'un esprit tourné vers le côté pratique des affaires, bref, de quelqu'un qui sans doute n'annonçait pas des miracles, mais sur qui, dans les cas graves, on pourrait certainement compter. » En un mot, l'anti-Roosevelt... Le bénéficiaire de ces appréciations ne dut pas garder un souvenir durable de ces entretiens, car il n'en est pas fait mention dans ses *Mémoires*. Les relations avec la France étaient évidemment un problème mineur à côté de ceux que posait la Russie soviétique.

Sur ce sujet, Truman semble avoir été agité pendant plusieurs mois de sentiments complexes. On doutait de lui. « La force ne lui manquera-t-elle pas ? » se demandait l'ancien Secrétaire d'État Stettinius ; le général Marshall réservait son jugement : « Nous ne saurons ce qu'il est réellement que dans un moment de tension » ; un des fidèles de F.D.R., Harold Ickes, Secrétaire de l'Intérieur, se rassurait comme il pouvait : « Il est vigoureux, au point de vue physique et mental, même s'il n'a pas grande profondeur. » Le nouveau Président était parfaitement conscient des difficultés de sa situation. Donner

10. « Depuis trois mois, affirme-t-il, Truman demandait à me rencontrer. »

l'impression qu'il n'avait d'autre politique que celle de son prédécesseur lui parut, au début, la seule attitude raisonnable. Faut-il ajouter qu'elle concordait avec sa loyauté de démocrate, pour lui la vertu capitale de tout homme politique [11] ?

Ainsi était-il conduit à se demander s'il ne convenait pas de continuer « le Grand Dessein », c'est-à-dire la pacification du monde par une entente russo-américaine. Son instinct, toutefois, le rendait sceptique à l'égard de plans d'une si vaste envergure. Méfiance naturelle que son expérience de Potsdam accentua. D'ailleurs, les rapports de son ambassadeur à Moscou n'étaient pas encourageants [12]. Averell Harriman lui avait certainement rapporté une remarque extraordinaire de Staline. Il le félicitait de l'occupation de Berlin. Le dictateur « hésita un moment, puis répliqua : " Le Tsar Alexandre est allé jusqu'à Paris. " Je ne doute pas une minute, commente son interlocuteur, que, comptant sur le soutien de puissants partis communistes en Italie et en France, il aurait étendu sa domination jusqu'à l'Atlantique si nous n'avions pas agi pour l'en empêcher ».

Mais si l'on évoquait le passé, comment oublier une remarque de Roosevelt ? Stettinius — pourtant un de ses laudateurs les plus systématiques —, raconte que, le premier jour de la conférence de Yalta, le 4 février, Staline avait demandé à F.D.R. combien de temps les troupes américaines resteraient

---

11. Elle le conduisit à tolérer l'exécution d'une clause infamante des accords de Yalta. Anglais et Américains s'étaient engagés à livrer aux Soviets tous les citoyens russes qui tomberaient entre leurs mains. Soljénitsyne affirme que plus d'un million de personnes, réfugiés, émigrés, membres des unités russes qui avaient combattu les Soviets et non les Alliés, furent ainsi mises de force à la disposition de leurs futurs bourreaux. Ce drame est raconté en détail dans le livre de Lord Bethell, traduit en français sous le titre : *Le Dernier Secret* (1974), ainsi que dans celui du comte Tolstoï, *Les Victimes de Yalta* (1977).

12. Truman prétend que chaque soir il lisait un total de documents atteignant jusqu'à trente mille mots. Le représentant des États-Unis auprès des Soviets fut, comme tout diplomate, charmé de constater que, à la Maison-Blanche, ses rapports ne restaient pas dans les tiroirs...

en Europe : « Au maximum deux ans », avait répondu ce dernier. Remarque malencontreuse qui mettait son successeur en position de faiblesse. Au surplus, à voir la cadence à laquelle s'opérait la démobilisation américaine [13], les Russes étaient en droit de se demander si la faiblesse des effectifs de leurs anciens alliés ne les forcerait pas à faire bientôt une réalité des prévisions rooseveltiennes. Rien n'était plus contraire à la nature de Truman que de paraître céder. Devant les Soviets, il ne s'inclinerait donc pas. Mais il ne savait trop comment s'y prendre. A défaut d'actes, les mots lui servirent d'abord de parades. Il reçoit Molotov onze jours après son entrée en fonctions. « On ne m'a jamais parlé de la sorte », aurait déclaré son visiteur, après avoir subi les reproches du Président. L'anecdote est-elle vraie ? Truman, seul, la raconte. Même embellie, elle est, en tout cas, l'expression d'un état d'âme. Pendant les dix premiers mois de son mandat, le Président, manifestement cherchait une ligne de conduite qu'il ne parvenait pas à définir.

Deux conférences internationales n'aboutirent à aucun résultat. La première se réunit à Londres du 11 septembre au 2 octobre. Elle était supposée étudier les conditions des traités de paix avec la Finlande, la Hongrie, la Bulgarie et la Roumanie. Pour la première fois, la France participait à la discussion. Molotov demanda son exclusion, sous le prétexte qu'elle n'était plus en guerre lorsque ces quatre pays étaient devenus belligérants. « Byrnes et Bevin soutinrent Georges Bidault. Molotov s'obstina et la conférence s'ajourna dans le désordre », résume Robert Murphy qui faisait partie de la délégation américaine.

Le Secrétaire d'État tenta d'apaiser l'ogre soviétique en proposant une rencontre à Moscou comme pendant la guerre, limitée aux « Trois Grands ». Les conversations ne durèrent que dix jours, du 16 au 26 décembre. Les souvenirs d'une

---

13. L'historien Robert Donovan affirme qu'il y aurait eu des manifestations de soldats exigeant leur rapatriement « à Manille, Calcutta, Guam, Francfort, Paris, Le Havre, Vienne, Londres, Yokohama, Séoul, Honululu ».

fausse harmonie ne suffirent pas à masquer des divergences
maintenant évidentes. Staline fit une concession insignifiante :
il voulut bien accepter que quelques représentants de l'opposition fussent autorisés à siéger dans les Parlements roumain et
bulgare. En échange, Byrnes ne refusa pas l'entrée d'un représentant soviétique dans une Commission interalliée au
Japon [14]. Ce donnant, donnant fut mal reçu à Washington. Truman en voulait d'ailleurs à Byrnes de ne lui avoir pas rendu un
compte détaillé des négociations [15]. Il lui révéla sa pensée dans
une lettre restée fameuse. 5 janvier 1946 : « ... Si nous ne bran-
dissons pas devant la Russie un poing de fer et si nous n'usons
pas d'un langage énergique, une autre guerre éclatera... Ils ne
comprennent qu'une chose : "Combien avez-vous de divisions ? " Je ne pense pas que nous devions accepter d'autres
compromis... Je suis fatigué de chouchouter les Soviets [16]. »

Les trois premiers mois de 1946 allaient être décisifs dans
l'évolution de la pensée du Président.

La première Assemblée générale des Nations Unies, réunie à
Londres le 10 janvier, révéla l'intensité du conflit qui, moins
d'un an après la capitulation de l'Allemagne, opposait les vainqueurs. L'Iran, la Grèce, le Moyen-Orient furent l'objet de
controverses virulentes, lesquelles n'eurent d'autres conséquences pratiques que de fournir aux Soviets l'occasion de leur
premier veto.

C'était un piètre début pour une institution sur laquelle on
avait fondé de telles espérances. Un discours de Staline, le

14. Laquelle n'avait aucun pouvoir, MacArthur ne devait tenir compte
de ses avis que si « les exigences de la situation » le permettaient.
15. « Le seul message que j'ai reçu de lui n'avait rien d'un rapport
adressé au Président par un membre du Cabinet. Cela ressemblait plus à ce
qu'un associé écrit à ses collègues pour leur dire de ne pas se préoccuper et
que son voyage d'affaires se présente bien. »
16. « *I am tired of babying the Soviets.* »

9 février, laissa subsister peu d'illusions. Qu'était-il advenu de l' « Oncle Joe », en qui Roosevelt s'était plu à voir un démocrate potentiel ? Des lèvres du dictateur ne tombaient que des menaces. Il annonçait un accroissement de la production « pour faire face à toutes les éventualités », glorifiait l'Armée rouge et doutait que communisme et capitalisme fussent compatibles. Quelques jours plus tard, il s'exprima avec encore plus de franchise. Laissons la parole à Averell Harriman qui prenait congé de lui : « Lorsque je lui reprochai son manque de coopération, il me dit que le gouvernement soviétique avait décidé d'agir comme bon lui semblerait... Il est absolument certain qu'il a, en effet, reconsidéré l'idée d'une collaboration et qu'il est résolu à tenter une expansion communiste partout où il en verra la possibilité... »

Du côté américain, on réagit avec vivacité. 27 février, discours du sénateur Vandenberg, chef de l'opposition républicaine. « Nous nous le demandons en Mandchourie, nous nous le demandons en Europe orientale et aux Dardanelles, nous nous le demandons au Japon, et quelquefois même, en songeant à ce qui se passe à l'intérieur de notre pays : où la Russie veut-elle en venir ? » Le lendemain, discours de Byrnes, encore sous le coup des remontrances présidentielles : « Les États-Unis ne voudraient ni ne pourraient rester passifs si la force, ou même une menace de force, était utilisée contrairement aux objectifs et aux principes de la Charte des Nations Unies. »

Le hasard fit que Churchill se trouvait alors en Floride et que, sur les conseils de Truman, il avait accepté de prendre la parole le 15 mars dans un petit collège à Fulton, dans le Missouri. L'ancien Premier ministre était au mieux de sa forme. L'occasion lui parut excellente d'exprimer publiquement ce qui bouillonnait dans son esprit depuis de longs mois. Il semble très probable qu'il soumit son discours, ou du moins l'essentiel, au Président. Quoi qu'il en soit, celui-ci était à ses côtés quand les paroles fameuses furent prononcées : « De Stettin sur la Baltique à Trieste sur l'Adriatique, un rideau de fer a été dressé à travers le continent. Derrière cette ligne, toutes les capitales des anciens États de l'Europe centrale et orientale, Varsovie,

Berlin, Prague, Vienne, Budapest, Belgrade, Sofia, toutes ces villes illustres et leur population se trouvent dans ce que je pourrais appeler la zone soviétique... et de jour en jour ils sont soumis à une pression croissante de Moscou. » Et d'appeler « les peuples de langue anglaise à une association fraternelle », car « il n'y a rien que nos amis et alliés russes de la guerre admirent autant que la force, il n'y a rien qu'ils méprisent autant que la faiblesse... ».

Trois semaines plus tôt, la lecture d'un document avait convaincu Truman que l'ère des hésitations et des tâtonnements devait cesser. La «*get tough policy* [17]» correspondait à sa nature : il était désormais résolu à la pratiquer. Le 22 février était arrivé au Département d'État un télégramme de « quatre-vingt mille mots, divisé en cinq parties comme les sermons protestants du XVIIIᵉ siècle », écrit en souriant son auteur. Celui-ci était un diplomate de 42 ans, alors chargé d'affaires à Moscou, spécialiste des questions russes. Dans ce rapport qui fit sensation, et dont tout le haut personnel politique et administratif prit connaissance, George Kennan analysait avec lucidité la psychologie « névrosée » du Kremlin, faite d'un mélange de crainte et d'agressivité. Parlant des dirigeants soviétiques, « le marxisme, écrivait-il, est la feuille de vigne de leur responsabilité morale et intellectuelle. Sans lui, leur place dans l'histoire serait, tout au plus, celle des derniers descendants d'une longue et cruelle succession de chefs d'État russes ». Ils sont convaincus que le capitalisme, « avec lequel à longue échéance il ne peut y avoir, à leurs yeux, de coexistence pacifique permanente », cherche à les encercler. D'où la nécessité pour eux d'affaiblir les puissances occidentales, « en minant en particulier leur influence sur les peuples coloniaux et arriérés ». Conclusion encourageante de l'auteur : les Russes reculent toujours lorsqu'ils se heurtent à une forte résistance. Il faut donc les « contenir » là où ils sont le plus dangereux.

Tout au long de l'année 1946, la politique américaine s'inspira de ces idées.

17. On pourrait traduire : « La politique du poing sur la table. »

Depuis Hiroshima, le problème de l'énergie atomique troublait les consciences. « L'homme trébuche au seuil d'une ère nouvelle », écrivait Norman Cousins. Certains, tel Einstein, ne voyaient d'autre issue qu'un gouvernement mondial. Vaines chimères vite évanouies. Fallait-il révéler aux Russes les secrets qui avaient permis aux États-Unis de s'attribuer ce monopole terrifiant? Qu'aurait fait Roosevelt? Truman ne laissa aucun doute sur sa position personnelle. Dès le 9 août, rendant compte à la radio de la conférence de Potsdam, il la précisa : « Nous devons nous constituer " trustees " de cette arme nouvelle... pour empêcher son mauvais usage et faire qu'elle puisse rendre service à l'humanité. » Thèse qu'il répéta dans un autre discours en octobre.

La solution ne pouvait toutefois dépendre des États-Unis seuls. A sa première réunion en janvier 1946, l'Assemblée générale des Nations Unies décida de créer une Commission de l'énergie atomique pour étudier l'ensemble du problème. Six mois plus tard, la thèse américaine y fut présentée par le célèbre — et fort discuté — Bernard Baruch. Ce personnage haut en couleur, 75 ans, une masse de cheveux blancs, un pince-nez, un appareil auditif, avait réussi, au cours d'une carrière variée, à se faire une double réputation de spéculateur et de penseur, le tout étayé d'une technique de la publicité que personne ne lui contestait. C'est dire que le 14 juin 1946 fut un grand jour dans les annales des jeunes Nations Unies. « Les femmes à la mode se pressaient dans les tribunes comme à l'ouverture de l'Opéra. »

Beaucoup d'espérances, aucun résultat. Le plan américain prévoyait un contrôle international des installations atomiques avec inspection sur place et la suppression en cette matière du droit de veto; en attendant que le nouveau mécanisme soit au point les États-Unis conserveraient leur monopole. On ne sera pas surpris du peu d'enthousiasme des Russes. Du « plan Baruch » il ne restait rien à la fin de l'année.

L'Allemagne, elle aussi, était un sujet brûlant. Les vainqueurs n'étaient guère d'accord que sur un point : les crimes nazis ne devaient pas rester impunis. Vingt-quatre accusés comparurent devant la Cour de justice de Nuremberg dès le 20 novembre 1945 ; dix, on le sait, furent pendus, après des mois de procédure, le 16 octobre 1946.

Sur les autres problèmes les divergences étaient grandes. Le pays vaincu, totalement occupé, devait être administré par une Commission interalliée, composée des gouverneurs des quatre zones, américaine, anglaise, française et russe. Le général Lucius Clay fut désigné comme représentant des États-Unis. Sorti de West Point, il avait fait sa carrière dans le Génie. Adjoint à Byrnes pendant la guerre dans les services de mobilisation et de reconversion, il y avait acquis quelque expérience des problèmes civils. Si l'on en croit Robert Murphy, qui représentait auprès de lui le Département d'État, « il ne savait rien de l'Allemagne ».

Son évolution fut celle de la plupart des Américains. Au début, intraitable envers les Allemands, bientôt souple par nécessité. Une fois de plus hélas ! les thèses américaines et françaises s'opposaient. Faisant revivre le vieux rêve séparatiste de 1919, nous préconisions, tout au moins, une internationalisation de la Ruhr. Surtout, nous nous opposions à toute forme de centralisation, ce qui, incidemment, permit à Staline d'accentuer son emprise sur sa zone. Du côté américain il n'y avait plus guère que Morgenthau pour imaginer encore une Allemagne pastorale [18]. Les papiers du général Clay, récemment publiés, montrent qu'il comprit vite l'absurdité de réduire à l'inaction une des régions industrielles les plus productives de l'Europe occidentale. Dès le mois de mai 1946 il arrêta le démantèlement des usines, supposées fournir aux Soviets des réparations en nature.

Encore à la recherche d'un terrain d'entente, Byrnes avait proposé aux Russes à Moscou en décembre 1945 la signature d'un traité qui interdirait tout réarmement allemand pendant vingt-cinq ans. Staline avait paru séduit par l'idée. Le Secré-

18. L'ancien secrétaire du Trésor tenait à ses idées. Il reprit l'essentiel de son fameux Plan (voir p. 114) dans un livre publié en 1945 sous le titre *Germany is our problem*.

taire d'État la reprit en août 1946, lors de la réunion à Paris du
Conseil des ministres des Affaires étrangères. « Molotov
déclara aussitôt que vingt-cinq ans ne suffisaient pas. " Alors
entendu pour quarante ", répondit Byrnes avec désinvolture...
Mais Molotov fit échouer le projet en proposant toute une série
d'amendements qui auraient rendu le pacte inopérant. » « Pourquoi Staline et ses conseillers ont-ils laissé échapper une si
belle occasion ? » continue Robert Murphy à qui nous empruntons ces précisions. « Sans doute furent-ils trop gourmands...
Ils ne cherchaient pas seulement à désarmer l'Allemagne mais
à détruire son appareil économique. »

Quoi qu'il en soit, l'heure était plus aux initiatives unilatérales qu'aux arrangements bilatéraux. Le 6 septembre, à Stuttgart, Byrnes prononça un discours qui révélait un tournant très
net de la politique américaine. Il préconisait la constitution
d'un gouvernement provisoire de l'Allemagne de l'Ouest, se
déclarait en faveur d'une amélioration du niveau de vie local,
s'opposait à la séparation de la Ruhr et de la Rhénanie, et
annonçait le maintien indéfini des troupes d'occupation.
Un mois plus tard, devant l'American Club à Paris, il fit
des déclarations qui, exprimées dix ans plus tôt, auraient évité
bien des catastrophes. « Le peuple américain s'était imaginé
n'avoir rien à faire avec l'Europe. On sait les conséquences... Il
en a conclu que, s'il lui faut apporter son aide pour terminer
chaque guerre, il est plus indiqué pour lui de collaborer à tout
ce qui peut empêcher qu'une autre guerre éclate. »

A défaut de pouvoir conclure une paix avec l'Allemagne,
hors de question alors, on se consola en négociant avec l'Italie,
la Hongrie, la Roumanie et la Finlande des traités qui reçurent
l'approbation des États-Unis, de l'Union soviétique, de la
Grande-Bretagne et de la France. Survivances d'une alliance
qui, chaque jour, s'effritait, beaucoup de temps fut nécessaire
pour parvenir à ces accords somme toute mineurs : trois conférences à Paris du 25 avril au 16 mai, du 15 juin au 12 juillet,
du 29 juillet au 15 octobre, une quatrième réunion à New York
du 4 novembre au 12 décembre.

En dépit des périls qu'elle risquait d'entraîner et du peu de résultats qu'elle semblait obtenir, la nouvelle politique de Truman recueillait l'adhésion de la majorité du pays. A l'extrême gauche, une minorité accusait cependant le Président d'avoir trahi son prédécesseur. A sa tête allait se placer le Secrétaire du Commerce, Henry Wallace, personnage incohérent et passionné, typique de ces idéalistes à saccades qui parsèment l'histoire des États-Unis.

En 1946, Wallace a 58 ans. Originaire de l'Iowa, il s'est fait une réputation d'expert agricole, suffisante pour que, en 1933, Roosevelt lui confiât le Secrétariat de l'Agriculture. New Dealer convaincu, il est récompensé de sa fidélité par sa désignation comme vice-président en 1940. Ses idées avancées finissent par effrayer F.D.R. qui le remplace par Truman en 1944 [19]. Lorsque, devenu, un an plus tard, membre du Cabinet, il fréquente la Maison-Blanche, il ne peut s'empêcher de penser que c'est lui qui devrait y loger. Il ne s'entend guère avec le nouveau Président, tant il est différent. « Des cheveux ébouriffés, des vêtements jamais repassés, timide, solitaire, ascétique, introverti, humanitaire, se targuant de ses vertus, erratique, évangélique et fasciné par l'occultisme et les religions orientales. » Il se dégageait de certaines de ses idées quelque chose d'attendrissant. Une de ses formules est restée célèbre : « Le but de cette guerre, c'est que tout le monde, partout, ait le privilège de boire chaque jour un litre de lait... »

Cet homme aux facettes multiples était convaincu de la bonne foi soviétique. A ses yeux, Truman entraînait le pays dans la guerre. Il le jugeait victime de l'impérialisme britannique. Son programme était simple : laisser la Russie tranquille en Europe orientale, distribuer à tous les pays les secrets atomiques, et désarmer unilatéralement. La rupture était inévitable entre Truman et lui. Elle se produisit en septembre 1946

19. Voir p. 109.

à la suite d'un discours où le Secrétaire du Commerce parla comme s'il avait la responsabilité de la politique étrangère. Le Président essaya un compromis, puis, sous la pression de Byrnes, mit fin aux fonctions de son trop bouillant collaborateur. Il s'en explique dans une de ses lettres à « Dear Mama and Mary » : « Je viens de renvoyer Henry, et naturellement, je ne le souhaitais pas... C'est le type le plus étrange que j'aie jamais rencontré. Enfin, le voilà dehors et tous les " dingues [20] " font une crise d'hystérie. J'en suis ravi... Cela me prouve que j'ai raison. »

Résumons-nous. Lorsque 1946 se termine, peu de progrès ont été accomplis. Aucune solution n'a été trouvée au problème de l'énergie atomique ; du côté américain, on se réconforte en s'imaginant que les Soviets sont encore fort loin du but. En Allemagne, la seule décision constructive a été la fusion des deux zones américaine et anglaise, dite désormais Bizone. Mais les Français en ressentent une fois de plus un sentiment d'amertume ; quant aux Russes, ils ont pratiquement transformé leur secteur en satellite.

Un succès, cependant, en Iran. En 1941, un accord avait prévu l'occupation conjointe du pays par des troupes britanniques et russes en vue d'assumer la communication avec le golfe Persique. Des contingents américains leur furent adjoints après Pearl Harbor. Il était entendu que l'évacuation aurait lieu six mois après la fin des hostilités. Ce qui fut accompli progressivement du côté anglais et américain. Les Soviets eurent recours à leur méthode classique. « Le peuple » se souleva contre le gouvernement iranien dans les provinces d'Azerbaïdjan et du Kurdistan : aussitôt, les troupes russes jugèrent que les principes démocratiques leur imposaient de soutenir les insurgés. Leur départ fut reculé au 2 mars 1946. Rien ne s'étant passé à cette date, les États-Unis se firent menaçants.

20. « *Crackpots.* »

Byrnes exigea une évacuation immédiate et saisit de l'affaire le Conseil de sécurité [21]. Staline considéra-t-il que le jeu ne valait pas la chandelle? Le 4 mars, l'Iran était complètement libéré.

Réussites ou échecs, ces initiatives américaines étaient un peu trop pragmatiques. Une crise aiguë permit à Truman de leur donner plus de cohérence en les rattachant à un principe général.

Le problème de la Turquie et de la Grèce lui en fournit l'occasion. On sait que, par un traité secret, la France et la Grande-Bretagne avaient, en 1915, promis Constantinople à la Russie. Arrivés au pouvoir, les Bolcheviks dénoncèrent vertueusement cet accord. Puis un quart de siècle s'écoula et les traditions des Czars finirent par l'emporter sur le désintéressement de leurs successeurs. Dès octobre 1945, précise Averell Harriman, Staline prétendit obtenir une base navale sur les Dardanelles, et le « retour » de deux provinces de la Turquie orientale. A Istanbul, on gagna du temps, mais dix mois plus tard, en avril 1946, on se trouva en présence d'un véritable ultimatum : les Soviets exigeaient une participation à la « défense » des détroits. Washington conseilla aux Turcs un refus catégorique. Afin de donner plus de poids à ces avis, le super porte-avions, le *F.D. Roosevelt*, fut dépêché d'urgence en Méditerranée pour renforcer une escadre déjà imposante.

La situation était encore plus critiqué en Grèce. A la même date, une rébellion communiste, encouragée par l'Albanie, la Bulgarie et la Yougoslavie, prit les armes contre le faible gouvernement royal que, depuis près de deux ans, les Britanniques soutenaient tant bien que mal. Les travaillistes n'avaient nulle intention de continuer ce que Churchill avait commencé. Au surplus, la Grande-Bretagne, épuisée, était hors d'état de prolonger cette politique. En septembre 1946, les États-Unis avaient déjà été prévenus que leurs alliés envisageaient un retrait de leurs troupes. Le 21 février 1947, on leur notifia que l'évacuation allait commencer et que toute aide serait terminée.

---

21. Ce qui fournit à Gromyko une première occasion de sortir de la salle, dans une atmosphère d'innocence scandalisée...

Le général Marshall venait d'être nommé Secrétaire d'État. Il apportait à son poste un prestige incomparable. Acheson l'a dépeint : « A peine était-il entré dans une pièce que l'on sentait sa présence. Il se dégageait de lui une force saisissante qui se communiquait à tous. Sa stature créait un effet d'intensité, que sa voix basse, saccadée, incisive, renforçait. Il était impossible de ne pas le respecter tant il donnait l'impression d'autorité et de calme. »

Le moment était décisif. Si l'on cédait, c'était la Méditerranée ouverte aux Soviets avec les conséquences que l'on devine. Déjà s'esquissait la théorie des « dominos ». Les réunions se multiplièrent. L'une d'elles à la Maison-Blanche sous la présidence de Truman se déroula dans une ambiance de tension extrême. Les chefs de la majorité et de la minorité du Sénat et de la Chambre étaient présents. Marshall, qui devait présenter le projet gouvernemental, n'était pas dans ses bons jours. « Son exposé, raconte Acheson, laissa ses auditeurs indifférents. Désespéré, je lui demandai à l'oreille la permission de parler. » La situation semble avoir inspiré le sous-secrétaire d'État. Il fit comprendre aux législateurs qui, d'après lui, n'avaient aucune idée du danger, à quel point la menace soviétique était grave. Lorsqu'il eut terminé, il dut éprouver une des plus grandes joies de sa carrière. Au nom de l'opposition républicaine, le sénateur Vandenberg promit au Président son concours total.

Le 12 mars 1947 mérite de figurer en lettres majuscules dans une chronologie américaine. Ce jour-là, Truman se présenta devant les deux Chambres réunies. On remarqua son ton solennel. Du long discours qu'il prononça, ne retenons que la phrase essentielle. Après avoir demandé au Congrès l'autorisation d'une aide financière à la Grèce et à la Turquie [22], il définit en termes généraux la politique qu'il souhaitait suivre. « J'estime, dit-il, que les États-Unis doivent soutenir les peuples libres qui se refusent à se laisser asservir par des minorités armées ou par

---

22. $ 300 millions pour la Grèce, $ 100 millions pour la Turquie. Le premier de ces deux pays devait aussi bénéficier de la coopération d' « experts » militaires.

des pressions extérieures. » Lorsqu'il eut terminé, l'Assemblée, debout, lui fit une ovation.

Truman était conscient de la gravité de ces paroles. Il écrit à l'une de ses correspondantes habituelles, le lendemain : « La terrible décision qu'il m'a fallu prendre tournait dans ma tête depuis six semaines... J'ai appris à Potsdam, continuait-il, qu'il n'y a aucune différence entre les États totalitaires ou policiers, appelle-les comme tu voudras, nazi, fasciste, communiste, République argentine... Les efforts de Lénine, de Trotsky, de Staline et autres pour tromper le monde, et l'Association des " dingues [23] " américains, représenté par Joseph Davies [24], Henry Wallace, Claude Pepper [25], et les auteurs et artistes qui vivent dans l'immoralité à Greenwich Village, tout cela est semblable aux prétendus États socialistes de Hitler et de Mussolini... Il fallait que ton papa [26] dise tout cela au monde en langage poli... »

Une déclaration si concise et d'une portée si vaste donna lieu à de multiples commentaires. La « doctrine de Truman » allait-elle amener les États-Unis à s'opposer n'importe où et en n'importe quelles circonstances à l'expansion communiste ? L'inspirateur du « containment », George Kennan, se dit surpris des engagements présidentiels, « plus grandioses, plus catégoriques que tout ce que, moi du moins, j'avais envisagé ». Walter Lippmann s'inquiéta, soutenant que cette politique laissait aux Soviets le choix des terrains d'affrontement ; « en pratique, ajoutait-il, elle nous conduit inexorablement à des interventions sans fin dans tous les pays qui sont supposés " contenir " les Soviets ».

Interprétation que les événements devaient confirmer, mais qui n'était certainement pas celle du gouvernement d'alors. Acheson le précisa devant une commission sénatoriale : « L'avenir dira si des demandes d'intervention nous sont adressées ; en tout cas, quelles qu'elles soient, elles seront exa-

23. « *Crackpots.* »
24. L'ancien ambassadeur à Moscou.
25. Un sénateur » de gauche ».
26. « *Your Pop.* »

minées en tenant compte des circonstances propres à chacune d'entre elles. » Au moment où la doctrine de Truman fut formulée, conclut le Pr Leopold, « fort peu de personnes dans les milieux officiels souhaitaient l'appliquer ailleurs qu'en Grèce, en Turquie et dans l'Europe orientale. Aucun indice ne permet de penser que l'on songeait à l'utiliser en Asie. Au début de 1947, les Russes semblaient s'être retirés de la Chine et personne ne pouvait prévoir la Corée ».

Après deux mois de discussions, le projet d'aide à la Grèce et à la Turquie fut adopté à la Chambre par 287 voix contre 107, et au Sénat par 67 contre 23. Le 22 mai, la signature de Truman lui donna force de loi. Ô George Washington, qui aviez adjuré vos compatriotes de ne pas se mêler des affaires du monde, ô James Monroe, qui rêviez d'une Amérique protégée des ambitions européennes, qu'auriez-vous pensé ? Sous l'impulsion d'un président que rien ne préparait à ce destin, les États-Unis venaient, à leur insu, d'assumer des responsabilités mondiales.

12.

Guerre froide et soubresauts intérieurs (I)

DÉBUTS DE LA GUERRE FROIDE. — SITUATION DÉSESPÉRÉE DE L'EUROPE. — OBJECTIFS DU PLAN MARSHALL. — SEIZE NATIONS EUROPÉENNES BÉNÉFICIENT DE L'AIDE AMÉRICAINE. — « LE COUP DE PRAGUE. » — RATIFICATION DU PLAN MARSHALL. — ACCORD INTERALLIÉ SUR LA FORMATION D'UN GOUVERNEMENT OUEST-ALLEMAND. — RÉFORME MONÉTAIRE. — BLOCUS DE BERLIN. — DIFFICULTÉS DE TRUMAN EN POLITIQUE INTÉRIEURE. — LE SÉNATEUR ROBERT TAFT. — LOI TAFT-HARTLEY. — INTERDICTION D'UN TROISIÈME MANDAT PRÉSIDENTIEL. — CRÉATION D'UN CONSEIL NATIONAL DE SÉCURITÉ ET DE LA C.I.A. — JAMES FORRESTAL, PREMIER SECRÉTAIRE DE LA DÉFENSE. — DROITS CIVIQUES ET « LOYAUTÉ » DES FONCTIONNAIRES. — TRUMAN DISCRÉDITÉ. — LES DÉMOCRATES LE DÉSIGNENT CEPENDANT COMME CANDIDAT ET LES RÉPUBLICAINS LUI OPPOSENT DEWEY. — UNE EXTRAORDINAIRE CAMPAGNE ÉLECTORALE. — VICTOIRE INATTENDUE DE TRUMAN.

La guerre froide était commencée [1]. Limité d'abord à la Grèce et à la Turquie, le champ de bataille fut bientôt étendu à

1. On pourrait lui assigner bien d'autres points de départ. Si nous avons choisi celui-ci, c'est en raison de l'innovation que représentait la « doctrine

l'Europe occidentale. Dès 1946, le risque de famine était angoissant. Truman, qui tenait Hoover en haute estime, lui confia une mission analogue à celle qu'il avait remplie pendant la Première Guerre mondiale. Ce n'étaient là que palliatifs. On crut, un moment, que la situation s'améliorait. Au printemps de 1947, après une terrible période de froid, elle ne faisait, manifestement, que s'aggraver. M. Jean Monnet l'a décrite pour la France : « Nos réserves en dollars fondaient à un rythme alarmant, car il fallait acheter du blé américain pour remplacer la récolte perdue pendant l'hiver..., augmenter les importations de charbon et supporter la hausse des prix aux États-Unis. En juin, on dut faire les règlements avec l'encaisse de la Banque de France ; en août, les importations non essentielles furent coupées ; un nouveau prêt américain fut vite consommé. » Difficultés de jour en jour plus graves, auxquelles avaient à faire face aussi bien les Britanniques que les autres Européens.

« La fin du malade approche et les docteurs délibèrent », observait Marshall. Allait-on plus longtemps « délibérer » ? De multiples arguments amenèrent les Américains à agir. D'abord, la conviction, innée chez eux, que tout problème comporte une solution. Ce n'était pas du côté russe que l'on pouvait la chercher. Six semaines de nouvelles négociations à Moscou — souvent prolongées jusqu'à l'aurore, précise un témoin — n'avaient abouti à aucun résultat. Le Secrétaire d'État en était revenu convaincu que les Soviets avaient pris la décision de gagner du temps, ne doutant pas que sous peu l'Europe, épuisée, ne basculât de leur côté.

La passivité n'était le fait ni de Truman ni de ses collaborateurs. Sous la direction du général Marshall, une équipe, composée de Dean Acheson, de Will Clayton[2], de George Kennan

de Truman ». Cela ne signifie pas que les Américains soient seuls responsables des événements qui suivirent, ainsi qu'ont cherché à le démontrer leurs historiens « révisionnistes ». Nous admirons le talent de ces auteurs, mais leurs arguments ne nous ont pas convaincu.

L'expression « guerre froide » semble avoir été employée pour la première fois par Bernard Baruch dans un discours le 16 avril 1947.

2. Sous-secrétaire d'État pour les Affaires économiques.

et de Charles Bohlen, se mit au travail. Elle s'inspira d'un principe qui lui parut essentiel : la doctrine du « containment » était par essence défensive ; elle n'était admissible que renforcée par un projet de caractère positif. L'Europe en fournissait l'occasion. Secourir des pays en détresse était une politique bien faite pour séduire un idéalisme traditionnel ; en même temps, aider l'Europe à se remettre sur pied, c'était ouvrir un marché aux exportations américaines[3]. Encore fallait-il s'entendre sur la nature du concours que les États-Unis étaient prêts à apporter. Il ne pouvait être question de recommencer l'erreur de 1917 : les Européens ne seraient pas emprunteurs, mais bénéficiaires de subsides. Surtout, il leur appartiendrait, agissant collectivement, de faire connaître leurs besoins et de se répartir les fonds américains. Ainsi, résume M. Jean Monnet, le plan serait essentiellement « une offre américaine de contribution à un effort européen ».

Dean Acheson fut chargé d'un ballon d'essai. Le 8 mai 1947, il prit la parole dans une petite ville du Mississipi, Cleveland. Ses idées y reçurent un accueil favorable, mais insuffisant pour éveiller l'opinion. Le général Marshall s'en chargea le 5 juin à Harvard. On a décrit la scène : « L'orateur n'était pas de ceux qui électrisent leur auditoire. Son débit manquait totalement de chaleur, et il ignorait l'art des gestes expressifs et des pauses dramatiques. Mais par ce bel après-midi d'été, devant cette foule aux coloris multiples[4], se tenant droit comme un i, dégageant une étonnante dignité, il était l'image même de l'homme d'État conscient de ses responsabilités... » Il parla une quinzaine de minutes et la moitié environ de son discours fut consacrée à l'Europe. Après avoir rappelé l'état tragique du continent, il indiqua la nature de l'aide que les États-Unis étaient disposés à apporter. « Notre politique, dit-il, n'est

---

3. Argument qui ne laissa pas insensible le Congrès, mais auquel on aurait tort d'attacher trop d'importance. Les exportations vers l'Europe ne représentaient guère que 2 % du produit national brut.

4. C'était le jour du « *commencement* ». On sait que cette expression s'applique à la cérémonie annuelle qui clôt l'année universitaire et où l'on remet les diplômes.

dirigée contre aucune nation ou aucune doctrine, mais contre
la faim, la pauvreté, le désespoir et le chaos. » Puis il précisa
les conditions d'application. « Il n'appartient pas à notre gouvernement de dresser unilatéralement un programme. Cela
regarde les Européens. L'initiative doit venir de l'Europe. Le
programme doit être un programme d'ensemble sur lequel se
seront mises d'accord un certain nombre de nations, sinon
toutes. » La Russie soviétique se trouvait ainsi comprise dans
l'invitation. Que serait-il advenu si elle avait dit oui[5] ?

Un « niet » de plus allait régler la question. La France et
l'Angleterre avaient convoqué une conférence à Trois afin de
fixer la date et l'ordre du jour d'une réunion plénière. Les débats
s'ouvrirent à Paris le 27 juin. Molotov se montra plus implacable que jamais. Il était difficile de savoir ce qu'il souhaitait.
On finit par se rendre compte qu'il ne voulait à aucun prix
d'une entreprise européenne collective. Ernest Bevin et
Georges Bidault tentèrent de lui expliquer que c'était là l'essence même du plan américain. Était-il décidé à rompre ?
Reçut-il, en cours de négociation, des instructions de Staline ?
Un témoin affirme que, le cinquième jour des débats, on lui
aurait apporté, en cours de séance, un télégramme qui, visible-
ment, l'aurait mis dans un grand état de tension ; l'ayant lu, il
se serait levé précipitamment, aurait ramassé ses papiers et
annoncé qu'il ne fallait pas compter sur une participation russe
et qu'il en serait de même pour la Pologne et la Tchécoslovaquie. Faute majeure que les Soviets durent regretter.

On allait pouvoir faire du travail sérieux. Le 12 juillet, seize
pays étaient réunis, une fois encore à Paris, tant restaient
grands, malgré la catastrophe de 1940, le prestige de la France
et l'attrait de sa capitale. L'Autriche, la Belgique, le Danemark,
la Grande-Bretagne, la Grèce, l'Irlande, l'Islande, l'Italie, le
Luxembourg, la Norvège, les Pays-Bas, le Portugal, la Suède,
la Suisse et la Turquie étaient représentés. Seules ne participaient pas l'Espagne, alors intouchable, et l'Allemagne de

5. « *It was a hell of a gamble* », commente Bohlen, ce que l'on pourrait
traduire par : « C'était un sacré pari. »

l'Ouest, dont les gouverneurs militaires alliés étaient chargés de défendre les intérêts. Les délibérations se prolongèrent jusqu'au 22 septembre. Les besoins européens furent finalement estimés à un peu moins de $ 22 milliards répartis sur quatre ans.

Agir avec rapidité était essentiel. Mais on sait la lourdeur de la machine politique américaine. Trois commissions furent constituées. Point n'est besoin de beaucoup d'imagination pour deviner les jouissances que les experts durent retirer de discussions sur un sujet d'une telle amplitude et à un tel point hors du commun. Après les marchandages de rigueur, les chiffres retenus à Paris furent réduits de cinq milliards.

Mais le temps passait — quatre mois depuis le discours de Harvard — et l'état du « malade » ne s'améliorait pas. De France et d'Italie en particulier, arrivaient des nouvelles de plus en plus alarmantes. Truman agit en homme d'État. Dédaignant les attaques dont il pensait devoir être l'objet, il convoqua le Congrès en session spéciale le 17 décembre. La facilité avec laquelle une aide temporaire de $ 540 millions fut votée l'encouragea à présenter, quarante-huit heures plus tard, l'ensemble du Plan, c'est-à-dire une demande d'ouverture de crédits — à fonds perdus — de $ 17 milliards, du 1er avril 1948 au 30 juin 1952, dont 6,8 milliards pour les quinze premiers mois. « Aide-toi et nous t'aiderons », disait le Nouveau Monde à l'Ancien. Mais aucune condition n'était posée. Trouverait-on dans l'histoire un grand nombre d'actes de cette nature ? Il faut renoncer à comprendre les États-Unis si, dissimulé par l'égoïsme, on oublie un idéalisme toujours latent.

Les positions prises par les Soviets allaient faciliter l'adoption du plan Marshall.

On se rappelle [6] que, pendant la guerre, Staline avait fait le geste de dissoudre le Komintern. En octobre 1947, l'ex « Uncle

6. Voir p. 89.

Joe » jugea le moment venu de rappeler le caractère international du communisme. Le Kominform vit le jour, groupant, sous
la direction soviétique, les partis communistes de Yougoslavie,
de France, d'Italie, de Pologne, de Bulgarie, de Tchécoslovaquie, de Hongrie et de Roumanie.

Les Occidentaux soulevèrent-ils cette question au Conseil
des ministres des Affaires étrangères qui se réunit à Londres
— par vitesse acquise, pourrait-on dire — du 25 novembre au
16 décembre ? Trois semaines sans aucun résultat. En vain,
Bevin tenta-t-il des entretiens personnels avec Molotov : autant
parler à un mur. Marshall était excédé. Le 11 décembre, il télé-
graphia à Washington : « Il est évident que, constamment, et
presque de manière désespérée, il essaie d'arriver à des arrangements dont le seul objet est de nous causer des ennuis dans
les mois à venir. » Quatre jours plus tard, le Secrétaire d'État,
d'accord avec ses collègues anglais et français, mit fin à la réunion sans proposer de date pour une nouvelle rencontre. Molotov joua la vertu outragée.

Tout cela n'était rien à côté du coup de tonnerre qui, le
25 février 1948, se répercuta de Prague à Washington. On sait
comment, ce jour-là, les communistes s'emparèrent du pouvoir
en Tchécoslovaquie. « On a employé à l'égard de Beneš exactement les mêmes méthodes de pression et de terreur dont Hitler
se servait lorsqu'il voulait faire céder un chef d'État », télégra-
phia l'ambassadeur des États-Unis. De plus en plus, l'opinion
américaine eut tendance à placer sur le même plan les deux
régimes nazi et communiste. On s'était débarrassé du premier
dictateur, mais à quel prix ! Ne pouvait-on venir à bout du
second par des méthodes pacifiques ?

C'était un argument puissant en faveur du plan Marshall. Le
Président — qui aimait décidément prendre les membres de sa
famille pour confidents — écrit à sa fille le 3 mars : « Nous
nous trouvons exactement dans le même cas que la Grande-
Bretagne et la France en 1938, 1939, en face de Hitler. Mon
impression est très mauvaise. Il faut prendre une décision : je
la prendrai. » Ses collaborateurs n'étaient pas rassurants. Les
chefs d'états-majors considéraient comme possible une inva-

sion de l'Europe occidentale ; Marshall, toujours pondéré, qualifiait la situation de « très, très sérieuse » ; de Berlin, Clay signalait « un changement subtil » dans l'attitude des Russes et allait jusqu'à envisager que la guerre puisse éclater « avec une soudaineté dramatique ».

Il en fallait plus pour ébranler les nerfs du trente-troisième Président. Il devait prendre la parole à New York le 17 mars, à l'occasion de la Saint-Patrick, jour où dans une ferveur de patriotisme et de démocratie les Irlandais en arrivent à annexer la ville... Truman jugea que ses propos auraient plus de retentissement s'il faisait précéder sa visite à Manhattan d'un discours au Capitole. Vers midi, il s'adressa aux deux Chambres réunies : « Nous avons atteint un point, dit-il, où la position des États-Unis doit être rendue suffisamment claire pour que aucune ambiguïté ne puisse subsister. Il y a des moments dans l'histoire du monde où il est infiniment plus sage d'agir que d'hésiter. Dans toute action existe un risque. Mais il y a encore plus de risque à ne pas agir. » Pratiquement, le Président demandait au Congrès le rétablissement d'un service militaire obligatoire de vingt et un mois pour les hommes de 19 à 25 ans et le vote du plan Marshall, maintenant baptisé « Projet de relèvement européen [7] ». Le soir, « Les fils de Saint-Patrick » entendirent les mêmes paroles, dans une atmosphère plus émotive et surtout plus anticommuniste, à laquelle la participation du cardinal Spellman [8] donnait toute sa résonance.

Le 2 avril, la victoire était gagnée. Le Sénat, par 69 voix contre 17, la Chambre par 318 contre 75, avaient adopté le projet gouvernemental. Dix-sept milliards seraient mis en quatre ans à la disposition de l'Europe [9]. Leur gestion fut confiée à un office fédéral, dénommé Administration de la coopération européenne. A sa tête furent placés Averell Harriman,

7. « European Recovery Act » (E.R.A.).
8. Francis, cardinal Spellman, était archevêque de New York depuis 1939. Vénéré par les uns, méprisé par les autres, il incarnait cet extraordinaire mélange de piété fervente et de sens pratique qui caractérisait alors le catholicisme américain.
9. La France eut droit à près de trois milliards.

alors Secrétaire du Commerce, et — nomination typique des échanges de personnels qui ont constamment lieu entre le gouvernement et les grandes affaires — un ancien président des automobiles Studebaker, Paul Hoffman, connu pour ses exceptionnelles qualités de « vendeur ».

Dans ce début de guerre froide, les Américains avaient pris l'offensive : la réaction soviétique ne se fit pas attendre.

Plus que jamais, l'Allemagne était au centre du problème. Soviets et Alliés l'attiraient chacun de leur côté. Les premiers sans la moindre vergogne ; les seconds avec d'autant plus d'hésitations qu'ils étaient trois. Les Anglais tenaient à ne pas déplaire à leurs puissants alliés, tout en s'efforçant de conserver un minimum d'autonomie ; les Français, la plupart du temps en désaccord, finissaient toujours par céder ; les Américains se trouvaient ainsi chargés de responsabilités pour lesquelles ils n'étaient guère préparés. Qui aurait annoncé à Lucius Clay, à sa sortie de West Point, ou à Robert Murphy, lorsqu'il fut reçu aux Affaires étrangères, qu'un jour viendrait où ils auraient à administrer un pays européen ?

Le discours de Stuttgart [10] avait marqué un tournant dans la politique américaine. La création de la Bizone fut une première étape vers la constitution d'une Allemagne de l'Ouest. Lorsque, en février 1948, la France finit par consentir à la fusion de sa zone avec celle de ses alliés, il ne restait plus grand-chose des accords de Potsdam. Le mécontentement des Soviets ne tarda pas à se manifester. Le 20 mars, leur représentant cesse de participer aux séances de la Commission de contrôle interalliée à Berlin. Dix jours plus tard, commence une série de brimades évidemment destinées à éprouver la capacité de résistance des Alliés. Berlin-Ouest, étouffé dans la zone russe par une décision incompréhensible, ne respirait que dans la mesure où les Soviets le toléraient. Une ligne de chemin de fer, administrée militairement, une autoroute pour les transferts de per-

10. Voir p. 207.

sonnel et de fournitures, un réseau de canaux, trois corridors aériens lui permettaient de garder un contact avec l'extérieur. A l'exception de ces corridors, aucune garantie écrite n'avait été donnée par les Russes pour le libre usage de ces voies de communication. A l'époque du « Grand Dessein », les Américains s'étaient contentés d'assurances verbales.

« Dès le début de 1948, raconte Robert Murphy, des inspecteurs russes commencèrent à monter dans les trains militaires alliés, prétendant vérifier l'identité des voyageurs. On donna comme consigne aux chefs de convois de résister à ces tentatives. Il en résulta de longs retards. Il ne s'agissait encore que de piqûres d'épingle peu gênantes, mais qui nous obligèrent à prévoir le pire. » C'est ce qui se produisit progressivement. D'abord, l'autoroute fut fermée « pour réparations ». « Une barrière de bois gardée par deux soldats mongols... fut la première manifestation du blocus berlinois. » Puis les prétentions des Russes s'accentuèrent. « Le 31 mars, ils décidèrent que, si nous ne permettions pas à leurs inspecteurs d'examiner voyageurs et bagages, les trains occidentaux ne seraient pas seulement retardés, mais renvoyés à leur point de départ. Pour voir jusqu'où ils iraient, Clay expédia un train rempli uniquement de troupes. Les Russes le dirigèrent sur une voie de garage où il resta plusieurs jours. Ensuite, ils interdirent le départ de Berlin de tous les trains de voyageurs... »

Une initiative des Alliés amena Staline à prendre une décision dont il attendait sans doute monts et merveilles. Le 6 mars, les États-Unis, la Grande-Bretagne et la France s'étaient déclarés favorables à la formation d'un gouvernement allemand. C'eût été le condamner à l'impuissance que de laisser subsister le gâchis monétaire. Préparée de longue date et remarquablement conçue, une réforme permit aux Alliés de mettre en circulation, le 18 juin, un nouveau mark. Celui-ci allait se révéler l'instrument de travail dont l'Allemagne avait besoin pour retrouver sa prospérité [11]. Ce défi d'un système

11. Le principe en était fort simple. Les billets en circulation étaient échangés contre de nouveaux billets dans la proportion de dix pour un. Ce

libéral parut intolérable aux Russes. Estimant avoir entre leurs mains un moyen de pression irrésistible, ils arrêtèrent aussitôt tout trafic entre Berlin-Ouest et le reste de l'Allemagne. Deux millions et demi de Berlinois — plus les garnisons et les missions alliées — se trouvaient isolés, n'ayant de vivres que pour trente-six jours, et de charbon que pour quarante-cinq.

Que faire ? Truman n'était pas homme à ne pas réagir. On lui proposait des mesures inopérantes ou périlleuses. Certains suggéraient de fermer le canal de Panama aux navires soviétiques et de leur interdire l'entrée des ports américains. On devine les sourires dont cette politique aurait été entourée au Kremlin. D'autres recommandaient l'envoi d'un train blindé qui aurait forcé le blocus : c'était risquer un incident et, qui sait ?, la guerre. Le Président, partant d'une idée simple (« Nous resterons à Berlin, un point c'est tout »), arriva vite à la conclusion qu'un pont aérien était la seule riposte acceptable : elle offrait, en tout cas, l'avantage d'un soutien juridique, les Soviets s'étant engagés à garantir le libre usage des trois « corridors ».

Deux questions se posaient. L'armée de l'air était-elle capable de fournir le matériel nécessaire ? Lesdits « corridors » permettraient-ils un trafic suffisant ? Les faits donnèrent la réponse. Le 22 juillet, le ravitaillement commença. « Cinquante-deux C-54s et quatre-vingt C-475, faisant chacun deux aller et retour, transportèrent chaque jour deux mille cinq cents tonnes de vivres et de fournitures. » Simultanément, les Alliés interdirent l'entrée dans la zone russe de certains produits industriels[12]. Enfin, des escadrilles de B29 (appelés bom-

---

mécanisme suffit à rétablir la confiance. Du jour au lendemain, nous a précisé M. Paul Leroy-Beaulieu, alors représentant économique et financier du gouvernement français, les marchandises affluèrent sur le marché.

12. « Le contre-blocus prit d'autres formes, raconte le Pr Yergin. Les membres de la mission militaire russe habitaient dans des villas à Potsdam. Pour se rendre à leurs bureaux à Berlin-Est, il leur fallait traverser Berlin-Ouest. La police occidentale fermait les yeux sur leurs excès de vitesse. Une fois le blocus commencé, elle appliqua strictement les règlements. Le maréchal Sokolowsky prit fort mal la chose, lorsqu'il fut ainsi arrêté, détenu pendant une heure et relâché, après avoir reçu la contravention d'usage. »

bardiers atomiques car ils étaient seuls équipés pour l'usage de
« la bombe ») furent dépêchées en Angleterre. Lorsque 1948 se
termine, le ravitaillement de Berlin se fait au rythme quotidien
de quatre mille cinq cents tonnes.

Mais ici il nous faut revenir en arrière, car les problèmes de
la guerre froide n'étaient pas les seuls auxquels Truman dut
faire face.

Le contraste entre la politique étrangère et la politique intérieure est frappant. Dans le premier domaine, le Président
obtint sans grandes difficultés l'adhésion du Congrès, tant le
courant anticommuniste était puissant. Mais encore moins
qu'en 1945, les assemblées, maintenant républicaines, ne voulaient entendre parler de réformes. Beaucoup de leurs membres
auraient aimé ne rien laisser subsister du New Deal ; presque
tous étaient d'accord pour ne pas élargir ce qu'ils en appelaient
les méfaits. C'est dire que tous les projets de la Maison-
Blanche — hausse du salaire minimum, extension de la Sécurité
sociale, plan d'assurance-maladie, etc. — s'enlisèrent dans une
procédure dont on sait les méandres subtils.

Robert Taft, qui représente l'Ohio au Sénat, est le chef de
l'opposition. Né en 1889 à Cincinnati, sa famille est célèbre.
Son grand-père fut « Attorney general » et Secrétaire de la
Guerre du général Grant. Son père occupa la présidence de
1909 à 1913, puis le poste de « Chief Justice » de la Cour
suprême de 1921 à 1930. Chez les Taft, on imagine mal que
l'on puisse ne pas être républicain. Il y a quelque chose de
dynastique dans l'ambiance familiale. Servir l'État fait partie
de la tradition et, pour la perpétuer, le travail et l'intégrité sont
des vertus qu'il paraît normal de pratiquer.

Comme faire se doit, « Mr. Republican » (ainsi qu'on l'ap-
pellera) est le premier de sa classe. Diplômé de Yale puis de la
Faculté de droit de Harvard, il s'inscrit au barreau. Toutefois,
l'hérédité le talonne. A 30 ans, il fait l'apprentissage de la vie
politique dans la législature de l'Ohio. Pendant dix ans, il ne

s'occupe que de problèmes locaux. Battu aux élections de
1932, il reprend son métier d'avocat. Mais l'attrait des affaires
publiques est le plus fort. Il se sent suffisamment averti pour
tenter sa chance sur le plan national. En 1938, il est élu au
Sénat ; il y restera jusqu'à sa mort en 1953.

C'est un conservateur, nullement un réactionnaire. Il pense
que le passé ne doit pas être une ancre, mais plutôt un tremplin
d'où l'avenir peut prendre son élan. Le New Deal lui paraît
l'antithèse des principes qui ont fait la grandeur des États-
Unis. Mais à maintes reprises, il montrera qu'il n'est pas
opposé aux réformes sociales, pourvu qu'elles soient inspirées
de l'esprit de liberté, seul créateur à ses yeux. En politique
étrangère, il se méfie de l'Europe, et comme tant de Républicains, il donnerait volontiers priorité à l'Asie. Il voit dans le
communisme l'incarnation du Mal et soutiendra la campagne
de McCarthy [13].

Ses collègues éprouvent pour lui plus de respect que de sympathie. Il est distant, et la familiarité qui caractérise les mœurs
du Capitole lui est étrangère. On admire sa franchise et on
aimerait qu'elle fût plus nuancée. Bref, il n'a rien d'un politicien. Avait-il l'étoffe d'un homme d'État ? Son parti, par trois
fois, lui refusera la chance de le montrer. En 1940, les Républicains lui ont préféré Willkie ; en 1948 et en 1952, nous le ver-
rons, ce seront Dewey, puis Eisenhower qui porteront les couleurs du G.O.P.

En 1947, cependant, Robert Taft s'était rendu célèbre. Les
syndicats, grisés par l'appui constant de F.D.R., avaient depuis
la fin de la guerre abusé de leur puissance. La multiplication
des grèves, l'arrogance de John L. Lewis, certaines infiltrations
communistes dont on commençait à parler, avaient indisposé
l'opinion publique. Une centaine de propositions de lois, révi-
sant la législation du travail, avaient été déposées depuis la
réunion du 80e Congrès. « Mr. Republican », en collaboration
avec un de ses collègues, Fred Hartley, réussit à faire passer
un texte qui déchaîna des tempêtes, mais auquel le temps a

13. Voir p. 247.

donné sa sanction, puisqu'il est encore utilisé de nos jours [14].
Résumée à l'essentiel, la nouvelle législation était à peu près
la suivante. La pratique de la « *closed shop* [15] » était prohibée ;
le droit d'appartenir à un syndicat n'était pas contesté, pourvu
qu'une majorité des salariés le demandât. Les syndicats pourraient être poursuivis en justice pour violation de contrat ; ils
étaient tenus d'envoyer chaque année au Département du Travail un compte rendu de leur situation financière. Il leur était
interdit de subventionner un parti politique et leurs dirigeants
devaient déclarer sous serment qu'ils n'étaient pas membres du
parti communiste. Enfin, dans l'espoir de raccourcir la durée
des grèves, le gouvernement obtenait le droit d'exiger une
reprise de travail pendant quatre-vingts jours [16] dans tout
conflit qui mettrait en péril « la santé ou la sécurité ».

Truman, soucieux de s'assurer le vote syndical, explosa. Suivant son habitude, il confia ses sentiments à sa mère dans un
style ramassé : « Taft ne vaut rien et Hartley est pire.» Puis il se
résolut à utiliser son droit de veto en entourant sa décision de
commentaires aussi catégoriques : le Congrès apprit qu'il
venait d'adopter une législation « mauvaise pour les travailleurs, mauvaise pour les employeurs, mauvaise pour le pays ».
Las ! Le 23 juin 1948, la Chambre passa outre au veto présidentiel par 331 voix (dont 106 Démocrates [17]) contre 83 ; trois
jours plus tard, le Sénat en fit autant avec 63 voix contre 25.
« La proposition Taft-Hartley reçut ainsi force de loi dans une
atmosphère de tension qui allait se répercuter sur l'élection présidentielle », conclut l'historien Robert Donovan.

---

14. En mars 1978, le président Carter s'est appuyé sur la loi Taft-
Hartley, à l'occasion d'une grève des mineurs.
15. On entendait par là l'obligation pour les patrons de n'embaucher que
des salariés membres d'un certain syndicat.
16. La langue américaine, toujours pittoresque, a baptisé cette réglemen-
tation la « *cooling off period* ».
17. Dont le futur président Lyndon Johnson. John Kennedy, qui avait
commencé sa vie politique aux élections de 1946, soutint au contraire Truman.

Mesure, en effet, d'une portée considérable, mais qui n'est pas la seule adoptée au cours du premier mandat de Truman.

Clemenceau se plaisait, paraît-il, à dire que la guerre était une chose trop sérieuse pour la confier aux généraux. Le gouvernement américain devait partager cette opinion, car, dès le 2 août 1946, tous les projets concernant l'énergie atomique — jusque-là dépendants de l'Armée — furent soumis à l'autorité d'une commission civile, les militaires ayant seulement qualité pour étudier les applications stratégiques.

L'année 1947 fut fertile en initiatives émanant aussi bien du Capitole que de la Maison-Blanche. D'abord, le Congrès adopta un projet d'amendement à la Constitution défendant au Président de se représenter plus d'une fois. Depuis George Washington la tradition d'un maximum de deux mandats avait été scrupuleusement respectée [18]. Roosevelt, s'appuyant sur des circonstances exceptionnelles et sur une personnalité à laquelle il aurait volontiers appliqué la même épithète, viola, on le sait, cette coutume. L'interdiction légale aujourd'hui en vigueur [19] est typique du traditionalisme qui entoure la constitution des États-Unis, et dont le contraste avec leur dynamisme habituel est saisissant.

Cette même année 1947, Truman donna une nouvelle preuve du sentiment que lui inspirait le plus calomnié de ses prédécesseurs en confiant à Hoover la présidence d'une commission chargée de la réorganisation des services gouvernementaux. Trente-cinq textes, paraît-il, furent présentés au Congrès et adoptés. Ils ne semblent pas avoir exercé une influence durable, si l'on en juge par la surprenante lenteur de l'administration américaine.

Infiniment plus important fut, toujours en 1947, la création d'organismes destinés à jouer un rôle de premier plan. La guerre avait révélé une grave lacune. L'unité de commandement n'avait été réalisée que sur les théâtres d'opérations : à

18. Sauf par le général Grant qui envisagea de se présenter une troisième fois.

19. Le texte de 1947 devint en 1951 le 22ᵉ amendement à la Constitution.

l'intérieur, les rivalités, parfois féroces, entre les trois armes avaient constamment risqué de compromettre le programme d'armements. La nomination d'un Secrétaire de la Défense, qui aurait sous ses ordres les trois Secrétaires de la Guerre, de la Marine et de l'Aviation, fut décidée le 26 juillet.

Le poste fut confié au Secrétaire de la Marine, James Forrestal, homme aux passions violentes et au destin tragique. Irlandais 100 %, d'une famille de bourgeoisie modeste, élevé suivant les méthodes puritaines alors de rigueur dans ces milieux, on a l'impression que, toute sa vie, il chercha, sans y parvenir, à se dégager de ses origines. Il se dit agnostique, mais le catholicisme n'a cessé de l'imprégner ; il veut oublier la petite ville où il a passé ses premières années et Washington le déconcerte. Tout en lui est contradictions. Il a beau réussir dans sa carrière — Sous-secrétaire, puis Secrétaire de la Marine, grand maître de la Défense nationale à 55 ans —, au fond de lui-même, il n'est jamais sûr de lui. Roosevelt et Truman l'apprécient : conservateur d'instinct, il éprouve un malaise à servir deux présidents « de gauche ». En 1948, il soutient fort mollement la candidature du Président [20]. Celui-ci s'en rend compte. Après sa réélection triomphale, il exige la démission de son Secrétaire de la Défense. James Forrestal est alors dans un extrême état de fatigue ; bientôt, il est victime d'une dépression nerveuse ; on l'admet dans un hôpital ; le 22 mai 1949, il se jette par la fenêtre du haut du seizième étage.

Son influence ne s'était pas seulement manifestée dans le poste qu'il fut le premier à occuper. Il était un des membres les plus écoutés du National Security Council, créé à la même date. Cette nouvelle institution avait pour objet de « coordonner » — le mot était à la mode — la politique, la diplomatie et la stratégie : sorte de Grand État-Major civil et militaire où le Président était supposé trouver des conseils [21]. Pour que ledit état-major ait des yeux et des oreilles, on mit à sa disposition

20. Il semble même qu'il ait contribué financièrement à celle de Dewey.
21. Ce qui ne plaisait pas tellement à Truman, s'il faut en croire un biographe de Forrestal.

un organe de renseignement, aujourd'hui fameux, la Central Intelligence Agency (C.I.A.). Le Congrès s'était montré réticent. « Les droits et les privilèges du peuple américain ne risquent-ils pas d'être mis en cause ? » demanda un représentant. La C.I.A. ne pourrait-elle pas « devenir une Gestapo ou quelque chose de similaire ? », alla jusqu'à suggérer un autre esprit inquiet. Forrestal les rassura : « La C.I.A., dit-il, n'est destinée qu'à opérer à l'étranger. A l'intérieur, elle n'aura d'autre activité que de centraliser et d'apprécier les informations recueillies par tous les services officiels.»

Tout cela n'était pas de nature à soulever des passions. Il n'en fut pas de même de deux questions qui allaient agiter des remous et plus tard des tempêtes.

D'abord, les droits civiques... on ne disait pas « des Noirs », mais tout le monde savait qu'il s'agissait d'eux. A cette époque [22], le statut des gens de couleur était à peu de chose près celui d'avant le New Deal. A la fin de 1946, Truman chargea une commission de faire une étude d'ensemble du problème. Dix mois plus tard, celle-ci déposa un rapport que l'on a qualifié sans exagération d'« historique », car il devait être la source des grandes batailles d'après 1960. Ses recommandations semblèrent révolutionnaires : appliquées telles quelles, elles auraient abouti à mettre fin à la ségrégation et à consacrer l'égalité des droits. La situation du Président était délicate. Endosser le rapport, c'était perdre les voix du Sud, or sans elles, aucun président démocrate n'aurait été élu depuis la fin de la Guerre Civile. Le désavouer entraînait à coup sûr la colère des « libéraux », déjà indisposés par la politique étrangère ; puis, au fond de lui-même, Truman ressentait l'injustice dont les Noirs étaient victimes.

Il se décida pour la première solution. Le 2 février 1948, il envoya au Congrès un « Message spécial sur les Droits

22. Voir p. 176.

civiques », ce qu'aucun Président n'avait osé. Il faisait siennes la plupart des conclusions de la Commission. Le Sud prit feu et flamme. L'ombre d'une sécession se profilait. A défaut de l'accord de principe du Congrès, Truman dut se contenter de mesures partielles. Par décret présidentiel, toute discrimination fut interdite dans l'embauche du personnel fédéral et dans les forces armées ; puis une autre Commission eut pour tâche de rechercher comment l'égalité des droits pourrait être respectée dans les contrats gouvernementaux.

L'atmosphère de Washington devenait de plus en plus houleuse. Beaucoup se demandaient si tenir tête aux Soviets, un peu partout, était suffisant ; ne convenait-il pas de surveiller de plus près les influences communistes à l'intérieur du pays ?

Le péril était amplifié pour des motifs politiques : sa réalité n'en est pas moins indiscutable. Des études récentes ont montré que les intrigues soviétiques commencèrent à se développer aux États-Unis vers 1927. Les premières cellules semblent avoir été constituées dans le Département de l'Agriculture ; composées de jeunes gens attirés par les idées nouvelles, elles avaient moins pour objectif de fournir des renseignements à Moscou que de diffuser les thèses communistes. Ce n'était, d'ailleurs, que balbutiements sans grande résonance.

La guerre changea la situation du tout au tout. Puisque Américains et Russes unissaient leurs efforts, puisque la propagande gouvernementale, en se servant, notamment, du cinéma, ne cessait de glorifier les exploits soviétiques, la ligne de démarcation entre espionnage et collaboration devint fort indécise. Persuadés de ne pas déplaire à Roosevelt, convaincus, au surplus, que le communisme représentait l'avenir, un nombre croissant d'agents des services fédéraux, les uns par ambition, les autres par naïveté, ne se dérobèrent pas à des contacts clandestins dont il se peut que, de bonne foi, ils n'aient pas apprécié la gravité. Désireux d'apaiser leurs scrupules, les Soviets décidèrent, d'ailleurs, la dissolution du Parti communiste, transformé pour les besoins de la cause, en simple association.

A la fin de 1945, une lettre du directeur du F.B.I.[23], le célèbre Edgar Hoover, déjà en fonctions depuis vingt et un ans, rendit compte au Président que « certaines personnes employées par le gouvernement ont fourni à des correspondants non officiels des chiffres et des renseignements que ceux-ci ont transmis à des espions du gouvernement soviétique... ». Les sources de Hoover provenaient de deux communistes repentis, Whittaker Chambers, alors rédacteur en chef du magazine *Time*, et Elisabeth Bentley, diplômée d'un des collèges de jeunes filles les plus connus des États-Unis, Vassar. Parmi les fonctionnaires mis en cause figurait Harry Dexter White, dont le rôle avait été éminent à Bretton Woods[24]. Truman doutait-il de ces informations ? Était-il décidé à ne pas se laisser impressionner ? Quoi qu'il en soit, trois mois plus tard il désigna le suspect comme représentant des États-Unis au Fonds monétaire international.

L' « Attorney general », Tom Clark, prit la chose plus au tragique. Sur ses instances, le Président décida, un an plus tard, la constitution d'une commission chargée de lui faire savoir si la « loyauté » des fonctionnaires fédéraux était suffisamment assurée par les procédures existantes. Les conclusions ayant été négatives, Truman décida, en mars 1947, une enquête sans précédent en temps de paix. Les directeurs des services étaient tenus pour responsables de leur personnel : à eux de s'assurer qu'ils n'employaient pas des collaborateurs « déloyaux ». Toute personne candidate à un poste gouvernemental serait l'objet d'une enquête du F.B.I.[25]. On imagine les abus de cette procédure purement administrative. Un sondage en avril révéla, malgré tout, une majorité de 60 % en sa faveur.

23. *Federal Bureau of Investigation*. Ce nom plus sonore fut donné par Roosevelt au *Bureau of Investigation* qui existait depuis 1908.

24. Voir p. 110.

25. Le texte était rédigé de telle manière qu'un fonctionnaire était soumis à une nouvelle enquête chaque fois qu'il changeait de service...

A la fin de l'année, Truman était plus contesté que jamais. Presque tous le considéraient comme battu d'avance aux élections de novembre 1948. Le désarroi des démocrates avait pris de telles proportions que, cherchant un porte-drapeau capable de les conduire à la victoire, ils fondèrent, pendant quelques semaines, leurs espoirs sur une candidature Eisenhower. Le prestige du général était si grand que conservateurs du Sud et libéraux du Nord tombèrent d'accord sur son nom. Leurs démarches furent vaines. Ike, qui venait de quitter son poste de Commandant en chef interallié et avait accepté la présidence de l'université de Columbia [26], se déroba en affirmant qu'il n'avait aucune ambition politique.

Les Républicains respirèrent. Leur convention se réunit à Philadelphie du 21 au 24 juin. Ils avaient lu avec délectation les commentaires d'un magazine quelques semaines plus tôt : « Seul un miracle politique ou une extraordinaire stupidité de l'opposition peut sauver d'une débâcle le parti démocrate après seize ans de pouvoir. » Les délégués du G.O.P. avaient à choisir entre le sénateur de l'Ohio, Robert Taft, et le gouverneur de New York, Thomas Dewey, ce dernier, on se le rappelle [27], déjà candidat contre Roosevelt en 1944. Cet échec ne détourna pas la Convention de le désigner une seconde fois. On lui adjoignit comme vice-président éventuel Earl Warren, gouverneur de la Californie. Ainsi composée, l'équipe paraissait imbattable : l'Est et l'Ouest également représentés, deux hommes d'une excellente réputation, Dewey, plus conservateur, Warren, plus libéral, l'un et l'autre apparemment de stature présidentielle. Le flair de Truman lui révéla que les républicains avaient fait un faux calcul. « Taft aurait été un adversaire beaucoup plus dangereux », confia-t-il à un agent des services secrets qui l'accompagnait dans ses promenades matinales.

La convention démocrate siégea à Philadelphie également, trois semaines plus tard [28]. Ne pas désigner un président sor-

26. Curieuse Amérique ! Imagine-t-on Foch en 1920 devenant recteur de la Sorbonne ?
27. Voir p. 109.
28. Ce fut la première convention télévisée.

tant était impossible, quel que soit le discrédit où était tombé Truman : il fut choisi au premier tour de scrutin. Un sénateur du Kentucky, Alben Barkley, lui fut adjoint : Missouri et Kentucky semblaient ne pas peser lourd en face de New York et Californie. Puis la jeunesse était du côté républicain, 46 et 57 ans, au lieu de 64 et 70. Surtout, le G.O.P. était uni et ses opposants divisés. Truman ayant annoncé qu'il défendrait les « droits civiques », les anciens États de la Confédération décidèrent de se constituer en parti indépendant, dit « States Rights Party », sous la direction du gouverneur de la Caroline du Sud, J. Strom Thurmond.

Ainsi, combattu à sa gauche par Wallace à la tête du « Progressive Party », abandonné à sa droite par le Sud, Truman restait seul, soutenu par des partisans hésitants. Il allait, néanmoins, galvaniser la Convention. La scène est fameuse. 15 juillet, 2 heures du matin : une chaleur écrasante ; le Président, arrivé quatre heures plus tôt, monte à la tribune ; il déborde de vie et de décision. Devant lui, quelques notes qu'il regarde à peine. Et, martelant ses phrases, traitant le 80e Congrès de « pire » dans l'histoire, rappelant aux syndicats, aux agriculteurs ce que les démocrates ont fait pour eux, il annonce une décision qui redonne confiance à ses auditeurs : il a convoqué les deux Assemblées en session spéciale, le 26 juillet, mettant au défi les républicains de consacrer par des lois les promesses qu'ils ont faites aux électeurs.

Alors va s'ouvrir la plus extraordinaire campagne de l'histoire américaine.

Dewey est sûr de lui. Au début, il juge inutile de se déplacer. Lorsqu'il commencera à sillonner le pays, ce sera trop tard. Au surplus, son physique et ses manières lui nuisent. Traits distinctifs : une forte moustache noire, insolite à l'époque, des yeux marron qui, à de rares moments, étincellent, surtout une voix de baryton dont il sait tirer parti. Mais il donne l'impression de jouer un rôle et de son attitude comme de son éloquence se dégage on ne sait quoi d'artificiel et de compassé.

Quel contraste avec son adversaire ! Truman va parcourir plus de cinquante mille kilomètres et prononcer trois cent cinquante-deux discours (sans compter un nombre à peu près équivalent, précise-t-il, d'allocutions non enregistrées). L'avion est devenu un mode de transport courant, mais il lui a préféré le train. Il est accompagné de sa femme et de sa fille. A 5 heures du matin, il est debout. Les rites sont respectés : à la première occasion, il fait sa promenade habituelle. Puis, huit, dix fois par jour, le train s'arrête dans des villages ou des petites villes. A l'arrière du wagon de queue — curieusement baptisé « Ferdinand Magellan » — a été installé un pupitre surmonté d'un microphone dont la transmission est assurée par des haut-parleurs. De ce pupitre le Président se sert rarement. Son éloquence, lorsqu'elle n'est pas impromptue, est déplorable. « Sa voix ne porte pas, son débit est monotone. Même avec de fortes lunettes il a peine à suivre son texte lorsqu'il a levé les yeux pour regarder son auditoire. Sa prononciation est parfois déplorable. »

Mais dans l'improvisation, quel talent ! Quelle richesse de vocabulaire ! Quelle fantaisie dans l'invective ! Quelle mauvaise foi dans l'argumentation ! Ce fut vraiment ce que l'on a pittoresquement appelé une « *give'em hell campaign* [29] ». Rien ne déconcertait Truman. Un incident survenu pendant la session spéciale du Congrès [30] lui fournit l'occasion d'en donner la preuve. Témoignant sous serment devant une commission sénatoriale, Elisabeth Bentley précisa les accusations qu'elle avait portées deux ans plus tôt contre Harry Dexter White. Quelques jours plus tard, Whittaker Chambers mit

29. Littéralement, « envoyez-les au diable ». L'Américain est beaucoup plus fort, et le mot « *hell* » était encore considéré à l'époque comme plus ou moins tabou. Truman donne dans ses *Mémoires* l'origine de l'expression. « A Seattle, écrit-il, dans un auditorium où il y avait bien sept mille personnes, un drôle d'oiseau (" *some bird* ") tout en haut de la salle se mit à crier : " *Give them hell, Harry !* ", et c'est ainsi que toute la chose a commencé. »

30. Au cours de laquelle aucun texte important ne fut voté, ce qui permit au Président, une fois de plus, de taxer de « fainéantise » la majorité républicaine.

pour la première fois en cause Alger Hiss. On lira les suites
dramatiques de ce témoignage[31]. L'opposition, qui avait fait
des infiltrations communistes un de ses tremplins, s'en saisit
aussitôt. Le Président affecta de l'ignorer. Un reporter lui
demanda s'il ne s'agissait pas là d'un « *red herring*[32] ». « C'est
bien mon avis », répondit-il, imperturbable.

Le sujet — pas plus qu'un autre d'ailleurs — ne le troublait
certainement pas lorsqu'il commença sa campagne au début de
septembre. Seule, l'offensive était conforme à sa nature. Pendant deux mois, il ne cessa pas ses attaques. Ecoutons-le, au
hasard de ses discours : « La loi Taft-Hartley n'est qu'un
avant-goût de ce qui vous attend si vous laissez se développer
la réaction républicaine... Êtes-vous prêts à devenir esclaves ? »
« Les gens de Wall Street ne pensent qu'à accroître leurs privilèges ; ils veulent un Congrès qui pense à eux d'abord et au
peuple ensuite. » « Le G.O.P. n'a qu'une idée : vous étrangler. »
« Le candidat républicain parle d'unité : ce qu'il entend par là,
c'est une capitulation... » « Ce que nous combattons, ce sont les
isolationnistes et les réactionnaires, les profiteurs et les privilé-
giés. » « Les Républicains ont trois objectifs : concentrer le
pouvoir entre leurs mains, accélérer l'inflation pour en profiter,
aviver les préjugés religieux et raciaux... » Et, inlassablement,
de traiter « les vieilles badernes » (« *mossbacks* ») du 80e Congrès de « bons à rien », de « fainéants ». Et, irrésistiblement, les
auditeurs de devenir plus nombreux, et les applaudissements
plus chaleureux. Les derniers sondages n'en furent pas moins
catégoriques : l'un, Dewey, 49,5 %, Truman, 44,5 % ; l'autre,
Dewey, 51 %, Truman, 42 %.

Laissons au Président la description du 2 novembre, jour de
l'élection. « Je me suis levé à la même heure que d'habitude, et
j'ai fait ma promenade en compagnie du maire[33] et de quelques
amis. Je leur ai dit de ne pas s'en faire. " Je serai élu, vous pouvez y compter... " Plus tard, nous sommes partis pour Excel-

31. Voir p. 243.
32. Littéralement, « hareng saur ». L'expression « *to drag a red herring
over the track* » signifie « brouiller la piste ».
33. Truman s'était retiré à Independence depuis le 30 octobre.

sior Springs (à une quarantaine de kilomètres au nord d'Independence). Je me suis installé à l'hôtel, ai pris un bain dans les
sources chaudes, ai mangé un sandwich au jambon, accompagné d'un yaourt et me suis couché. Il devait être environ 6
heures... Un ami m'a réveillé vers minuit. Il m'a dit que j'avais
perdu New York et qu'il me fallait emporter l'Ohio, l'Illinois et
la Californie pour gagner. Je lui ai répondu : " Laissez-moi
dormir et ne me dérangez plus. Je serai en tête dans ces trois
États[34]. " A 4 h 30, un agent du Service secret vint m'annoncer
que j'étais élu. Alors, je suis sorti de mon lit, je m'habillai et
nous sommes partis " célébrer[35] " mon succès à l'hôtel
Muelebach à Kansas City. »

Le 5 novembre, le Président était de retour dans « la grande
prison blanche », ainsi qu'il appelait parfois la White House.

Entre Truman et Dewey, la différence des voix n'était qu'un
peu plus de 2 millions : 24 105 812 pour le premier,
21 970 065 pour le second. Mais les États les plus peuplés
s'étant prononcés pour le Président, celui-ci disposait d'une
majorité écrasante dans le Collège électoral : 303 voix contre
189. Les extrémistes de droite et de gauche étaient écrasés :
pour Wallace comme pour Thurmond, guère plus de 1 million
de bulletins. Suivant le sillage de leur chef, les démocrates
reprenaient le contrôle du Congrès avec une majorité de 12 au
Sénat, et de 93 à la Chambre. Sur trente-trois élections de gouverneurs, ils en avaient gagné vingt et une.

« Victoire incroyable », a-t-on écrit et quiconque a vécu aux
États-Unis la nuit du 1er au 2 novembre 1948 ne contestera pas
cette épithète. « Incroyable », elle l'est moins cependant avec le
recul de l'histoire. D'abord, elle apporte une preuve éclatante
de ce que représente la volonté d'un homme, lorsqu'elle s'ap-
puie sur l'expérience doublée de l'habileté. Mais les qualités de

---

34. Ce fut le cas.
35. Autour de verres de bourbon, précise un historien.

Truman ne furent pas les seules causes de son succès. S'il l'emporta, c'est parce qu'il sut regrouper autour de lui la coalition qui, pendant douze ans, avait assuré la victoire de Roosevelt. L'esprit du New Deal n'était décidément pas mort, et l'on s'apercevra une dizaine d'années plus tard de sa vitalité renaissante.

13.

Guerre froide et soubresauts intérieurs (II)

QUATRE ANNÉES DRAMATIQUES. — APPLICATION
PARTIELLE DU « FAIR DEAL ». — UNE
ATMOSPHÈRE PASSIONNÉE. — COMPLEXITÉ DE L'AN-
TICOMMUNISME. — L'AFFAIRE HISS. — ALGER HISS,
WHITTAKER CHAMBERS, RICHARD NIXON. —
CONDAMNATION DE HISS POUR FAUX SERMENT. —
ENTRÉE EN SCÈNE DU SÉNATEUR MCCARTHY. —
DÉCHAÎNEMENT D'ACCUSATIONS ET DE CALOMNIES. —
SCANDALES ADMINISTRATIFS. — ENQUÊTE KEFAUVER. —
CHUTE DE LA POPULARITÉ DE TRUMAN. — « LE POINT 4. »
— SIGNATURE DU PACTE ATLANTIQUE. — LEVÉE DU BLO-
CUS DE BERLIN. — PREMIÈRE EXPLOSION ATOMIQUE
RUSSE. — TRUMAN DÉCIDE LA FABRICATION DE LA
BOMBE À HYDROGÈNE. — VASTE PROGRAMME DE
RÉARMEMENT. — LE PROBLÈME ALLEMAND. — PLAN
SCHUMAN. — LE PROJET D'ARMÉE EUROPÉENNE. —
« LE GRAND DÉBAT. »

Les quatre années de 1948 à 1952 sont dramatiques. Une
partie du « Fair Deal » est mise, non sans peine, en application.
Toutefois, l'opinion s'intéresse à d'autres problèmes ; les passions anticommunistes touchent à l'hystérie et une série de

scandales ternissent la dernière période du mandat présidentiel. A l'extérieur, la tension persiste en Europe et la guerre éclate en Asie. Ainsi, Truman, que la postérité plébiscitera, termine-t-il ses fonctions entouré de discrédit.

La cérémonie traditionnelle d'entrée en fonctions [1] s'était déroulée le 20 janvier 1949 dans une atmosphère triomphale : ciel sans nuages, foules immenses, cortège de trois heures, en tête duquel marchaient les survivants de la « batterie D [2] ». Le Président, enfin l'élu du peuple et non plus le successeur de Roosevelt, semblait au sommet de sa puissance. Le contraste est tragique entre ce qu'il pouvait espérer et ce qu'il dut subir.

Les désillusions ne tardèrent pas. Suivant l'expression pittoresque d'un journaliste, Truman espérait « out-deal the New Deal [3] ». De son « Fair Deal » il ne voulait pas seulement faire une édition revue et corrigée de l'œuvre de F.D.R. : il souhaitait s'aventurer sur des terrains où son prédécesseur n'avait pas osé pénétrer. Dès janvier 1949, il soumit aux Assemblées des projets grandioses, surtout deux propositions particulièrement contestées : codification des droits civiques et annulation de la loi Taft-Hartley.

Mais Truman n'était pas Roosevelt et 1949 ne ressemblait pas à 1933. Aux ambitions de la Maison-Blanche, le Congrès opposa la force d'inertie, restant contrôlé par une majorité de conservateurs démocrates du Sud et de républicains. Puis, dans une ambiance de prospérité retrouvée [4], les réformes n'exerçaient plus la fascination que le « Grand Magicien » avait su

1. « *Inauguration Day.* »
2. Celle que commandait en France le capitaine Truman. Revoyant ses anciens soldats et les connaissant bien, il leur aurait donné ce judicieux conseil : « Je me f... de ce que vous ferez après mon discours, mais jusque-là, restez sobres ! »
3. Nous renonçons à traduire.
4. Chose incroyable à l'époque actuelle, l'indice des prix fléchit légèrement en 1949, pour se retrouver en 1950 au niveau de 1948.

exploiter. Bref, le « Fair Deal » fait penser à une peau de chagrin. Entre son point de départ et son aboutissement, la différence est grande. Il ne se traduisit guère que par une augmentation du salaire minimum, par une extension de la Sécurité sociale à plus de neuf millions de nouveaux assurés, par une hausse de 70 % des indemnités, surtout par la construction de près d'un million d'habitations à bon marché, financées par des subsides fédéraux, principe sur lequel le Président et le sénateur Taft se trouvèrent, pour une fois, miraculeusement d'accord.

Piètres résultats, comparés aux « Cent Jours » rooseveltiens. Même mutilé, le « Fair Deal » ne représente pas moins une étape importante dans l'évolution des États-Unis. C'est alors que furent dessinées les fondations sur lesquelles Lyndon Johnson devait bâtir sa « Grande Société ».

Au demeurant, tout cela paraissait fade à côté de l'ouragan qui commençait à déferler !

Les passions, sinon les violences, sont latentes aux États-Unis. On peut en proposer maintes explications. Faut-il en chercher l'origine dans un climat excessif, dont les sautes de température et les ouragans soumettent le système nerveux à de dures épreuves ? Trouvera-t-on plus facilement le mot de l'énigme en se rappelant la nature rude, sinon primitive, de la plupart des immigrants ? « La poursuite du bonheur » n'est-elle pas en elle-même la source d'aspirations ardentes ? Autant de points d'interrogation. Mais le fait est là. Sans remonter aux frénésies puritaines, l'histoire du pays est jalonnée d'explosions où les haines s'entrechoquent. « Loyalistes » tyrannisés, Indiens massacrés, surtout, cette Guerre Civile, pages stupéfiantes d'horreur, et cette « Reconstruction », qui serait mieux nommée « Persécution », puis les lynchages, et les gangsters, et les assassinats.

Ces tendances extrêmes découlent parfois d'un sentiment de panique, comme si les États-Unis redoutaient alors que « les

forces du Mal » cherchent à les priver de leur héritage. Car leur
singularité est leur bien le plus cher. Semblables aux autres, à
quoi serviraient-ils, à quoi pourraient-ils aspirer ? Or, fondés
sur une assise idéologique, l'agression d'une idée leur paraît
aussi redoutable que l'agression des armes. Pendant tout le
xixᵉ siècle et les premières années du xxᵉ, la question ne se
posa pas. L'Amérique estimait disposer du monopole de l'avenir. Mais voici que le communisme s'installe en Russie,
s'infiltre en Europe, s'enracine en Asie. Caricature de l'égalité,
il s'en prétend le symbole ; négateur de la justice, il s'en affirme
le défenseur. Pour la première fois, les États-Unis découvrent
la peur : d'un conflit de pensée sortiront-ils vainqueurs, comme
sur les champs de bataille où ils sont habitués à triompher ? Le
« *red scare* [5] » de 1920 fut la première expression de cette
angoisse. Trente ans plus tard, celle-ci renaît, plus intense
encore, car le péril n'est pas imaginaire. La Russie soviétique
ne cache pas ses objectifs ; à l'intérieur du pays, beaucoup sont
séduits par les nouvelles théories ; peu à peu s'accumulent les
indices de leurs connivences, qu'ils se refusent, d'ailleurs, à
appeler trahisons.

Même avant la guerre, le problème était à l'ordre du jour. Il
valut une célébrité fugitive à un obscur représentant du Texas,
Martin Dies, qui avait réussi à se faire désigner comme président d'un comité d'enquête sur les activités « anti-
américaines [6] ». Mission vague, dont on imagine les possibilités
d'abus [7]. Puis, la guerre surgit et ledit comité tomba dans l'ou-

5. « La terreur des Rouges » dont l'Amérique fut alors saisie.
6. « House Committee To Investigate Un-American Activities. »
7. Truman affirme que le vice-président d'alors, John Garner, lui aurait
dit : « Ce comité aura plus d'influence sur l'avenir des États-Unis que tous
les autres comités du Congrès réunis. »

bli. Mais la semence mûrit. Nous avons dit quel terrain favorable l'accueillit. N'en citons comme illustration qu'un discours de l' « Attorney general » Mac Grath en 1949. Ce défenseur de la Justice se souciait peu des nuances. Écoutons-le : « Les communistes sont partout, dans les usines, dans les bureaux, dans les boucheries [8], au coin des rues, dans les affaires privées. Et chacun d'entre eux porte en lui un germe de mort pour la société. »

En réalité, le parti ne compta jamais beaucoup d'adhérents ; entre 1930 et 1940, il connut un certain succès chez les intellectuels ; ce fut l'époque où des fonctionnaires, des écrivains, des artistes, des personnalités de Hollywood, des dirigeants de syndicats, des professeurs d'universités devinrent membres de cellules, ou, le plus souvent, sympathisèrent ouvertement avec les causes communistes, se faisant ainsi qualifier de « *fellow travelers* [9] », terme, une dizaine d'années plus tard, appliqué presque indistinctement à tous ceux que l'on considérait comme « de gauche». Tout cela était confus, mal défini, trouble, mais de nature inflammable dans une ambiance chaque jour plus surchauffée. Une étincelle suffit pour provoquer une explosion. Elle fut fournie par l'affaire Hiss, source de déchirements qui évoquent l'affaire Dreyfus.

Avant de retracer les péripéties de ce drame, jetons un coup d'œil sur les principaux protagonistes.

L'accusé, d'abord. En 1940, Alger Hiss a 44 ans. Issu d'une famille bourgeoise, sa carrière est typique des jeunes gens de son milieu. Diplômé de la Faculté de droit de Harvard, il apprend son métier auprès de l'illustre juge Oliver Wendell Holmes. Vite, les affaires publiques le tentent. Employé au Département de l'Agriculture et au Département de la Justice, il entre au Département d'État en 1939. Son ascension y est rapide. Spécialiste de l'Extrême-Orient, il devient directeur-adjoint, puis directeur du bureau des Affaires politiques, dites Spéciales, où s'élabore la conduite générale des relations exté-

8. Pourquoi cette honorable corporation était-elle spécialement visée ?...
9. « Compagnons de route. »

rieures. Roosevelt l'emmène à Yalta. On a beaucoup discuté sur le rôle qu'il y joua. Celui-ci ne dut pas être négligeable, puisque, peu de temps après, il se retrouva, à titre temporaire, Secrétaire général des Nations Unies à la Conférence de San Francisco, où il est le principal conseiller de la délégation américaine. Quelques mois plus tard, en décembre 1946, une nomination flatteuse consacre sa réputation. Foster Dulles, le futur Secrétaire d'État de Eisenhower, alors président de la Fondation Carnegie, l'appelle à la direction de cette institution.

Alger Hiss n'a pas que des amis, et on le sait mû par une ambition que ne freinent pas les scrupules. Mais tous sont d'accord pour reconnaître l'éclat de son intelligence. Son aspect et son comportement lui sont favorables : grand, mince, élégant, une manière de parler où l'on décèle les traces du meilleur accent de Harvard, le sourire facile et non sans charme. Sûr de lui, ignorant tout complexe d'infériorité, sachant garder son sang-froid, il est doué de toutes les qualités qui permettent à un fonctionnaire d'arriver aux plus hauts postes.

Quel contraste avec le témoin dont les déclarations finiront par l'accabler ! Whittaker Chambers fait une déplorable impression : lourd, négligé, des cheveux rarement peignés, un teint maladif, un regard triste, des manières renfrognées. Il a été expulsé de l'université de Columbia, a vécu avec des prostituées, a volé, et les faux serments ne sont pas pour l'embarrasser. Il est le premier à reconnaître qu'il a été membre du parti communiste et l'a quitté en avril 1938.

Un témoin si méprisable, un accusé si estimable, on peut se demander quelle aurait été l'issue de « l'affaire » si Richard Nixon n'avait pas pris en main l'accusation. Il a alors 36 ans, a été élu en 1946 à la Chambre Basse comme Représentant de la Californie, est fort peu connu et aspire à le devenir davantage. Hiss va lui fournir une occasion de notoriété qu'il est bien décidé à ne pas laisser passer.

La première scène du drame se déroule le 5 août 1949 dans la salle des séances du « Un-American Activities Committee », dont Nixon est membre. Quarante-huit heures plus tôt, Whittaker Chambers a fourni les premières précisions. Pour le contredire, Hiss a demandé à être entendu sous serment. « Il joua son rôle magnifiquement... C'était l'image de l'indignation vertueuse. Il n'avait jamais rencontré ce calomniateur... » Le Président le félicita pour « la franchise de ses déclarations ». Nixon, « qui n'avait pas quitté Hiss des yeux pendant toute la discussion » — et qui disposait d'un minimum de renseignements fournis par un agent de la F.B.I. — exigea une nouvelle audition de Chambers. Celui-ci donna alors tant de détails sur Hiss et sa femme, sur leur maison, leur mobilier, leurs habitudes, qu'il parut impossible d'admettre que Hiss ne l'eût pas connu.

Toujours à la demande de Nixon, deux confrontations eurent lieu le 17 et le 25 août, la première secrète, la seconde publique et durant neuf heures. Hiss finit par admettre qu'il avait rencontré Chambers avant la guerre, mais sous le nom de George Crosley. Ledit « George Crosley » ayant répété que Hiss était alors membre du parti communiste, celui-ci le somma de le déclarer au pays. Faute qui probablement entraîna sa perte, car elle allait justifier l'intervention des tribunaux. Le 27 août, dans une des émissions de radio les plus écoutées, Chambers affirma que « Alger Hiss avait été un communiste et l'était peut-être encore ». Deux semaines plus tard, celui-ci le poursuivit en diffamation, lui réclamant $ 75 000 de dommages et intérêts.

Les événements allaient se précipiter. Nul ne doutait plus qu'une complicité eût existé entre les deux hommes. Mais exactement de quelle nature ? Chambers échelonna la sortie de ses preuves. Une première fois, il communiqua au tribunal quatre-vingt-quatre documents du Département d'État, les uns copiés de la main de Alger Hiss, les autres dactylographiés sur une machine à écrire que l'on identifia comme étant celle de sa femme. Ce n'était pas tout. Un mois plus tard, la stupéfaction des enquêteurs fut plus grande encore. Chambers avait une modeste maison de campagne près de Washington, dans le Maryland. Il y conduisit des membres du comité, et d'une citrouille vide sortit trois rouleaux de microfilm et des photographies reproduisant des centaines de papiers secrets. Restait à avoir la certitude, ou tout au moins, une présomption suffisante que Hiss connaissait ces lieux. L'ornithologie se révéla une collaboratrice inattendue. Hiss était grand amateur d'oiseaux. Chambers témoigna que, en séjour chez lui, son invité était revenu un jour d'une promenade fort agité, ayant aperçu un oiseau que l'on ne voyait jamais dans la région. Sans se rendre compte des conséquences, Hiss confirma ce récit dans un de ses interrogatoires.

Les faits remontant à plus de dix ans et étant couverts par la prescription, il n'était pas question d'une poursuite pour espionnage. La procédure — si fréquente aux États-Unis — d'une accusation pour faux serment lui fut substituée. Dans un premier procès, huit membres du jury votèrent pour la culpabilité, quatre pour l'acquittement. L'unanimité était nécessaire. Il fallut recommencer. En janvier 1950, Hiss fut finalement condamné à cinq ans de prison.

Qui n'a pas connu les États-Unis d'il y a trente ans à peine à imaginer les passions dont le pays fut alors saisi. A gauche, on fit bloc autour du condamné. Il était, affirmait-on, victime de haines tendant à travers lui à déconsidérer l'œuvre de Roosevelt et de Truman[10]. Richard Nixon, dont le rôle avait été essentiel, fut, en particulier, l'objet de ressentiments qui allaient le suivre à travers toute sa carrière. La droite, encline à associer communisme et New Deal, tenta de généraliser le cas d'Alger Hiss et d'y voir la preuve d'une conspiration sinistre se proposant de saper les assises traditionnelles du pays.

L'affaire Hiss n'était qu'un prologue.

En 1946, les électeurs républicains du Wisconsin avaient, à la surprise générale, préféré au sénateur sortant, Robert La Follette Jr., porteur d'un nom fameux[11], un candidat peu

10. Un livre récent, *Perjury*, par Allen Weinstein, New York, 1978, conclut sans réserves à la culpabilité. L'auteur témoigne qu'il était lui-même convaincu de l'innocence de Hiss avant de commencer son étude.

11. Son père avait été l'animateur du mouvement « progressiste » dont le rôle fut considérable au début du xxᵉ siècle.

connu, Joseph McCarthy. Le vainqueur était né 37 ans plus tôt dans une famille pauvre d'agriculteurs. Pour compléter des études qui le conduisirent jusqu'à son admission au barreau, il avait gagné sa vie tant bien que mal, un jour ouvreur dans un cinéma, une autre fois gérant d'une épicerie. Sa carrière d'avocat ne satisfaisant pas ses ambitions, il fait l'apprentissage de l'administration locale en 1939, s'engage comme aviateur dans les Marines, retrouve en 1945 son poste d'avant-guerre. Un an plus tard, il est au Capitole. Il ne compte pas que des admirateurs et sa réputation est discutée. On le sait dénué de scrupules et l'on redoute ses jugements à l'emporte-pièce. « Il avait la férocité implacable d'un bulldozer », écrit un historien. Et un autre de constater « sa prodigieuse capacité de mensonge ».

En tout cas, une fois à Washington, Joseph McCarthy est bien décidé à ne pas se contenter de la routine d'une vie de sénateur. Pendant trois ans il reste ignoré. Comment se faire connaître ? Quelle thèse à effet va-t-il soutenir ? Des amis lui recommandent la chasse aux communistes. L'idée lui sourit d'autant plus qu'elle est conforme à ses convictions. Il va s'avancer sur ce terrain sans la moindre vergogne, confondant coupables et innocents, maître dans la technique des insinuations, jamais déconcerté par un démenti, maniant la calomnie avec d'autant plus d'assurance qu'elle contient parfois une part de vérité, en un mot, un prodigieux démagogue, qui, pendant quatre ans, saura faire régner autour de lui la terreur.

L'aventure commence à Wheeling, en Virginie occidentale, le 9 février 1950 devant un club de femmes républicaines. Leur invité est un piètre orateur : son débit est confus. Mais quel acteur ! Il ne se sépare jamais d'une grosse serviette bourrée de papiers. Lesquels ? Des documents irréfutables — qu'il ne montre jamais — prouvant que le Département d'État, sa cible favorite, est truffé de communistes ou de « *fellow-travelers* ». Deux cent cinq, affirme-t-il, ce soir-là, à son auditoire ébahi. Le chiffre est élastique : 205 d'abord, 57 le lendemain, puis 81. Deux autres discours à Reno et à Salt Lake City ; enfin, à la tribune du Sénat, il adjure la Haute assemblée de sauver malgré lui Truman, « devenu prisonnier d'une bande d'intellectuels au jugement faux qui ne lui laissent savoir que ce qu'ils veulent ». Les sondages révélaient 50 % en faveur de McCarthy. Les sages étaient déconcertés : comment venir à bout de ce fanatique ? On jugea habile de lui donner la possibilité de fournir ses preuves devant une commission spéciale. Trois démocrates, deux républicains la composaient, entourés de l'estime de leurs collègues. Elle était présidée par le sénateur Tydings, image de l'équité et du respect de la loi.

Les séances durèrent du début de mars à la fin de juin. Un mois plus tôt, le gouvernement britannique avait dû reconnaître que, de 1943 à 1947, un de ses ressortissants, Klaus Fuchs, travaillant dans le service des recherches atomiques, avait communiqué aux Russes des informations ultra-secrètes. Déjà secouée par cette nouvelle, l'opinion américaine le fut encore plus lorsque, le 7 mars, la veille même de l'ouverture des travaux de la commission Tydings, on apprit qu'un employé des consulats soviétiques aux États-Unis avait été trouvé coupable d'espionnage et expulsé. C'est dire que McCarthy eut beau jeu de soutenir que ses craintes n'étaient pas imaginaires. De ses allégations il n'apporta aucune preuve. Des hauts fonctionnaires, des professeurs d'universités n'en furent pas moins victimes [12].

Quatre mois de débats tumultueux suivirent sans conséquences pratiques. Le rapport des trois démocrates fut, il est vrai, sévère : « Nous sommes contraints d'appeler ces accusations et les méthodes employées dans l'espoir de leur donner une validité pour ce qu'elles sont en réalité : une supercherie frauduleuse, perpétrée contre le Sénat des États-Unis et le

---

12. Le Pr Divine en cite deux exemples parmi tant d'autres. Le ministre des États-Unis en Suisse, John Vincent Service, dont la carrière avait été en partie consacrée à l'Extrême-Orient, fut accusé par McCarthy d'avoir contribué à la chute de Tchang Kaï-chek (voir p. 272). Bien qu'exonéré après enquête, le Département d'État ne lui demanda pas moins de démission: ·r « dans l'intérêt supérieur du pays ». Philip C. Jessup était un spécialiste fort connu du droit international et un conseiller de Dean Acheson. McCarthy le dit favorable à la reconnaissance de la Chine communiste. Cela suffit pour que sa désignation comme représentant des États-Unis à l'Assemblée générale des Nations Unies fût bloquée par le Sénat.

peuple américain. » Après une discussion « où rien ne subsista
des règles habituelles de décorum et de courtoisie », la Haute
assemblée se rallia à ces conclusions, mais dans un vote auquel
l'affrontement des deux partis — quarante-cinq démocrates
contre trente-sept républicains — enlevait toute signification
morale.

McCarthy n'en fut nullement impressionné. « Aujourd'hui,
déclara-t-il, Tydings a essayé de faire savoir aux communistes
dans le gouvernement qu'ils n'ont rien à craindre. Je peux leur
garantir le contraire. L'un après l'autre, ils seront démasqués,
quels que soient les hurlements frénétiques que Tydings puisse
pousser pour les protéger. » Les élections bi-annuelles s'approchaient. Le sénateur du Wisconsin trouva l'occasion de mesu-
rer sa force. Battu son accusateur, Tydings, en Maryland, au
profit d'un républicain ; battu dans l'Illinois le chef de la majorité démocrate, Scott Lucas, qui avait pris l'initiative de l'enquête sénatoriale ; vainqueur, au contraire, en Californie,
Richard Nixon, lequel avait axé sa campagne contre les « sympathisants communistes[13] ».

Alors, en 1951, vont s'amplifier ce que Dean Acheson a
appelé « les attaques des barbares[14] ». Une nouvelle affaire se
dessine : Julius et Ethel Rosenberg, arrêtés quelques mois plus
tôt et accusés d'espionnage, sont condamnés à mort en mars[15].
L'exaltation de McCarthy ne connaît plus de limites. Beaucoup de républicains le détestent, presque tous s'en méfient,
mais ils voient en lui le bélier qui ébranlera les remparts démocrates. La plupart sont cependant stupéfaits lorsque, en juin, ils
entendent tomber des lèvres de l'implacable « Joe » la plus
invraisemblable des accusations : le général Marshall ferait
partie d'une « conspiration si immense », il serait complice
« d'une infamie si noire qu'il n'y a pas d'équivalent dans l'histoire de l'humanité ». Un sénateur démocrate, William Benton,
ose demander l'expulsion de McCarthy : il sera battu aux élections de 1952.

13. « *Pinks and fellow-travelers.* »
14. « *The attacks of the primitives.* »
15. Voir p. 321.

Devant de tels excès, Truman était arrivé à la conclusion que le silence représentait la seule réponse décente. Toutefois, cette attitude ne contribuait pas à accroître sa popularité. Au même moment, des scandales — qui, d'ailleurs, ne le mirent jamais en cause — affaiblirent encore le prestige de son administration.

Peu de choses, en somme, mais s'ajoutant les unes aux autres, et fournissant à l'opposition d'excellents terrains d'attaques. On découvrit d'abord qu'une société avait fait cadeau d'un réfrigérateur de $ 520 à un collaborateur du Président, le général Harry Vaughan, bien placé pour accélérer la signature d'un contrat. Puis ce fut le tour du président du Conseil national démocrate : il fut prouvé qu'après son intervention une autre société avait subitement obtenu un prêt de $ 565 000, auparavant trois fois refusé. Mais ce fut surtout « l'affaire du manteau de vison » qui suscita des passions : on vit une jeune femme se promener à Washington dans un superbe vêtement dont le prix fut vite identifié — $ 9 540 — et l'origine également — une compagnie à laquelle un fonctionnaire, mari de l'heureuse bénéficiaire, avait su apporter une aide discrète[16].

Beaucoup en conclurent qu'il y avait quelque chose de pourri au royaume du Danemark. Leurs appréhensions redoublèrent à la nouvelle de résultats sportifs systématiquement truqués par certaines des meilleures équipes universitaires. Plus choquant encore, à West Point, quatre-vingt-dix élèves officiers furent chassés de ce temple de l'honneur pour avoir triché aux examens.

On sait à quel point les Américains sont friands des enquêtes à grand spectacle. Celle qui s'ouvrit en 1950 allait durer plus d'un an. « Les scandales » en furent l'objet. Curieux

16. L'Association des éleveurs de visons tint à mettre les choses au point. Elle rappela que « la plupart des femmes qui portent un manteau de vison sont hautement respectables et de goûts raffinés »...

personnage que le président de cette commission, cet Estes Kefauver, qui se trouva ainsi projeté dans la notoriété. Ce natif du Tennessee, entré deux ans auparavant au Sénat, affectait de toujours porter une toque à la Davy Crockett[17]. Il avait un rare sens de la publicité et, écrit son biographe, était puissamment aidé par « un ton de voix qui donnait à la fois une impression de préoccupation, de justice, d'intégrité, de compréhension, même de faiblesse, comme si tout dépendait du sort que ses auditeurs réserveraient à ses opinions ». Il fit merveille dans son rôle de Grand Juge. La télévision était encore entourée d'une aura de curiosité. Télévisés, les débats de sa commission passionnèrent le pays. Ils eurent une double conséquence. Révéler aux électeurs les liens qui, dans certaines grandes villes et, en tout cas, à New York, existaient entre les chefs démocrates et les « syndicats du crime », puis mettre le sénateur Kefauver en bonne position pour une candidature présidentielle.

Est-ce la raison pour laquelle Truman ne se montra pas enthousiaste ? « J'ai approuvé ce qu'il a essayé de faire avec son enquête, écrit-il dans ses *Mémoires*, mais j'ai désapprouvé ses méthodes et sa manière d'agir. » On était loin des heures triomphales de novembre 1948 et l'autorité du Président ne cessait d'être contestée. En septembre 1950, le sénateur McCarran (« Pat McCarran », comme il aimait à se faire appeler), personnage haut en couleur, avec sa carrure d'athlète, sa masse de cheveux blancs, sa voix de baryton, fait voter par la Haute assemblée un texte qui met pratiquement les communistes hors-la-loi ; en cas d'urgence, le gouvernement est même autorisé à arrêter « toute personne dont on peut penser qu'elle serait capable d'actes d'espionnage ou de sabotage ». Devant une violation si flagrante des droits individuels, Truman oppose son veto : le Congrès passe outre, par 246 voix contre 48 à la Chambre, 57 contre 10 au Sénat.

Plus humiliant encore est l'échec dont une grève de la sidérurgie fut l'origine, quelques mois plus tard. On se rappelle[18]

17. « *Coonskin cap.* »
18. Voir p. 195.

que, au début de sa présidence, Truman avait nationalisé, à titre temporaire, les mines et les chemins de fer. Il voulut en faire autant en avril 1952 pour les usines d'acier. Cette fois, la Cour suprême condamna sa décision comme inconstitutionnelle.

En fait, conclut le Pr Leuchtenburg, « le Président, dans les derniers mois de son mandat, en fut réduit à mener des combats d'arrière-garde contre les adversaires du New Deal ». Au printemps de 1952, son indice de popularité était tombé à 26 %.

En politique étrangère, les succès obtenus en Europe ne suffirent pas à compenser les échecs subis en Asie[19].

1949 commença bien et se termina mal. Dans l'euphorie de sa réélection, les collaborateurs de Truman souhaitaient présenter au Congrès un projet qui enflammât les imaginations. On ne parlait guère à l'époque des pays sous-développés. Le thème parut excellent : après l'Europe, les États-Unis allaient s'occuper du reste du monde. En janvier, dans son Message annuel sur l'état de l'Union, le Président annonça que l'Amérique comptait mettre à la disposition des nations moins favorisées les ressources infinies de sa technique. « Programme nouveau et audacieux », disait le texte présidentiel. Acheson était moins lyrique ; les futurs bénéficiaires aussi ; un de leurs représentants observa que l'argent, plus que la technique, serait le bienvenu. Sous cet angle, le « Point Quatre[20] » perdait un peu de son attrait. Ses débuts n'eurent rien de fracassant : il fallut attendre dix-huit mois pour que le Congrès se décidât à voter un modeste crédit de $ 34 millions. Un jalon n'en avait pas moins été posé sur une route destinée à s'élargir.

Dans l'immédiat, on put croire, quelques mois plus tard, que les Soviets allaient décidément perdre la guerre froide. Depuis

19. Voir chap. suivant.
20. Ainsi appelé, parce que ce projet correspondait à la quatrième partie du Message.

le Plan Marshall, beaucoup pensaient, aux États-Unis, comme en Europe, qu'une aide militaire était le corollaire indispensable de l'aide économique. A quoi servirait-il de relever les pays occidentaux s'ils restaient incapables de résister à une agression soviétique ? Le 17 mars 1948, la Grande-Bretagne, la France et les trois pays du Benelux avaient signé à Bruxelles un pacte d'assistance mutuelle. Leur accord ne signifiait rien sans un appui américain. Le sénateur Vandenberg se chargea d'emporter l'adhésion du Congrès. Ce républicain, nous l'avons déjà dit, avait connu son chemin de Damas après Pearl Harbor. Roosevelt puis Truman trouvèrent en lui un allié d'autant plus précieux que son éloquence théâtrale et son instinct de la publicité faisaient merveille au Capitole. Le sénateur ne se révéla pas inférieur à sa tâche le 11 juin. Ce jour-là, il réussit à faire voter par la Haute assemblée, à la majorité de 64 contre 4, une résolution confirmant le principe de l'adhésion des États-Unis à des pactes régionaux [21] dans le cadre des Nations Unies [21bis].

Il fallut dix mois pour aboutir à un traité. Des deux côtés de l'Atlantique on était d'accord pour lui donner le nom de l'océan qui réunit le Nouveau Monde à l'Ancien. Toutefois, cette dénomination même soulevait des difficultés. On en prit argument pour essayer d'exclure l'Italie, et les mêmes objections furent opposées à la Grèce et à la Turquie quand elles posèrent leur candidature [22]. Autre difficulté plus grave. Le Sénat avait rejeté le traité de Versailles en raison, avait-on soutenu, des obligations auxquelles le principe de la sécurité collective risquait de soumettre les États-Unis. La Haute assemblée, toujours ombrageuse, n'était pas plus disposée aujourd'hui qu'hier à se laisser dessaisir d'une de ses prérogatives essentielles, le droit d'approuver ou de rejeter une déclaration de guerre. Les rédacteurs du traité s'en tirèrent par une

21. Une expérience venait d'en être faite avec les pays d'Amérique latine sous le nom de Charte de Bogota.

21bis. NATO (North Atlantic Treaty Organization) ou OTAN (Organisation du Traité de l'Atlantique Nord).

22. Et furent admises en février 1952.

formule ambiguë, source d'une méfiance que, surtout en France, les adversaires du Pacte Atlantique s'évertuèrent à développer. Le texte disait, en effet, que, en cas d'agression contre un des signataires, les autres membres entreprendraient « aussitôt... telle action qu'ils jugeront nécessaire, y compris l'emploi des forces armées ». Engagement, il est exact, moins juridique que moral.

Le 4 avril 1949 n'en est pas moins une date fondamentale. Trente ans après Versailles, dix ans après les lois de neutralité, les États-Unis signaient leur première alliance depuis 1778 [23]. Leurs partenaires étaient au nombre de onze : Canada, Grande-Bretagne, France, Italie, Belgique, Pays-Bas, Luxembourg, Norvège, Danemark, Islande et Portugal. Le traité fut ratifié par le Sénat le 21 juillet à une majorité de 82 contre 13. Ô déconcertante Amérique, toujours imprévisible !

Deux mois et demi plus tôt, le 12 mai, sans exiger d'autre contrepartie qu'une réunion du Conseil des ministres des Affaires étrangères, les Russes avaient levé le blocus de Berlin. « Le pont aérien avait permis le transport de près de 2 millions et demi de tonnes de marchandises au cours de quelque 250 000 vols. Il avait causé la mort de 39 aviateurs anglais, 31 américains, 9 civils, et coûté 350 millions de dollars aux États-Unis, 17 millions de livres à la Grande-Bretagne et 150 millions de marks au peuple allemand. »

La promesse faite aux Soviets fut tenue : quatre semaines de discussions à Paris où « les Russes se montrèrent d'une politesse inaccoutumée, toujours sur la réserve et sans l'ombre de provocation ». Mais de résultats, néant. M. Hervé Alphand en fait revivre l'atmosphère : « Sans les mots et les quatrains de François-Poncet, je m'endormirais au cours de ces interminables palabres du Palais Rose sur l'Allemagne, Berlin, Potsdam, où chacun, indéfiniment, ressort son disque. » Dean Acheson se montra plus philosophe : « Il a été convenu qu'il n'y aurait pas de nouveau blocus. C'est quelque chose, ce n'est pas beaucoup, mais c'est quelque chose. »

23. On sait que le 6 février 1778 la plus vieille monarchie et la plus jeune démocratie devinrent alliées.

Le 24 septembre, la Maison-Blanche publia un communiqué d'une ligne : « Nous avons la preuve qu'une explosion atomique a eu lieu en URSS » : les États-Unis avaient perdu leur monopole.

Le pays, dans son ensemble, accueillit la nouvelle avec calme : quatre années d'avance et un stock de bombes suffiraient, pensait-on, à préserver la prépondérance américaine. Dans les milieux officiels et chez les scientifiques, on se montra moins rassuré. Deux questions, en tout cas, exigeaient une réponse rapide : quelle politique de défense convenait-il d'adopter ? Le réarmement de l'Allemagne ne devenait-il pas une nécessité ?

Les experts étudiaient le principe d'une bombe à hydrogène, mille fois plus puissante que la bombe d'Hiroshima. Son existence assurerait de nouveau la supériorité des Américains. S'embarquer dans une si terrifiante course aux armements, c'était prendre une écrasante responsabilité. Les savants étaient divisés. Les uns recommandaient la circonspection, les autres l'action immédiate. Le Président confia à une commission composée de Dean Acheson [24], de Louis Johnson, le Secrétaire de la Défense nationale, et de David Lilienthal, le président de la Commission d'énergie atomique, le soin de lui adresser des recommandations précises. Truman avait horreur des hésitations. Il raconte que la Commission, après deux mois et demi d'études, lui remit son rapport le 31 janvier 1950 à midi trente. Les conclusions du Comité étaient positives. Le même jour, un communiqué de la Maison-Blanche annonça que « la Commission de l'énergie atomique avait reçu l'ordre de continuer ses travaux sur tous les types d'armes atomiques, y compris la bombe dite à hydrogène ou superbombe ». « Étant donné la conduite des Russes, nous n'avions pas le choix », expliqua à Lilienthal le Président, toujours amateur de formules simples.

24. Qui avait remplacé Marshall au Secrétariat d'État en janvier 1949.

Restait le problème des forces conventionnelles. A cet égard, l'Amérique se trouvait en position de faiblesse. De 45 milliards en 1946, le budget de la Défense nationale était tombé à 13 milliards en 1949. L'Armée et la Marine avaient été sacrifiées à l'Aviation, seule arme d'avenir aux yeux de beaucoup. Le Conseil de sécurité nationale fut saisi du problème. Il remit son rapport au Président en avril. Le pays a le choix entre quatre solutions, expliquaient ses auteurs. Se résigner à un statut d'infériorité, faire de l'Amérique une « forteresse » et s'y replier, déclencher une guerre préventive, entreprendre un vaste programme de réarmement en consacrant au budget militaire $ 50 milliards. On ne sera pas surpris que Truman ait fait sienne la dernière recommandation. Ainsi, pour la première fois dans leur histoire, les États-Unis acceptaient-ils le principe de rester une puissance militaire en temps de paix. Acheson précisa la ligne de conduite qui inspirait cette politique : « Une dure expérience, dit-il, nous a convaincus que la seule manière de traiter avec les Soviets est de créer une situation de force. Dès qu'ils décèlent de la faiblesse ou un défaut d'unité — et ils s'en aperçoivent rapidement — ils l'exploitent au maximum... Lorsque nous aurons éliminé toute zone de faiblesse, alors nous serons capables de signer avec les Russes des accords qui signifient quelque chose. » « C'était impliquer, conclut un historien, que la guerre froide ne se terminerait qu'au moment où les Russes reconnaîtraient leur infériorité et accepteraient une place secondaire dans le monde. »

Ils n'y étaient pas résignés. Le 25 juin 1950, les troupes nord-coréennes franchissaient le 38e parallèle. La guerre avait cessé d'être « froide », et les États-Unis allaient s'y trouver engagés [25]. C'est dire que le problème du réarmement de l'Allemagne passait décidément au premier plan de l'actualité.

Au printemps de 1949, les Alliés avaient reconnu l'existence

25. Voir chap. XV.

d'une République fédérale ; en octobre, les Russes avaient riposté en transformant leur zone en République démocratique. La coupure de l'Allemagne était un fait accompli. Entre les deux régions, il y avait cependant une différence fondamentale. Les Soviets n'avaient qu'un désir : intégrer au maximum ce satellite et utiliser ses ressources militaires pour acquérir plus de puissance. A l'Ouest, les Alliés n'avaient pas la même conception du problème. Encore sous le coup de son affreuse épreuve, la France se refusait à faire de la nouvelle Allemagne un partenaire de plein droit ; sur la question du réarmement, en particulier, elle se montrait irréductible. Anglais et Américains hésitaient, craignant l'antagonisme d'un allié difficile, redoutant au même moment que l'édifice européen ne s'écroulât, s'il n'était étayé de l'Allemagne.

Une première initiative, dont M. Jean Monnet fut l'animateur, et à laquelle deux hommes de bonne volonté, Konrad Adenauer et Robert Schuman, surent donner vie, ouvrit la porte à l'espérance. Le 9 mai 1950, fut créée une Communauté européenne, dont la France, l'Allemagne, l'Italie et les trois pays du Benelux devinrent membres ; dirigée par une autorité internationale, elle devait gérer les ressources en charbon et en acier de l'Europe occidentale[26]. « Acheson, après un moment de surprise, se montre enthousiaste », commente M. Armand Bérard.

L'invasion de la Corée du Sud posa, par la force des choses, un problème d'une extrême gravité. Pourquoi les communistes ne tenteraient-ils pas en Europe ce qui semblait si bien réussir en Asie ? L'Allemagne de l'Ouest était une proie tentante. D'autre part, comment tolérer son réarmement sans craindre une recrudescence de militarisme ? Un an plus tôt, lors de la ratification du Pacte Atlantique, Robert Schuman avait déclaré à l'Assemblée nationale : « L'Allemagne n'a pas d'armement et elle n'en aura pas... Il est impensable qu'elle puisse être admise à adhérer au Pacte Atlantique comme une nation susceptible de se défendre ou d'aider à la défense des autres nations. » Adenauer était alors d'accord. « Même si les Alliés réclamaient une

---

26. La Grande-Bretagne refusa d'en faire partie. « Ce fut sa plus grande faute de l'après-guerre », commente Acheson.

contribution allemande à la défense de l'Europe, je m'opposerais à la formation d'une Wehrmacht... Tout ce que je pourrais envisager comme cas extrême, ce serait un contingent allemand dans le cadre de la fédération européenne sous commandement européen. » « La guerre de Corée ramena tout à coup ces propos au cœur de l'actualité », commente M. Jean Monnet.

Les Américains étaient décidés à aller de l'avant. A la session de l'O.N.U. qui eut lieu à Paris en septembre, Dean Acheson avertit les ministres français et anglais des Affaires étrangères que « des renforts américains seraient bien envoyés en Europe, mais seulement lorsque les Européens auraient eux-mêmes fourni soixante divisions, dont dix pourraient être allemandes ». Pour dissiper « le fantôme du soldat allemand », le gouvernement français se rallia au principe d'une force européenne. René Pleven en expliqua la genèse à l'Assemblée nationale le 24 octobre, « parlant, pour la première fois pratiquement, d'un ministre européen de la Défense, responsable devant un Conseil des ministres, et d'une Assemblée commune, ainsi que d'un budget commun ». Il précisa comment serait constituée cette armée : « Les contingents fournis par les États participants seraient incorporés au niveau de l'unité la plus petite. » Bataillon, régiment ? On finit par s'entendre sur des « divisions européennes, unités de cinq à dix mille hommes ». Mais, en dépit de l'appui de Eisenhower, qui venait d'être nommé Commandant en chef des forces alliées en Europe, « le plan Pleven s'enlisa dans le juridisme », conclut M. Jean Monnet. Il fallut deux ans de négociations pour que le 27 mai 1952 fût créée entre les six membres de la C.E.C.A. [27] et l'Allemagne fédérale une Communauté de défense. Nous dirons [28] quels remous, une fois de plus, le rejet de ce plan par l'Assemblée nationale allait susciter, deux ans plus tard, dans les relations franco-américaines.

27. Communauté européenne du charbon et de l'acier.
28. Voir p. 338.

En 1951, l'envoi de quatre divisions supplémentaires en Europe fut l'origine d'un débat passionné. Acheson avait, en effet, commis l'imprudence, lors de la ratification du Pacte Atlantique, d'affirmer qu'il n'était pas question de renforcer les deux divisions déjà stationnées en Allemagne.

Taft au Sénat, Hoover en dehors du Capitole conduisirent l'opposition. L'ancien président soutint qu'il fallait cesser toute aide à l'Europe si celle-ci ne se révélait pas capable de se défendre elle-même ; il recommandait le renforcement des bases du Pacifique, le réarmement du Japon et la création d'une flotte et d'une aviation si puissantes qu'elles permettraient aux États-Unis de devenir un « Gibraltar de la civilisation occidentale ». Taft plaça la question sous un angle plus politique, accusant Truman d'agir sans demander l'avis du Congrès. Il fallut l'intervention de Eisenhower, puis celle de Marshall, pour empêcher le vote d'une résolution qui aurait obligé le gouvernement à différer le départ de tous renforts pour l'Europe. Après trois mois de discussions, le Sénat finit par approuver le principe d'une « contribution équitable » des États-Unis à la défense de l'Europe, et par accepter qu'elle se manifestât par l'envoi des quatre divisions prévues par le gouvernement. En revanche, il prétendit devoir être consulté pour toute nouvelle initiative. Réserve que Truman et ses successeurs ignorèrent, mais qui, note le Pr Morris, sera invoquée quinze ans plus tard par les adversaires de la guerre du Vietnam.

Le « Grand Débat[29] » se termina dans la confusion. Évidemment, les problèmes de l'Asie avaient alors priorité sur ceux de l'Europe.

---

29. Ce nom lui est resté dans l'historiographie américaine.

14.

Succès et revers asiatiques

Reportons-nous à la fin de la guerre. Des deux grands pays
asiatiques, le premier, le Japon, est écrasé ; le second, la Chine,
semble en voie de décomposition. Tous deux posent de graves
problèmes. En tentant de les résoudre, la politique américaine
remportera, d'un côté, un succès incontestable, et subira, de
l'autre, un échec non moins certain.

« Le César du Pacifique », ce titre est venu naturellement sous la plume d'un journaliste américain. Comparaison qui n'était pas faite pour déplaire au Commandant suprême des forces alliées dans le Pacifique. Mr. George Kennan raconte l'avoir entendu dire que deux occupations militaires seules avaient été réussies, celle de la Gaule et celle du Japon. Remarque inattendue, mais non sans vérité. On sait ce que les Gaulois doivent à Rome ; si les Japonais sont redevenus une grande puissance, leurs qualités seules n'expliquent pas leur redressement ; la chance leur sourit lorsqu'elle les plaça sous l'autorité de Douglas MacArthur, personnage d'un autre temps, fait pour « le métier de roi » que, tel Louis XIV, il devait trouver « délicieux ».

Car enfin, rappelons la situation du Japon en août 1945. 1 850 000 morts, dont 668 000 victimes d'attaques aériennes ; le tiers des grandes villes rasé ; la production industrielle réduite au septième de l'avant-guerre ; plus de flotte marchande ; et dans ce pays disposant désormais des seules ressources de son agriculture, un afflux de six millions de soldats, expulsés par les vainqueurs de tous les pays sur lesquels l'Empire du Soleil Levant avait établi son emprise. Les ruines se relèvent et les défaites s'oublient. Mais le désastre était plus encore d'ordre spirituel. Sous les décombres d'institutions millénaires le pays risquait de mourir étouffé. Du maintien de l'empereur, symbole de la continuité et de l'unité nationales, dépendait l'espoir d'une renaissance. Les Soviets firent tout pour obtenir sa disparition, sachant que, sans lui, le Japon serait une proie facile. Sous l'influence de leur représentant, les États-Unis eurent la sagesse de comprendre que faire de cet homme-dieu, descendant du Soleil, un monarque constitutionnel à l'image britannique était le seul moyen de réussir ces transformations qu'ils étaient décidés à imposer à leurs vaincus.

Celles-ci étaient immenses et furent, au départ, appliquées

avec brutalité. En quelques mois, le Grand État-Major, les ministères de l'Intérieur et de la Justice, la police secrète furent dissous. Puis suivirent les épurations : 600 000, 700 000 fonctionnaires, affirme-t-on ; enfin les procès des criminels de guerre : 25 accusés, 7 pendaisons, 16 condamnations à vie, 2 acquittements. Qu'elles procèdent d'un esprit de justice ou de vengeance, ces mesures avaient un caractère négatif. Rien n'aurait été plus contraire à la philosophie américaine que de s'arrêter là. Sur ce Japon à leur merci, les États-Unis étaient décidés à tenter la plus extraordinaire des expériences : d'un pays féodal, militariste, traditionaliste, ils résolurent de faire un pays d'égalité, de paix et de progrès, et cela par la grâce de la démocratie.

Tâche gigantesque dont il serait oiseux de préciser les détails. Ne retenons que les lignes essentielles. Loi agraire visant un tiers des terres arables ; près de trois cents entreprises industrielles dissoutes : mesures qui bouleversèrent des intérêts sans porter atteinte aux structures de la société. Mais ces réformateurs invétérés que sont les successeurs des Pèlerins de Plymouth ne s'en contentèrent pas. Sur les Japonais interdits, résignés, disciplinés, s'abattirent une série de décisions, dont l'idée même leur était totalement étrangère : abolition des privilèges, émancipation des femmes, éducation des masses, limitation de la natalité, protection de la santé publique, et — ô mânes de Benjamin Frankin, quelles satisfactions ne dûtes-vous pas éprouver ! — bibliothèques itinérantes destinées à mettre « la culture » à la portée de tous.

Il ne faut pas attribuer à la force le succès d'une telle révolution. L'armée d'occupation fut vite réduite à moins de cent mille hommes : ce n'était guère pour une population de plus de quatre-vingts millions. Quant aux fonctionnaires civils, l'estimation de leurs effectifs varie de deux mille deux cents à trois mille cinq cents. Première explication, sans doute la plus raisonnable : l'étonnante — et peu rassurante — capacité d'adaptation des Japonais. Ils en avaient donné la preuve à la fin du XIXe siècle, lorsque l'empereur Meiji, comme par un coup de baguette magique, modernisa le pays en quelques années. Ils se plièrent avec la même aisance à l'influence américaine : que serait-il advenu si leurs occupants avaient été les Soviets ?

Flexibilité des vaincus, mais aussi compréhension des vainqueurs. On dirait que les Américains, ces professionnels de l'énigme, ont moins de peine à s'entendre avec leurs anciens ennemis qu'avec leurs anciens alliés. En tout cas — du moins au début —, rares furent les incidents entre les GI's et la population[1]. La discipline des occupants, la frayeur des occupés y furent pour beaucoup. Toutefois, la démocratisation du Japon n'aurait sans doute pas aussi bien réussi sans les méthodes qu'employa MacArthur et sans le rayonnement de sa personnalité.

Habileté suprême que de laisser aux Japonais l'illusion qu'ils continuaient à s'administrer eux-mêmes. C'était, a-t-on dit, « le gouvernement par téléphone ». Des bureaux du S.C.A.P.[2] partaient les directives générales, ultimatums de fait, que l'on s'efforçait de présenter comme suggestions. Les difficultés commençaient lorsque, quittant les principes, on passait à leur application. Alors se déroulaient d'interminables discussions, où, de chaque côté, on accusait l'autre de mauvaise foi, tant le cerveau américain et le cerveau japonais fonctionnent de manière différente. On aboutissait malgré tout à des textes et, plus prodigieux encore, ceux-ci finissaient par être appliqués.

Couronnement de l'édifice, le Japon fut doté d'une constitution s'inspirant à la fois de la tradition britannique et de l'expérience américaine. Rien n'y manquait. D'abord, la déclaration rituelle de principes, garantissant au peuple « le droit à la vie, à la liberté et à la poursuite du bonheur[3] ». Puis trente-neuf

1. « Les Japonais, remarque un historien, furent séduits par le manque de prétentions et la gentillesse naturelle des GI's. Mais l'ambiance changea avec l'arrivée de jeunes recrues qui n'avaient pas connu la guerre. »

2. Supreme Commander Allied Forces in the Pacific.

3. On notera que « la poursuite du bonheur », « *the pursuit of happiness* », figure dans la Déclaration d'indépendance en 1776, mais a disparu dans la Constitution de 1789. Les rédacteurs de la constitution japonaise étaient-ils plus optimistes que les Pères Fondateurs ?

articles précisant toutes les libertés dont vont jouir les Japonais — et les Japonaises, puisque l'égalité de droit des deux sexes y est affirmée. Dans la pratique du gouvernement, la séparation des pouvoirs était strictement appliquée. L'empereur n'est plus que le symbole de l'État et de la nation. La Diète, élue au suffrage universel, incarne la souveraineté populaire et est seule qualifiée pour légiférer. C'est elle qui choisit le Premier ministre, à qui elle accorde ou refuse sa confiance. Mais ce gouvernement parlementaire à l'anglaise est complété par une Cour suprême, type américain.

On aimerait savoir ce que pensa MacArthur lorsque le 3 mai 1947 il donna « sa pleine approbation » à un texte qui, promettant aux Japonais tous les droits, leur enlevait celui de se protéger contre une agression. Le Japon, en effet, s'y engageait à « renoncer pour jamais à la guerre » et à n'entretenir « aucunes forces armées, terrestres, maritimes ou aériennes ». Étonnantes chimères auxquelles les événements allaient vite apporter un cruel démenti. Pour le moment, la *Pax americana* régnait sur l'ancien Empire du Soleil Levant. « Les Japonais, écrit le Pr Reischauer, considéraient le commandant suprême comme le prophète du Japon de demain et comme leur héros national. » Apothéose faite pour griser un homme dont la modestie n'était pas la vertu principale. Il paiera le prix de cette déification qui finit par le persuader de son omniscience. Mais jusqu'à ce que le drame coréen mît en évidence les limites de son génie, MacArthur pouvait revivre avec fierté les étapes de sa carrière[4]. Au surplus, comment n'aurait-il pas tiré quelque orgueil du contraste entre un Japon pacifié et peu à peu américanisé et une Chine en plein chaos, où la politique des États-Unis se débattait dans d'insolubles contradictions ?

Lorsque les Japonais capitulent, la situation chinoise est, à peu près, la suivante.

4. Voir p. 148.

De sa capitale de Tchoung-King, Tchang Kaï-chek prétend gouverner le pays : en réalité, son autorité ne s'étend que sur le sud, et de manière précaire. Un million de Japonais contrôlent le centre de l'ex-empire. Au nord, la confusion est complète et les infiltrations communistes de plus en plus nombreuses. En Mandchourie, sept cent mille Russes viennent de terminer leur « guerre de sept jours[5] ». Ils s'emploient à démanteler les usines, tandis que les partisans de Mao Tsé-toung mettent la main sur les armes et les équipements des troupes japonaises.

A Washington, une telle situation suscite un sentiment d'anxiété. A-t-on triomphé en Europe et dans le Pacifique pour perdre la partie sur le continent asiatique ? Puis la Chine a été depuis longtemps le thème d'un mythe que missionnaires, philanthropes et commerçants ont soigneusement entretenu : l'amitié sino-américaine est une de ces idées toutes faites dont il est de mauvais ton de contester la validité. Tchang, d'ailleurs, compte encore des partisans fanatiques. Un an plus tôt, Roosevelt lui a dépêché un représentant, bouillonnant de vitalité[6], mais ne connaissant rien de l'Extrême-Orient, le « major général[7] » Patrick J. Hurley, politicien de l'Oklahoma du type classique. Le nouvel ambassadeur a rejoint son poste *via* Moscou. Staline lui a affirmé qu'il n'avait aucun contact avec les communistes chinois, pour qui il a professé le plus grand mépris, les qualifiant de « communistes en margarine ». Fort de ces assurances, le « major général » arriva à Tchoung-King, persuadé qu'il n'aurait aucune peine à exécuter ses instructions, c'est-à-dire obtenir la fusion des deux armées chinoises et la formation d'un gouvernement dit de « coalition », où Tchang conserverait la prépondérance. Il crut un moment réussir. En octobre 1945, Mao accepta de venir voir Tchang. Les deux hommes signèrent un accord débordant de bonnes intentions

5. Voir p. 168.
6. « Après " Vinegar Joe " (voir p. 34), cela équivalait, remarque M. André Fontaine, à lâcher un deuxième éléphant dans un magasin de porcelaine. »
7. Le titre, ainsi qu'il est courant aux États-Unis, lui avait été donné pour faciliter sa mission.

mais de portée pratique nulle. Le personnel américain en poste, qui n'ignorait rien des subtilités chinoises, se montra fort sceptique. Hurley les accusa d'incompréhension, sinon d'hostilité systématique envers les nationalistes, puis, dans un accès de mauvaise humeur, démissionna brusquement sous un prétexte de santé.

On sait la confiance que le général Marshall inspirait à Truman. Le Président décida de lui confier la tâche ingrate d'essayer, une fois encore, de réconcilier les frères ennemis. A Washington, on savait peu de chose sur le mystérieux Mao et pas davantage sur ses séides. Staline les avait qualifiés, à Potsdam, de « brigands, de voleurs, de fascistes », puis — homme de parole[8] — il avait réaffirmé son intention de s'entendre avec Tchang. Les dépêches de Tchoung-King étaient plus réticentes. « Elles ne contenaient rien qui fût de nature à faire douter de l'intimité des relations entre les communistes chinois et l'Union soviétique », écrit le Pr Ernest May. L'ambassadeur à Moscou ne faisait, d'ailleurs, que le confirmer en « signalant que les Russes avaient l'intention de se servir des communistes chinois pour contrôler tout le pays, ou tout au moins une partie ».

Le général Marshall arriva en Chine le 1er janvier 1946. Il allait y passer une année. Il ne se sentait pas en position de force si l'on en juge par un discours prononcé quelques semaines plus tôt : « Pour le moment, avait-il dit, dans la crise émotive que traverse le peuple américain, la démobilisation a pris la forme d'une désintégration. Ce terme ne s'applique pas seulement à nos forces armées[9], mais à l'idée que nous nous faisons de nos responsabilités mondiales et des devoirs qu'elles pourraient nous imposer. » Ses instructions lui rappelaient l'objectif permanent de la politique américaine, « une Chine forte, unie et démocratique ». Aucune de ces trois épithètes ne correspondait malheureusement à la situation. Plus concrètement, le nouvel envoyé — comme le précédent — devait amener nationa-

---

8. Voir p. 160.
9. On estime qu'à cette date les États-Unis ne disposaient plus guère que d'une ou deux divisions en état de combattre.

listes et communistes à oublier leurs querelles en faisant cause commune dans une armée et un gouvernement où ils seraient « équitablement » représentés. Le général était autorisé à faire pression sur Tchang, en lui rappelant que des cent mille soldats américains encore stationnés dans le pays dépendait la plus grande part de son ravitaillement en armes et en munitions.

Le futur Secrétaire d'État était un homme pondéré. On regrette, malgré tout, de ne pas connaître les commentaires que ses interminables entretiens durent lui inspirer dans l'intimité. Peu de temps après son arrivée, il eut un moment d'espoir : Tchang et Mao signèrent un armistice. Mais l'encre de ce document n'était pas sèche que les combats reprenaient. Leur cadence ne fit que s'accélérer, les nationalistes perdant peu à peu le contrôle du terrain. Convaincu de son impuissance, Marshall demanda son rappel à la fin de l'année. Truman lui donna d'autant plus volontiers son consentement qu'il avait l'intention, on le sait, de lui confier la succession de James Byrnes [10].

Le nouveau chef de la diplomatie américaine rapportait de son année chinoise des impressions peu encourageantes. Il jugeait les hommes du Kuomintang « réactionnaires et corrompus » ; leur refus de se prêter à la moindre réforme l'avait exaspéré. Une entente avec les communistes lui semblait d'autant plus invraisemblable que ceux-ci montraient la même intransigeance que leurs adversaires. La conclusion logique de ces constatations aurait été l'adoption d'une politique de non-intervention. Mais l'idée soulevait des tempêtes, puis il ne manquait pas d'experts pour en contester le bien-fondé.

On est stupéfait lorsque l'on feuillette les journaux ou les documents parlementaires de la violence des passions provoquées par ce problème. L'extraordinaire personnage que fut Henry Luce, ce propriétaire de *Time, Life, Fortune* qui alliait à un sens rare des affaires une foi religieuse non moins exceptionnelle et une conviction quasi mystique du rôle mondial des États-Unis, était déchaîné contre tout projet de renonciation ;

10. Voir p. 198.

ne pas épauler Tchang, c'était à ses yeux se rendre coupable de trahison. L'ancien ambassadeur à Paris, William Bullitt, toujours brillant et facilement superficiel, surenchérissait : il avait trouvé une formule que tout le Washington républicain se répétait : « L'indépendance des États-Unis ne durera pas une génération après que la Chine aura perdu la sienne. » Ô le péril des prophéties! Au Congrès, il ne manquait pas de représentants du peuple pour s'enthousiasmer de ces vues simplistes. Le Pr Ernest May, à qui nous devons la plupart de ces informations, cite deux noms en particulier : Walter Judd à la Chambre, Styles Bridges au Sénat. Le premier avait passé une partie de sa vie en Chine comme missionnaire d'obédience congrégationaliste et comme médecin; l'Orient avait exercé sur lui son emprise. Le second, moins séduit par des souvenirs de jeunesse que par les arguments du « lobby » chinois, était, lui aussi, un zélateur ardent de « la bonne cause ».

L'un et l'autre se trouvaient encouragés par les opinions du personnel américain en poste à Tchoung-King. Pratiquement tous, diplomates et officiers, ces derniers surtout, étaient partisans de soutenir Tchang. Il fallait, d'après eux, non seulement l'aider, mais le contrôler, sinon le diriger. A la fin de 1946, un millier environ d'officiers et de spécialistes étaient arrivés des États-Unis, sous la direction optimiste d'un certain général John P. Lucas, convaincu du potentiel militaire des troupes nationalistes, une fois bien encadrées et commandées. En deux ans, il se faisait fort de réduire à néant les communistes... Au printemps de 1947, les chefs d'état-major des trois armes remirent au Président un mémorandum inspiré du même esprit. Ils estimaient encore qu' « une assistance des États-Unis, même limitée, remonterait de manière appréciable le moral du gouvernement national et affaiblirait simultanément celui des communistes ».

Voilà qui ne manquait pas d'optimisme. Truman hésitait. Autant ses décisions étaient rapides lorsqu'il s'agissait de l'Europe, autant il s'avançait avec prudence sur le terrain asiatique, dont il devinait plus ou moins les obstacles et les périls.

Dans l'espoir de voir plus clair il se résolut, en juillet 1947, à désigner une nouvelle mission. Celle-ci avait à sa tête le général Wedemeyer, ancien commandant en chef des troupes américaines sur le théâtre d'opérations chinois. Il avait souvent rencontré Tchang et, *a priori*, lui était favorable. Un mois d'enquête à Tchoung-King, Formose, Canton, Shanghai et dans le nord ébranla sa confiance. Il jugea les nationalistes « spirituellement insolvables » et acquit la conviction « qu'ils feraient tout au monde pour que les Américains se battent à leur place ». Il n'en conclua pas, cependant, qu'il fallait se désintéresser d'eux tant il se leurrait[11], et tant peut-être aussi redoutait-il de déplaire à Marshall que l'on savait favorable à un minimum d'intervention. Il s'en tint à la recette classique : « encouragement moral, aide matérielle », le tout sous la surveillance américaine. Pensant se hisser au niveau de la grande politique, il proposa en outre un « trusteeship » pour la Mandchourie. Mais la formule — panacée du temps de Roosevelt — était passée de mode. Au surplus, le Département d'État ne souhaitait pas que les Soviets saisissent l'occasion d'en demander autant pour la Grèce où les Occidentaux regagnaient du terrain.

Les mois qui suivirent le dépôt du rapport Wedemeyer (septembre 1947) s'écoulèrent à Washington dans une atmosphère d'incohérence inquiète. Sur la carte, la position des nationalistes ne semblait pas mauvaise : ils tenaient en partie la Manchourie, contrôlaient la plupart des grandes villes du Nord, restaient maîtres de la vallée du Yangtze et du Sud. William Bullitt, toujours à l'affût du sensationnel, suggérait $ 600 millions de crédits en leur faveur, le rééquipement de vingt divisions, surtout l'envoi de MacArthur comme représentant personnel du Président et organisateur d'une stratégie nouvelle. Propositions grandioses qu'estompèrent bientôt les discussions sur le plan Marshall.

11. Il lui semblait que l'envoi d'environ dix mille « conseillers » suffirait à redresser la situation...

D'ailleurs, de jour en jour, les communistes, insaisissables, multipliaient leurs infiltrations. L'ambassade de Tchoung-King dut reconnaître elle-même que la situation devenait « critique ». Il semble bien que la décision de supprimer toute coopération militaire avec Tchang ait été définitivement prise au début de 1948. Pour en masquer la rigueur un crédit de $ 400 millions fut, malgré tout, voté. Simple « geste », précisa le sénateur Vandenberg dans la discussion du projet devant la Commission des Affaires étrangères. Feuilletons le procès-verbal de cette réunion, tant il est révélateur des conclusions auxquelles étaient arrivés les hommes de bon sens. 14 mars 1948. Sénateur George : « J'ai la plus vive sympathie pour la Chine, mais je crains que ces $ 575 millions [12] soient complètement perdus s'ils vont à Tchang... » Sénateur Lodge : « Le jour où nous enverrons des troupes en Chine ou en Russie, nous serons perdus. » Sénateur Connally : « Je suis d'accord. Envoyer là-bas une armée, ce serait reconnaître que nous sommes en guerre... » Sénateur Lodge : « Et ce serait sans fin... » Sénateur Wiley : « Il faut avant tout nous assurer que l'on ne va pas nous amener à planter nos tentes en Chine... » Sénateur Hickenlooper : « Si nous entreprenons une action militaire, ce sera plus qu'une aventure, ce sera un complet chaos. »

Comme on aimerait savoir si les auteurs de ces déclarations les ont relues pendant le conflit vietnamien !

La suite est tragique. En vain, Mme Tchang Kaï-chek [13] se rendit-elle à Washington à la fin de 1948. Les dés étaient jetés et l'effondrement nationaliste interdisait d'imaginer qu'ils pussent être joués de nouveau. Le 15 janvier 1949, Tien-Tsin tombe ; quelques jours plus tard, Pékin ; le 23 avril, c'est le tour

12. 575 était le chiffre initial proposé par le gouvernement.
13. Truman, qui s'en méfiait, l'appelait « The Madame ». « Je ne l'ai jamais laissée résider à la Maison-Blanche comme le faisait Roosevelt », rappelle-t-il.

de Nankin, le 25 mai celui de Shanghai. « Avant la fin de l'année, indique M. André Fontaine, la totalité de la Chine continentale était aux mains des Rouges... Le 30 septembre, Mao Tsé-toung était élu président de la République populaire chinoise. » Tchang et ses dernières cohortes avaient fui à Formose, où le chef du Kuomintang annonça la formation d'un nouveau gouvernement. Aux deux Allemagnes s'ajoutaient deux Chines. Que restait-il du Directoire à Quatre, États-Unis, U.R.S.S., Grande-Bretagne, Chine, grâce auquel Roosevelt avait rêvé d'assurer la paix mondiale ?

Jamais les États-Unis n'avaient éprouvé une telle humiliation. Plus de deux milliards de dollars mis à la disposition des nationalistes, résultat nul ; les trois quarts des armes et des munitions tombés entre les mains de Mao. Acheson[14], toujours imperturbable, porte sur la situation d'alors un jugement qui révolta ses adversaires, mais dont l'exactitude est difficilement contestable. « Le fait est, écrit-il dans ses *Mémoires,* que, pris entre l'incompétence et le gâchis du Kuomintang de Tchang Kaï-chek et l'intransigeance des communistes de Mao Tsé-toung, nous n'avions guère de choix. » Cette opinion, exprimée vingt ans après le désastre, il l'avait déjà formulée dans un *Livre Blanc* rendu public le 5 août 1949. N'en reproduisons que la conclusion : « C'est un fait déplorable certes, mais inéluctable, que l'issue de la guerre civile échappait au contrôle du gouvernement des États-Unis. Rien de ce que fit ce pays et rien de ce qu'il aurait pu faire dans les limites raisonnables de ses capacités n'aurait changé le résultat ; ce que nous n'avons pas fait n'y a en rien contribué. Tout cela fut déterminé par des forces intérieures chinoises, forces que nous avons essayé d'influencer alors que nous ne le pouvions pas. »

Réflexions objectives qui ne sont guère flatteuses pour la politique américaine. Car enfin, s'il n'y avait rien que les États-Unis fussent capables de faire en Chine, pourquoi s'en être mêlé quatre ans durant ?

---

14. Qui venait de remplacer Marshall au Secrétariat d'État en janvier 1949.

Dans cet été de 1949 de mauvaises nouvelles arrivaient aussi du Sud-Est asiatique.

Après Pearl Harbor, le gouverneur général, l'amiral Decoux, assisté de son conseiller diplomatique, M. Claude de Boisanger, avait miraculeusement réussi à maintenir la souveraineté française sur l'Indochine pendant plus de trois ans. Le 9 mars 1945, un coup de force japonais mit fin à cet équilibre instable. Mais les nouveaux maîtres ne jouirent pas longtemps de leur victoire : six mois après, leur pays capitulait [15].

On se rappelle que Roosevelt envisageait de placer l'Indochine sous un « trusteeship [16] ». Lui disparu, le projet fut abandonné. A Potsdam une autre résolution fut adoptée : une fois les Japonais hors de combat, l'Indochine serait placée au nord sous l'autorité chinoise, au sud sous celle des Britanniques. Dispositions iniques qui ne pouvaient rien régler, mais dont l'application ne fut pas moins prescrite dès la capitulation japonaise.

Quelques semaines plus tard, l'arrivée du général Leclerc à la tête d'un corps expéditionnaire transforma les données du problème. Les Américains se sentaient fort embarrassés. Qui soutenir? A deux reprises, en 1940, puis en 1945, ils avaient refusé d'apporter la moindre aide aux autorités françaises. En 1946, un fait nouveau les contraignit à reconsidérer leur position : un conflit avait éclaté entre la France, tant bien que mal rétablie dans ses possessions d'avant-guerre, et Hô Chi Minh, communiste notoire ayant réussi à mettre la main sur le Nord du pays. Beaucoup de spécialistes soutenaient que, les États-Unis ayant pour objectif d'arrêter l'expansion soviétique en

15. La France sera représentée par « le général Alessandri le 27 septembre 1945 à la cérémonie de reddition des forces japonaises à Hanoï. Avec le numéro 115 dans l'ordre des préséances ».

16. M. Georges Gautier mentionne que, « moins d'un mois avant sa mort, il parla encore à l'un de ses collaborateurs d'un " trusteeship " français sur l'Indochine, sous la réserve que l'indépendance soit l'issue finale ».

Europe et en Chine, il était logique de suivre la même politique dans le Sud-Est asiatique. Toutefois, intervenir dans cette région, c'était se mettre en contradiction avec cet anti-colonialisme que les Américains prétendaient appliquer n'importe quand et n'importe où. En soutenant la France, ne risquait-on pas de retarder « l'indépendance » du peuple indo-chinois ? S'abstenir, n'était-ce pas permettre une victoire com-muniste ! Dilemme dont le Département d'État crut s'évader en multipliant les conseils et en évitant toute collaboration. Les Français avaient beau jeu de s'indigner d'une passivité qui se dissimulait sous les couleurs de la moralité. Au même moment, dans toute participation américaine, ils auraient été amenés à voir une intrusion.

Ainsi la guerre d'Indochine allait être l'occasion d'une de ces crises d'incompatibilité d'humeur qui ternissent périodique-ment les relations franco-américaines.

15.

La guerre de Corée

COMPLEXITÉ DU PROBLÈME CORÉEN. — AGRESSION
DES NORD-CORÉENS. — LES NATIONS UNIES LES
CONDAMNENT. — ENTRÉE EN ACTION DES FORCES
AMÉRICAINES. — STABILISATION DU FRONT DANS LA TÊTE
DE PONT DE PUSAN. — DÉBARQUEMENT VICTORIEUX À
INCHON. — LA CORÉE DU SUD EST RECONQUISE ET LES
TROUPES DES NATIONS UNIES FRANCHISSENT LE
38ᵉ PARALLÈLE. — ENTREVUE DE TRUMAN ET DE MAC-
ARTHUR À WAKE. — LA FRONTIÈRE DE MANDCHOURIE
EST ATTEINTE. — PUISSANTE CONTRE-OFFENSIVE
CHINOISE. — GRAVES DIFFICULTÉS ENTRE TRUMAN ET
MACARTHUR. — RÉVOCATION DE MACARTHUR. — RIDG-
WAY PARVIENT À CONTENIR LES CHINOIS. — DÉBUT
DES POURPARLERS D'ARMISTICE. — LES NÉGOCIATIONS
TRAÎNENT INDÉFINIMENT.

Dans l'imbroglio asiatique, la situation coréenne était une
des plus inextricables. A Yalta, le problème avait été à peine
effleuré, Roosevelt rêvant toujours d'un « trusteeship » des
Nations Unies. Dès la capitulation du Japon, les chimères
cédèrent la place aux réalités. Affluant de Mandchourie, les
troupes soviétiques prirent possession du Nord du pays ; ce que

voyant, les Américains s'installèrent dans le Sud. Coupant à peu près en deux la Corée, le 38e parallèle servit de frontière aux deux zones. De chaque côté fut constitué un gouvernement, se prétendant seul légitime et revendiquant une souveraineté sans partage. Fidèles au processus classique, les Nations Unies préconisèrent des élections « libres et démocratiques ». Au Sud, celles-ci aboutirent à la proclamation de la République de Corée, sous la présidence de Syngman Rhee ; au Nord, on jugea expédient de se dispenser de cette formalité ; puis on opposa à ladite « République de Corée » une autre République, baptisée « populaire », afin qu'aucun doute ne pût subsister sur la pureté de ses intentions.

Tout cela se passait en 1948. Un an plus tard, Russes et Américains se retirèrent[1] et les Coréens se trouvèrent face à face. On sait que cette même année Tchang Kaï-chek se réfugia à Formose. Pour la première fois depuis la fin de la guerre, les États-Unis n'occupaient plus aucun point du continent asiatique. MacArthur précisa la ligne qui ferait du Pacifique « un lac anglo-saxon » ; « elle part des Philippines, dit-il, passe par l'archipel des Ryukyu, dont Okinawa est le bastion principal, puis, s'inclinant vers le nord-est, traverse le Japon et abouti aux îles Aléoutiennes ». Regardons une carte. Taïwan (ex-Formose) et la Corée se trouvaient en dehors de ce « lac anglo-saxon ». Délimitation qui révèle à quel point « le César du Pacifique » redoutait alors, autant que ses collègues, de voir son pays entraîné dans un conflit continental. Quelques mois plus tard, le 12 janvier 1950, Acheson s'exprima dans les mêmes termes ; il tint cependant à préciser que toute attaque, même sur un territoire non compris dans le périmètre qu'il venait de rappeler, provoquerait une riposte « de la totalité du monde civilisé (!) agissant au nom de la Charte des Nations Unies ». Mais les passions qui déchiraient l'Amérique étaient telles que ces déclarations suffirent aux haines maccarthystes

---

1. Le Pr Morris précise que cinq cents « conseillers » américains environ restèrent sur place. Il est invraisemblable que les Russes n'en aient pas laissé au moins autant.

pour accuser le Secrétaire d'État d'avoir livré la Corée sans défense aux ambitions soviétiques.

Le samedi 24 juin 1950 était une journée calme pour le Washington officiel. Le Président était parti pour le Missouri chez son frère. Suivant la coutume, le Cabinet s'était dispersé. Le Secrétaire d'État passait le week-end dans sa maison de campagne du Maryland, à une trentaine de kilomètres de la capitale. Un coup de téléphone l'avisa dans la soirée d'une nouvelle inattendue : les Nord-Coréens, franchissant le 38e parallèle, avaient déclenché une offensive générale ; leurs adversaires semblaient opposer une faible résistance.

Acheson fit preuve d'une extraordinaire hardiesse. Avant même d'avoir parlé à Truman, il demanda une convocation d'urgence du Conseil de sécurité pour le lendemain matin. Puis il rendit compte de son initiative au Président et le convainquit de ne pas hâter son retour à Washington, afin d'éviter toute impression d'affolement.

La chance favorisa les États-Unis. Depuis le 13 janvier, le représentant des Soviets avait cessé de participer aux délibérations du Conseil, voulant protester contre la présence de la Chine nationaliste. Les neuf membres présents — la Yougoslavie s'abstenant — furent d'accord pour qualifier la situation d'« atteinte à la paix[2] ». Ainsi toute intervention militaire se ferait-elle au nom des Nations Unies et sous leur drapeau.

C'était plus qu'il n'en fallait pour permettre à Truman d'agir. Une fois de plus, il allait se révéler un homme d'État. La chronologie parle d'elle-même.

Dimanche 25. Le Président, arrivé à la fin de la journée, invite à dîner ses principaux collaborateurs. Les renseignements dont il dispose sont rares. L'idée de l'attaque vient-elle de Moscou[3], de Pékin ou des deux ? Que se proposent les com-

---

2. « *Breach of peace.* »
3. Averell Harriman est formel : « Je suis convaincu, écrira-t-il plus tard, que Staline ne pensait pas que nous interviendrions. »

munistes ? Réaliser l'unité de la Corée sous la direction du Nord ? Mais le risque est grand pour un résultat, malgré tout, secondaire. Ne visent-ils pas plus loin ? Leur objectif n'est-il pas de saper le prestige des États-Unis — déjà fort affaibli par l'échec de Tchang — en montrant que la doctrine du « *containment* » ne s'applique qu'à l'Europe ? Nous n'avons pas connaissance du procès-verbal des discussions, mais nous doutons que, sous l'impulsion de Truman, celles-ci se soient prolongées longtemps. En tout cas, les décisions ne tardèrent pas. Le soutien à la Corée du Sud serait pour le moment limité à des opérations navales et aériennes ; la 7e Flotte, basée aux Philippines, prendrait position dans le détroit de Formose pour protéger l'île et, tout autant, empêcher quelque malencontreuse tentative de Tchang[4] ; enfin — geste symbolique dont les répercussions se révéleront complexes — on accélérerait l'aide aux Français en Indochine et on y enverrait une mission militaire.

Lundi 26. Les nouvelles sont désastreuses, l'armée sud-coréenne semble en déroute. L'ambassadeur de Syngman Rhee, « en larmes », supplie Truman d'intervenir. La flotte et l'aviation reçoivent l'ordre d'entrer en action au sud du 38e parallèle ; le Conseil de sécurité est convoqué pour le lendemain.

Mardi 27. Les chefs des deux partis, réunis à la Maison Blanche, approuvent l'attitude du Président. Par six voix contre une (Yougoslavie) et deux abstentions (Égypte et Inde), le Conseil de Sécurité invite les États membres à apporter leur concours « pour arrêter l'agression et rétablir la paix ».

Merecredi 28, jeudi 29 et vendredi 30, journées décisives. MacArthur, de retour de Corée, demande l'aide immédiate de forces terrestres. Lui donner satisfaction est malaisé, car les États-Unis sont en grande partie désarmés. Le Pr Divine a noté que leurs effectifs sont alors inférieurs de moitié à ceux d'avant Pearl Harbor ; au Japon même, on compte environ 80 000 hommes, mais pour la plupart, des jeunes recrues peu entraînées.

4. Lequel, bouillonnant de zèle, proposa de mettre à la disposition des Nations Unies trente mille hommes, offre qui fut poliment refusée.

La chute de Séoul et le repli du gouvernement sud-coréen à Taejon, cent cinquante kilomètres plus au sud, révèlent la gravité des circonstances. MacArthur est autorisé à envoyer en Corée un premier régiment, en avant-garde de deux divisions qui suivront aussitôt que possible. Quelques jours plus tard, il est nommé Commandant en chef des forces des Nations Unies. Truman s'efforce de rassurer l'opinion en qualifiant d' « action de police » les opérations militaires qui vont commencer. Acheson ne se faisait pas d'illusions. « Nous étions totalement engagés en Corée », écrit-il dans ses *Mémoires*, résumant « sept jours en juin ». Les Américains en eurent vite la preuve : l'application du service militaire obligatoire fut prolongée d'un an et un programme de réarmement de $ 10 milliards fut voté par le Congrès.

Un des chefs d'état-major du MacArthur l'a décrit contemplant la retraite des troupes sud-coréennes. « Pendant une vingtaine de minutes, il vit passer sur une route trop petite pour les contenir des centaines d'hommes que l'on sentait à bout de forces ; ce n'était que désordre, désolation, gémissements des blessés. Le général ne manqua aucun détail. En quelques instants sa résolution fut prise : il jouerait le tout pour le tout. Puisque la supériorité numérique de l'ennemi était écrasante, il n'y avait qu'une méthode pour en venir à bout, la manœuvre stratégique : il l'emploierait telle qu'il en était capable. »

Pour le moment, seule une action de retardement était concevable. Aussitôt arrivées du Japon, les unités américaines s'efforcèrent de colmater tant bien que mal les brèches creusées par les envahisseurs. Leur tâche n'était pas facile dans un cadre peu attirant : des montagnes escarpées, entrecoupées de ravins, des champs de riz malodorants. On regrette de ne pas connaître les journaux intimes de quelques GI's. Que devaient-ils penser de cette aventure, les précipitant au secours d'un pays dont il est infiniment probable que la plupart ignoraient jusqu'au nom ? Le pire fut malgré tout évité. Au début d'août, la retraite était terminée. Les forces des Nations Unies[5] tenaient solidement une tête de pont d'environ cent kilomètres de profondeur et d'une largeur à peu près égale autour du port de Pusan à l'extrémité sud de la Corée. Toujours inférieures en nombre, elles avaient sur leurs adversaires l'avantage précieux d'une maîtrise absolue de la mer et de l'air.

Une position statique, même satisfaisante, n'était pas faite pour plaire à MacArthur. Il conçut un projet audacieux et l'exécuta en dépit de la désapprobation de son gouvernement et des chefs d'état-major. A l'aube du 15 septembre, une division de Marines s'empara de la ville de Inchon sur la côte ouest, à proximité de Séoul, à plus de deux cents kilomètres à l'arrière des lignes communistes. La surprise fut complète. Rarement vit-on pareil renversement. Trois jours après le débarquement, la capitale était reconquise. Simultanément, partant de la tête de pont, est déclenchée une offensive qui contraint l'ennemi à se replier, et bientôt le bouscule. Le 26 septembre, la jonction est faite avec les vainqueurs de Inchon. A la fin du mois, toute résistance organisée a cessé : encerclée, la moitié de l'armée nord-coréenne est faite prisonnière. Le 1er octobre, le 38e parallèle est atteint. Bientôt, ce qui subsiste des vainqueurs de juin n'a d'autre ressource que de chercher refuge dans la région montagneuse qui borde la Mandchourie.

Ce n'était pas une victoire à la Pyrrhus, mais c'était une victoire qui posait autant de problèmes qu'elle en réglait.

Le 7 octobre, l'Assemblée générale des Nations Unies jugea

5. Lisez : 90 % américaines et sud-coréennes, auxquelles devaient se joindre des contingents britanniques, australiens, philippins, thaïlandais, turcs, belges, canadiens, colombiens, éthiopiens, grecs et français, ceux-ci malgré l'effort fourni en Indochine. Un bataillon français, entièrement composé de volontaires, moitié d'active, moitié réservistes, débarqua en Corée en novembre 1951 et y resta jusqu'à la fin de 1952.

Fort de 1 700 hommes, il compta 270 tués ou disparus, dont 12 officiers, et 1 168 blessés.

Le général Ridgway lui décerna la « Distinguished Unit Citation », et, au moment de son départ, il fut l'objet d'une « Citation présidentielle coréenne », de Syngman Rhee, particulièrement élogieuse.

Au total, le détachement français, comprenant le bataillon et les unités de logistique et de soutien, s'éleva à 5 000 hommes.

ṽon de définir les objectifs de l'intervention en Corée : « Assurer des conditions de stabilité dans l'ensemble du pays, constituer un gouvernement unifié, indépendant et démocratique. » Voilà qui était bel et bien, mais comment passer à l'action ? On cherchait en vain un George Washington local. Puis les Chinois posaient un point d'interrogation. Leurs représentants multipliaient les avertissements énigmatiques, auxquels on pouvait attribuer des interprétations contradictoires. Truman précise que, dès le début d'octobre, des avis inquiétants parvinrent à Washington provenant de capitales étrangères. L'ambassadeur de l'Inde à Pékin citait notamment une confidence de Chou En-lai annonçant que, si les forces des Nations Unies franchissaient le 38ᵉ parallèle, l'armée chinoise entrerait en action. Fallait-il prendre cette menace au sérieux ou l'ignorer ? Les experts étaient divisés.

Truman n'avait jamais vu MacArthur ; il décida qu'un entretien s'imposait. Au fond de lui-même, ce héros le préoccupait. Lorsque, en juillet, le général s'était rendu à Formose pour s'entretenir avec Tchang Kaï-chek, le Président avait ressenti une vague inquiétude... doublée probablement de pas mal de jalousie. Il avait immédiatement dépêché Averell Harriman à Tokyo afin d'avoir des détails. L'ambassadeur, écrit l'historien Phillips, était revenu « intrigué, et un peu mal à l'aise ». Son interlocuteur lui avait déclaré que les États-Unis « devaient soutenir quiconque est prêt à combattre le communisme ». Cette application systématique de la doctrine du « containment » ne risquait-elle pas d'entraîner les États-Unis dans une série de guerres ? Truman n'en jugea pas moins expédient de préciser à une conférence de presse que les idées du général et les siennes sur la question de Formose étaient « strictement identiques ». À la fin du mois d'août, un incident suscita la colère présidentielle. Dans un message à l' « American Legion » [6], MacArthur qualifia d' « apaisement » l'argument « fallacieux » d'après lequel, en soutenant Tchang, on risquait de compromettre la politique américaine dans le reste de l'Asie.

---

6. On sait la puissance de cette association d'anciens combattants.

Cette fois, Truman explosa. Ordre fut donné au général de
« retirer » son message ; il s'y conforma, mais le texte en avait
déjà été publié. La victoire de Inchon, une quinzaine de jours
plus tard, éclaircit — du moins le pensait-on — une atmosphère
qui devenait trouble. Une prise de contact n'en parut pas moins
nécessaire.

Le général — il n'était pas revenu aux États-Unis depuis
quatorze ans — avait fait savoir que des impératifs militaires
lui commandaient de réduire au minimum son absence. Truman
hésita un moment à se rendre en Corée, mais c'eût été se mettre
en position de visiteur. Finalement, l'île minuscle de Wake,
à quelque trois mille kilomètres à l'ouest de Pearl Harbor,
fut choisie comme lieu de rendez-vous. Les deux interlocuteurs
devaient s'y rencontrer à l'aube du 15 octobre[7]. Le Président
a décrit son arrivée. « Il était six heures et demie... Le général MacArthur m'attendait en bas de l'escalier de l'avion. Sa
chemise était déboutonnée, et il portait une casquette laquelle,
évidemment, ne datait pas d'hier. Nous nous sommes souhaité
cordialement la bienvenue. » Voilà la version officielle. Faut-il
lui préférer les confidences pittoresques que Truman fit plus
tard à un journaliste ? « MacArthur essaya de retarder son
atterrissage pour que ce soit le Président qui l'accueille. Mais
je lui fis passer un message : " Dépêchez-vous d'atterrir. Nous
avons tout le temps, et nous vous attendrons. " Il dut s'exécuter... » Autre contradiction entre les *Mémoires* du Président et
ses commentaires à bâtons rompus. Première version : « Après
nous être débarrassés des photographes, nous montâmes dans
une vieille voiture qui nous conduisit au bureau du directeur de
l'aéroport. » Seconde version : « A notre premier rendez-vous,
MacArthur avait quarante-cinq minutes de retard. Je lui dis :
" Qu'il ne vous arrive plus jamais de faire attendre votre
commandant en chef ! " Son visage devint rouge comme une
tomate. Pendant notre conversation, il me donna l'impression d'un petit roquet. »

7. Acheson déclina l'honneur d'accompagner le Président, estimant que
sa présence donnerait à ces entretiens le caractère de négociations entre
deux États souverains.

De la difficulté d'écrire l'histoire... Quelques précisions paraissent, malgré tout, indiscutables. Un tête-à-tête d'une heure entre le Président et le général fut suivi d'une conférence d'à peu près la même durée avec leurs collaborateurs. Vers neuf heures, la visite officielle se termina. « Le général Mac-Arthur était pressé de retourner à Tokyo. En conséquence, nous décidâmes de ne pas rester déjeuner à Wake... Le général me conduisit à mon avion. Je lui dis que, à mon avis, notre conférence avait été très satisfaisante. Nous nous serrâmes la main, et il me souhaita " Bon retour " quand je montai à bord de l'*Independence*. » Dans un discours à San Francisco deux jours plus tard, Truman affirma l'existence d' « une parfaite unité dans les objectifs et la conduite de notre politique étrangère ».

Les comptes rendus sont naturellement contradictoires. Il semble, en tout cas, certain que MacArthur manifesta le plus grand optimisme. Grisé par le succès de son œuvre au Japon, plus encore peut-être par la manœuvre qu'il venait de réussir, il croyait contrôler parfaitement la situation. A son avis, la guerre était gagnée et la majeure partie des troupes pourrait être de retour aux États-Unis pour Noël. Et les Chinois ? « Je l'entends encore, écrit Averell Harriman, soutenir de sa voix profonde, dramatique, qu'il connaissait les Chinois, qu'ils n'attaqueraient jamais, mais que, s'ils le faisaient, ce serait un gigantesque massacre [8]. » Au surplus, paraît-il bien avoir précisé, il ne s'agirait jamais que de cinquante, au pire soixante mille hommes.

L'euphorie de Wake [9] n'allait pas durer longtemps. Jusqu'au début de novembre, les nouvelles militaires continuèrent cepen-

8. D'après le Pr Schlesinger Jr., MacArthur aurait toujours contesté qu'il ait utilisé cette expression.
9. Déclarations des deux interlocuteurs au moment de leur séparation. Truman : « Depuis que je suis Président, je n'ai jamais eu de conférence plus satisfaisante » ; MacArthur : « Cette rencontre m'a beaucoup plu. »

dant d'être excellentes. Le 21 octobre, la capitale de la Corée du Nord, Pyongyang, tomba aux mains des Nations Unies. A la fin du mois, leurs forces approchaient de la frontière mandchourienne et, symbole de la puissance navale américaine, le cuirassé *Missouri* [10] bombardait la ville de Chongjin, à moins de cent kilomètres de la frontière sibérienne.

Le 6 novembre, l'atmosphère s'assombrit subitement. Truman était à Kansas City pour voter aux élections du lendemain. Un téléphone urgent de Acheson lui apprit que des unités chinoises avaient commencé à franchir le Yalu [11]. Aucune estimation précise de leurs effectifs n'était donnée : MacArthur les jugeait toutefois suffisamment nombreuses pour mettre en danger son armée. Dans l'espoir de les arrêter, il demandait l'autorisation de faire bombarder le pont par lequel elles passaient. C'était courir le risque d'élargir le conflit. Le Président hésita vingt-quatre heures, puis finit par donner son accord.

Première alerte à laquelle le commandant en chef ne paraît pas avoir attaché grande importance, car le 24 novembre il donna l'ordre d'une offensive générale. Celle-ci faillit dégénérer en désastre. Elle se heurta à une puissante contre-attaque chinoise. Il ne s'agissait plus, cette fois, de quelques régiments, mais bien d'une armée, puissamment équipée, de 200 000 à 300 000 hommes. Faisant mouvement la nuit, et dissimulés pendant le jour sur un terrain boisé, les Chinois avaient échappé aux reconnaissances aériennes sur lesquelles MacArthur comptait pour assurer sa sécurité. Ce fut une des plus dures périodes de cette guerre. Laissons la parole au Pr Leuchtenburg. « Un froid cruel, des tempêtes de neige, des montagnes rocheuses, entrecoupées de marais dangereux et de torrents qu'il fallait franchir sans l'aide de ponts, un ennemi féroce qui ne faisait pas de quartier, des avions et des tanks manifestement d'origine russe, des combats la plupart du temps désespérés, un traitement inhumain des prisonniers, tout cela contribuait à créer une impression de terreur. »

10. Celui où avait eu lieu la capitulation japonaise. Voir p. 169.
11. Le fleuve qui sépare la Mandchourie de la Corée.

« Il s'agit d'une guerre entièrement nouvelle », diagnostiqua MacArthur. Comment la conduire ? Un conflit d'une intensité croissante allait opposer le Commandant en chef à son gouvernement.

Le premier raisonnait en militaire. Pour obtenir la victoire, une seule méthode était valable à ses yeux : dominer l'adversaire. Les moyens sont loin de nous manquer, soutenait-il : le tout est d'être prêt à les utiliser. Et de préconiser un débarquement en Chine de Tchang Kaï-chek, un blocus de la côte chinoise, le bombardement des centres industriels, surtout, pour commencer, la destruction des aérodromes de Mandchourie, « sanctuaire [12] » où les avions ennemis étaient assurés de trouver un refuge. Le général avait-il tort ? Avait-il raison ? L'histoire ne s'attarde pas aux hypothèses.

Son plan, en tout cas, risquait de monopoliser les forces américaines sur un théâtre d'opérations asiatique et de laisser l'Europe occidentale à la merci d'une attaque soudaine. Le Premier ministre britannique, Clement Attlee, d'accord avec le gouvernement français, se fit l'écho des craintes des Alliés dans une visite de cinq jours à Washington au début de décembre. Un point, surtout, l'angoissait. Peu de temps avant son arrivée, Truman avait tenu des propos inquiétants [13]. Tous apaisements furent fournis au visiteur. Mais aux souhaits, mal dissimulés, que celui-ci formula pour une évacuation de la Corée, Truman opposa un refus catégorique. Citons ses propos tels que les rapporte Acheson : « Nous resterons en Corée et nous nous y battrons ; si l'on nous aide, tant mieux ; si nous sommes seuls, tant pis. » Des allusions à un rappel de MacArthur, dont le peu de sympathie pour les Anglais était connu, ne trouvèrent

12. On se rappelle les discussions dans la guerre d'Algérie sur « le droit de poursuite ».

13. Conférence de presse du 30 novembre 1950. « Nous ferons tout ce qui est nécessaire pour faire face à la situation. » — « Cela comprend-il la bombe atomique ? » — « Cela comprend toutes les armes dont nous disposons. » — « A-t-on vraiment considéré cette possibilité ? » — « Oui. »

pas un accueil plus favorable. Mais il ne fut pas davantage question d'adopter la thèse du Commandant en chef.

La guerre continuerait donc contre les Chinois avec les méthodes employées contre les Coréens. L'année 1951 s'ouvrit sous les pires auspices. Les envahisseurs avaient franchi le 38e parallèle et repris Séoul. Une fois encore, la ténacité américaine fit merveille. Chef de la 8e Armée, le général Ridgway sut remonter le moral, fort mauvais, de troupes en retraite depuis deux mois. A la fin de janvier, il se jugea capable de reprendre l'offensive. Les résultats justifièrent sa confiance. Six semaines plus tard, Séoul était, pour la deuxième fois, reconquise, et le 38e parallèle dépassé.

C'était vraiment l'heure du choix. Fallait-il exploiter ces succès ? Convenait-il d'essayer de traiter ? MacArthur n'éprouvait que mépris pour cette guerre « en accordéon », comme il l'appelait. Il se voyait, nouveau saint Georges, terrassant le dragon communiste dans les steppes de l'Asie, et cette perspective l'enflammait. Les vues de Truman étaient plus terre à terre ; déjà surchargé d'ennuis d'ordre intérieur, il se souciait peu d'y ajouter de nouveaux problèmes extérieurs, fussent-ils grandioses. L'Assemblée générale des Nations Unies avait voté le 1er février une résolution qui condamnait l'intervention chinoise, tout en recommandant un cessez-le-feu et le retour au *statu quo*. Le Président y voyait une base d'entente. MacArthur fit tout ce qu'il put pour rendre impossible l'ouverture de négociations.

Le 7 mars, il affirme publiquement que l'on est arrivé à une impasse et que « les problèmes créés par cette guerre non déclarée ne peuvent être réglés qu'au niveau international le plus élevé » (?). Huit jours plus tard, il est moins énigmatique. En dépit de l'interdiction qui lui a été notifiée, il donne à la presse un communiqué critiquant l'arrêt de la 8e Armée au 38e parallèle. Le 23 mars, il va plus loin encore. L'avant-veille, Truman a communiqué aux gouvernements alliés un projet leur indiquant quelles conditions de paix conviendraient aux États-Unis. MacArthur, tenu au courant, réplique par un « pronunciamiento » (Acheson *dixit*) où il réitère publiquement ses thèses favorites sur les possibilités, à ses yeux certaines, de venir à bout des Chinois. A une réunion au Département d'État le lendemain matin, « le Président, parfaitement calme, semblait dans un état d'âme fait d'incrédulité et de fureur contrôlée ». Un télégramme, sans équivoque, partit pour Tokyo.

Quinze jours de silence, puis une bombe. Le 5 avril, le chef de la minorité républicaine à la Chambre des représentants donne lecture à l'Assemblée d'une réponse qu'il vient de recevoir de MacArthur. Le Commandant en chef y préconise une fois de plus l'entrée en action des troupes de Tchang Kaï-chek ; puis suit une déclaration de principes : « Il semble qu'il soit étrangement difficile pour certains de comprendre que c'est ici, en Asie, que les conspirateurs communistes ont choisi d'engager la partie pour la conquête du monde... Si nous perdons cette guerre, l'Europe est perdue ; si nous la gagnons, elle a une bonne chance de rester en paix et de garder sa liberté. Ainsi que vous le dites, il nous faut gagner. Rien ne remplace la victoire. »

Truman avait une haute idée de ses fonctions. Qu'un général osât se dresser contre le Président, représentant de la souveraineté nationale, lui parut intolérable[14]. Son parti était pris : il révoquerait MacArthur, quelques tempêtes que puisse soulever cette mesure. Il jugea sage toutefois de s'entourer de conseils[14 bis]. Le 9 avril, le général Marshall lui rendit compte que les trois chefs d'état-major, réunis sous la présidence du général Bradley, recommandaient le rappel du Commandant en chef et son remplacement par Ridgway. L'ordre partit pour Tokyo le 10. La presse en fut avisée le 11, à une heure du matin.

MacArthur semble avoir appris la nouvelle avant d'en avoir reçu la notification officielle. « Mme MacArthur et lui avaient

14. Il devait s'en expliquer plus tard en termes trumanesques : « Je l'ai " limogé " (" *I fired him* ") parce qu'il ne voulait pas respecter l'autorité du Président... Je ne l'ai pas " limogé " parce qu'il était un sacré s... (" *a damned son of a bitch* "), et pourtant, il en était un... Mais les généraux en ont le droit. S'ils ne l'avaient pas, les trois quarts d'entre eux seraient en prison... »
14 bis. Sauf de ceux du Conseil de Sécurité, observe M. Jean Chauvel.

deux invités à déjeuner. Un collaborateur du général qui venait
d'écouter la radio fit signe à Mme MacArthur. Celle-ci quitta
la table un court moment. De retour, son époux apprit par elle
ce qui l'attendait. Son visage ne broncha pas ; aucune trace
d'émotion ; puis après un moment de silence, regardant sa
femme qui avait sa main sur son épaule, il lui dit d'une voix
douce : « Jennie, nous allons enfin rentrer chez nous. »

   Alors va se dérouler un des plus étonnants épisodes de l'histoire des États-Unis.
   Il est malaisé de faire revivre les passions que le rappel de
MacArthur suscita. « Le citoyen moyen considéra cette décision comme une insulte personnelle », écrit l'historien Rovere.
Dans un grand nombre de villes, les drapeaux furent mis en
berne ; à deux reprises, Truman fut brûlé en effigie ; lorsqu'il
osa se présenter à un match de base-ball, il fut hué, manifestation dont Hoover, seul, avait eu le monopole. La presse de
Californie fut particulièrement violente. Un journal parla
d' « assassinat politique » ; un autre de « crime effectué à la
faveur de la nuit[15] » ; d'après un troisième, le Président « était
sous l'influence de drogues ». Un flot de lettres et de télégrammes submergea la Maison-Blanche : 27 363, affirment les
amateurs de précision ; 78 000, écrivent des spécialistes moins
scrupuleux. Un sondage ne laissa aucun doute : 69 % pour
MacArthur, 29 % pour le Président, 2 % sans opinion. Les
membres du Congrès les plus excités allèrent jusqu'à parler
d' « impeachment[16] ».
   Le général atterrit à San Francisco le 17 avril. Avant son
départ, l'empereur du Japon, lui rendant visite, n'avait pu, dit-
on, retenir ses larmes. La ville enchanteresse lui réserva un

   15. Allusion, peut-on supposer, à la conférence de presse.
   16. La procédure constitutionnelle d' « impeachment » permet de mettre
en accusation le Président, le vice-président et tous les fonctionnaires civils,
y compris les juges. La procédure commence par un vote de la Chambre
des Représentants ; l'accusé est jugé par le Sénat.

triomphe à la romaine : une vingtaine de kilomètres jusqu'à son hôtel sous des acclamations continues. Il s'abstint de tout commentaire ; une seule remarque bien faite pour déchaîner l'enthousiasme : « Toute ma politique est contenue dans une phrase que vous connaissez tous : " Que Dieu bénisse l'Amérique ! " »

Même démis de ses fonctions, il restait général d'armée. Dix-sept coups de canon saluèrent son arrivée à l'aéroport de Washington. Un représentant du Président et les trois chefs d'état major l'attendaient. Il fut glacial avec le premier, cordial avec les seconds. On le conduisit au Capitole. Depuis sa révocation, les extrémistes s'étaient surpassés. Écoutons-les : « un super-Munich » ; « la plus grande victoire des communistes depuis la perte de la Chine » ; « il faut mettre en accusation Truman et découvrir quelles sont les forces secrètes invisibles qui conduisent le pays à sa perte. » Il se dégageait de MacArthur tant de grandeur que ses adversaires se joignirent à ses amis pour lui faire une ovation lorsqu'il entra dans la salle des séances où sénateurs et représentants étaient réunis. Il parla « trente-quatre minutes » et fut applaudi « trente fois ». On le sentait sous le coup d'une émotion intense. « Je m'adresse à vous, dit-il, sans rancune ni amertume, au crépuscule de ma vie, avec un seul objectif, servir mon pays » ; puis il réitéra sa thèse favorite : « Si vous apaisez le communisme et lui cédez en Asie, vous aurez grand-peine à arrêter son avance en Europe... » Enfin, d'une voix plus basse, une conclusion qui allait devenir légendaire : « Après cinquante-deux ans de vie militaire, je me rappelle le refrain d'une vieille chanson d'alors, qui proclamait fièrement que les vieux soldats ne meurent jamais, tout au plus s'effacent-ils[17]. Eh bien ! Comme le vieux soldat de cette ballade, je termine maintenant ma carrière et je m'efface, vieux soldat qui essaya de faire son devoir, tel que Dieu lui donna le droit de le concevoir. Au revoir ! »

Scène émouvante, qui suscita des hyperboles absurdes. « Aujourd'hui, nous avons entendu la voix de Dieu » ; « c'était

---

17. « *Old soldiers never die, they just fade away...* »

Dieu en personne » ; « ne pas être d'accord avec le général Mac-
Arthur, c'est être déloyal » ; « ce grand général qui vient de
l'Orient, c'est une réincarnation de saint Paul » (?). Six mille
« Filles de la Révolution [18] », auxquelles le général consacra
plus tard quelques moments, se montrèrent prêtes, pour le
mieux admirer, à tous les sacrifices. Mr. William Manchester
affirme qu' « elles avaient pris la décision d'enlever leur chapeau pour ne pas se gêner l'une l'autre en regardant l'orateur »... Celui-ci ne dédaigna pas de les flatter : « Dans cette
heure de crise, affirma-t-il, tous les patriotes ont les yeux tour-
nés vers vous... » « C'est le plus grand discours qui ait jamais
été prononcé en ces lieux », résuma le procès-verbal.

Puis New York. Quiconque assista au défilé du cortège sur
la Cinquième Avenue n'est pas près d'en perdre le souvenir.
Sept millions et demi de personnes, prétend-on. Le chiffre est
invraisemblable, mais la foule, de l'avis de tous, était certainement plus de deux fois supérieure à celle qui avait accueilli
Eisenhower après la victoire. « Les écoles étaient fermées ; quarante mille dockers avaient cessé le travail. Certains se
signaient lorsque passait la voiture du général. Les femmes
sanglotaient. Il fallut hospitaliser dix-huit spectateurs pour
hystérie. » Signe suprême d'enthousiasme, suivant la coutume
locale, une quantité record de vieux papiers fut jetée sur le passage du héros.

Truman restait silencieux. Il avait prédit que tout « ce
tapage [19] » ne durerait que quelques semaines. Il ne se trompait
pas. Une interminable enquête sénatoriale, dont les séances
s'échelonnèrent du 3 mai au 25 juin, finit par lasser l'opinion.
Les passions dont le général était entouré, peu à peu, s'estom-
pèrent. Un de ses biographes, le Dr Clayton James, porte sur

18. On connaît l'importance des « Daughters of the American Revolu-
tion ». Cette société, dont les membres doivent descendre d'un soldat ou
d'un civil ayant participé à la lutte pour l'indépendance, a été créée en
1890. Elle se propose de « perpétuer la mémoire » de la Révolution et, plus
encore, « de chérir, de maintenir et de développer les constitutions qui ont
donné la liberté aux Américains ».

19. « *All that fuss...* »

lui un jugement que nous croyons équitable : « Certains de ses contemporains le jugeaient égoïste, arrogant, distant, prétentieux ; d'autres l'ont décrit plein d'abnégation, humble, charmant, modeste. Il a laissé peu de papiers et ceux-ci ne révèlent pas grand-chose. C'est une des raisons pour lesquelles sa personnalité risque de rester toujours une énigme. »

MacArthur disparu, la guerre n'en continuait pas moins en Corée. Ce conflit, qui n'en finissait pas, accrut l'actualité de la question indochinoise ; il amena d'autre part les États-Unis à réviser leur politique à l'égard du Japon.

Les dirigeants américains avaient envisagé, dès le début de 1950, la possibilité de considérer l'effort des Français dans le Sud-Est asiatique comme partie de la lutte contre le communisme dans le monde entier. En mai, Acheson annonça que pour freiner les progrès de « l'impérialisme soviétique » une aide économique, et, dans une certaine mesure, militaire, serait fournie à la France et aux trois États associés, Vietnam, Laos, Cambodge. Effectivement, quelques millions de dollars furent mis à la disposition de l'Indochine. La guerre de Corée confirma l'importance du problème. Toutefois, observe le Pr Leopold, les motifs et les objectifs des États-Unis n'ont jamais été clairement élucidés. Songèrent-ils à s'engager directement ? Ne considérèrent-ils jamais qu'un appui financier, assorti de l'envoi de quelques « conseillers » ? On lira comment l'alternative fut posée au moment de Diên Biên Phu et quelle solution lui fut donnée [20].

Autrement claire fut la politique suivie envers le Japon. De vaincu, ce pays fut transformé en allié. Sa collaboration devenait aussi essentielle que celle de l'Allemagne. En septembre 1950, Truman confia au futur secrétaire d'État d'Eisenhower, John Foster Dulles, dont l'expérience internationale était déjà grande [21], la mission de négocier un traité de paix. Les Russes

20. Voir p. 334.
21. Voir p. 318.

s'y montrèrent violemment opposés, se rendant compte que ce nouveau statut placerait encore davantage le Japon sur l'orbite américaine. Il fallut un an pour obtenir la réunion d'une conférence internationale qui donnerait sa sanction aux négociations de Dulles. Celle-ci se réunit à San Francisco le 4 septembre 1951, et, quatre jours plus tard, le traité était signé, les Soviets s'abstenant.

Les pertes territoriales du Japon étaient confirmées. Mais le pays redevenait souverain et indépendant, avec la faculté de participer à des accords régionaux pour une défense collective. Son droit au réarmement lui était reconnu. En principe, les troupes d'occupation devaient se retirer, mais, par un étrange hasard, celles des États-Unis n'étaient pas soumises à cette obligation pour une période non définie... Cette « paix de réconciliation » fut ratifiée au Sénat le 20 mars 1952 à une majorité de 66 contre 10. Révélateur de l'opposition que les accords de Yalta soulevaient encore, sept ans après leur signature, la Haute Assemblée précisa que rien dans le traité ne pouvait être interprété comme ratifiant la cession par le Japon à la Russie des Kouriles et du Sud de Sakhaline.

Les adversaires de l'Empire du Soleil Levant dans le Pacifique ne virent pas sans appréhension la signature de ce traité, annonciateur d'une renaissance japonaise. Deux pactes supplémentaires tentèrent de les rassurer, l'un avec les Philippines, l'autre avec l'Australie et la Nouvelle-Zélande[22].

Quelques semaines avant la signature du traité, des possibilités de paix avaient semblé se dessiner en Corée. Manifestement, les Chinois avaient perdu la maîtrise des opérations. L'offensive qu'ils avaient déclenchée en avril et en mai s'était traduite par des pertes considérables sans leur procurer aucun avantage. Vers la même date, les Nations Unies s'étaient prononcées en faveur d'un embargo sur toute expédition vers la Chine d'armes, de munitions et de matières stratégiques.

---

22. Connu sous le nom de A.N.Z.U.S., d'après les initiales des signatures, ledit pacte créa quelques remous. La Grande-Bretagne n'y participait pas. A Londres, on jugea avec amertume cette nouvelle étape de l'Australie vers l'indépendance.

Il est bien difficile, dans tout ce drame coréen, de déceler quel rôle jouèrent exactement les Soviets. Ce fut, en tout cas, leur représentant au Conseil de sécurité[23], Jacob Malik, qui, en juin 1951, préconisa l'ouverture de conversations. Celles-ci débutèrent le 10 juillet à Kaeseng, puis bientôt à Panmunjom. Ridgway les conduisait au nom des Nations Unies. Il était en position de force. « Il est presque certain, écrit le Pr Link, que, à cette date, les armées américaines auraient été capables de reconquérir la Corée du Nord, et que le péril dont les communistes étaient menacés explique l'initiative de Malik. » Une politique à la MacArthur ne rentrait pas toutefois dans les intentions de Truman. Ridgway reçut ordre de se tenir sur une position défensive et de se borner à des attaques aériennes contre la Corée du Nord.

A l'automne de 1952, on n'avait abouti à rien et le sang continuait à couler. La question, apparemment insoluble, allait jouer un rôle important dans l'élection présidentielle qui s'approchait.

23. Où il était revenu prendre sa place, instruit par l'expérience...

16.

Le retour des républicains

Truman affirme avoir pris la décision de ne pas se représenter dès son maintien au pouvoir en janvier 1949. Eut-il la prescience de l'impopularité dont il allait être victime ? Jugea-t-il
équitable d'appliquer strictement le 22e amendement bien que
celui-ci n'eût pas encore été ratifié [1] ? Les motifs de sa résolution, tels qu'il les explique, sont peu flatteurs pour son prédécesseur. « Si nous oublions, écrit-il, les exemples de George
Washington, de Jefferson, de Andrew Jackson, qui tous
auraient pu rester plus longtemps à la Présidence, nous ris-
quons d'entrer sur une route qui conduirait le pays à la dicta-

---

1. Il le fut le 26 février 1951.

ture et à la ruine... » ... Ainsi, pas de candidature venant de la
Maison-Blanche au scrutin du 4 novembre 1952.

Qui serait le porte-drapeau démocrate ? Le favori du Président aurait été le chef de la Cour suprême, Fred Vinson, « New
Dealer » de bonne teinte, apprécié de Roosevelt et non moins de
son successeur qui lui avait attribué la Trésorerie en juillet
1954[2]. Dans ses différents postes, il avait su se faire de nombreux amis. Mais, note un de ses biographes, « il était de nature
joviale. Il aimait les sports, le bourbon, le poker et le bridge ».
« La prison blanche[3] » ne le tenta pas. Elle attirait naturellement pas mal d'autres. Au premier plan, Averell Harriman.
Nul ne connaissait mieux que lui la scène diplomatique ; malheureusement, les arcanes du Capitole ne lui étaient guère
familiers. Reproche qui ne pouvait être adressé à Estes Kefauver, lui aussi plein d'assurance. Toutefois, avoir su exploiter
certains scandales à son profit, et porter une toque à la Davy
Crockett ne suffisaient pas à garantir sa compétence. Restait
l'espoir d'une candidature Eisenhower, que les entrevues de
1948[4] n'avaient pas complètement dissipé. Truman fit deux
nouvelles démarches ; une conversation, puis une lettre, ne lui
permirent pas de découvrir les intentions précises du général.
Ce dernier, en restant dans le vague, se borna à déclarer qu' « il
lui serait difficile d'être le porte-drapeau démocrate, n'approu-
vant pas la plupart des objectifs de politique intérieure du
parti ».

Cela signifiait-il qu'il allait céder aux sirènes républicaines ?
Lui opposer un adversaire de taille était essentiel. Tout compte
fait, le Président arriva à la conclusion que le gouverneur de
l'Illinois, Adlai Stevenson, était le choix le moins mauvais.
Homme déjà fort en vue dont il nous faut rappeler la carrière[5].

En 1952, Adlai Stevenson a cinquante-deux ans. Ses débuts

2. Et, pendant la campagne électorale de 1948, avait même conçu l'idée
extravagante de lui confier une mission personnelle auprès de Staline. Acheson, peu rassuré, fit échouer le projet.
3. Voir p. 237.
4. Voir p. 233.
5. Il mourut en 1965.

sont classiques dans le milieu dont il est issu. Princeton, Harvard, puis diplômé de la Faculté de droit de l'université de North Western [6]. Avocat quelques années, vite mêlé de près à la vie politique. Lorsque, en 1939, la guerre éclate, il se range parmi les défenseurs de la cause alliée. Son existence officielle commence après Pearl Harbor. Collaborateur du Secrétaire de la Marine, puis du Secrétaire d'État, ses tendances internationalistes l'orientent vers les Nations Unies. Conseiller et ensuite délégué adjoint, il fait merveille dans des réunions où l'art de la parole est un gage de succès.

C'est peut-être ce don d'éloquence qui amena un politicien de l'Illinois à lui demander en 1948 de se présenter au poste de gouverneur. C'était la première expérience politique de Stevenson, et ce fut un triomphe. Depuis la Guerre Civile, les républicains n'avaient été battus que trois fois dans cet État. Le vainqueur sut admirablement tirer parti de son succès. On se demanda bientôt dans les rangs démocrates si l'on n'avait pas enfin trouvé un successeur digne de F.D.R.

Truman lui offrit dès janvier 1952 de proposer son nom à la Convention. « Il me donna l'impression d'être stupéfait et refusa », raconte le Président, lui-même déconcerté. Était-ce modestie, était-ce habileté, ne faut-il voir dans cette attitude qu'un exemple parmi tant d'autres de l'indécision de Stevenson ? En tout cas, une nouvelle tentative n'eut pas plus de succès en mars. Lorsque les démocrates se réunirent, le champ restait ouvert à toutes les ambitions.

A cette date, Eisenhower, après s'être fait beaucoup prier, avait donné son accord au camp opposé.

L'heure semblait décisive aux stratèges du G.O.P. Si leur parti, écarté du pouvoir depuis vingt ans et encore sous le coup de la défaite de Dewey, n'emportait pas, cette fois, la victoire, ne risquait-il pas de disparaître peu à peu ? Pour sortir de l'im-

6. Aux environs de Chicago.

passe où les républicains craignaient d'être acculés, il leur sembla moins important de formuler un programme que de trouver un homme. Pour beaucoup, la candidature de Taft allait de soi ; mais la personnalité du sénateur de l'Ohio [7], plus encore ses idées en politique étrangère, écarteraient sans doute de lui de nombreux électeurs « indépendants » dont le vote déciderait de l'issue du scrutin. Eisenhower, au contraire, paré de l'auréole de la victoire, avait toutes les chances d'attirer à lui les indécis.

Encore fallait-il le convaincre. Le général se tenait dans un mutisme inquiétant. « Je ne suis ni républicain ni démocrate », avait-il dit en acceptant la présidence de l'université de Columbia en 1948. Mais redevenu Commandant en chef des forces alliées en Europe, trois ans plus tard, ses idées s'étaient peut-être précisées au contact des réalités européennes. Le sénateur Lodge [8], qui avait été sous ses ordres pendant la guerre et le connaissait intimement, prit une initiative qui devait se révéler décisive. Ike résidait alors à Marnes-la-Coquette dans une villa dont il semble avoir gardé le meilleur souvenir [9]. Il y reçut Lodge le 4 septembre 1951. « Mon visiteur présenta son plan avec l'ardeur d'un croisé, raconte son hôte. Il discuta avec la ténacité d'un bouledogue, insista et réinsista, jusqu'à ce que je finisse par lui dire que je réfléchirais. »

Ainsi, ni consentement ni refus. Mais les semaines qui suivirent durent faire mûrir les arguments de Lodge [10], car, au début de 1952, le général ne fit pas d'objections à ce que son nom fût présenté aux élections primaires républicaines du New Hamp-

7. Voir p. 225.
8. Petit-fils de l'adversaire de Wilson.
9. « La maison ne ressemblait à aucune de celles que nous avions occupées et était de beaucoup la plus confortable. Nos voisins étaient vraiment l'hospitalité et l'amitié mêmes... Détail touchant, lors de notre départ, les Petits Chanteurs à la Croix de Bois vinrent nous donner une aubade. »
10. Auxquels s'ajoutaient ceux de bien d'autres personnalités, notamment du général Clay, le vainqueur du blocus de Berlin, devenu président d'une grande affaire.

shire. Le succès qu'il remporta, suivi d'une autre victoire dans
le Minnesota, les résultats en mars d'un sondage qui lui donnait 52 % des voix emportèrent sa décision. En avril le sort en
était jeté : le vainqueur de « Overlord » tiendrait l'étendard du
G.O.P. Le 1er juin, il était de retour à Washington.

Ses débuts dans la vie politique furent désastreux. On lui
avait conseillé de prononcer sans attendre son premier discours. Abilene, petite ville du Kansas, où le général avait passé
son enfance, parut le lieu tout indiqué. Il y prit la parole le 4
juin sous une pluie torrentielle. La déception fut grande. « On
vit un homme grisonnant, assez ordinaire, mal à son aise, et
s'exprimant avec difficulté dire des choses fort peu stimu-
lantes », note le Pr Parmet. Un partisan de Taft résuma l'impression de beaucoup : « L'orateur, remarqua-t-il, semble être
un chaud partisan de la tradition, de la famille et de la reli-
gion. » Convictions respectables, mais insuffisantes pour créer
l'enthousiasme...

Certains augures n'étaient pas sans inquiétude lorsque la
convention se réunit à Chicago le 7 juillet. Mais les optimistes
soutenaient que la magie du nom compenserait les insuffi-
sances du verbe. Ils ne se trompaient pas. Au premier tour de
scrutin, Eisenhower recueillit 595 voix, Taft, 500 ; 9 de plus
étaient nécessaires : les 19 voix du Minnesota qui s'étaient
portées sur le gouverneur de l'État, Harold Stassen, décidèrent
de voler au secours de la victoire. Le premier geste du triom-
phateur, toujours conciliant, fut d'aller faire une visite de courtoisie à son rival malheureux.

Restaient à faire choix d'un vice-président et à se mettre
d'accord sur les principes qu'endosserait le parti. La tradition
veut que le candidat à la présidence désigne lui-même celui qui
serait appelé à devenir le deuxième personnage de l'État. Coutume d'autant moins contestée que jusqu'à une date récente les
fonctions vice-présidentielles étaient purement honorifiques.
Eisenhower n'hésita pas longtemps : il décida d'appeler auprès

de lui le jeune sénateur de Californie, Richard Nixon [11], nomination qui, dit-il, fut approuvée « avec enthousiasme ». Il en donne les motifs. « D'abord, j'avais l'impression que sa philosophie politique coïncidait généralement avec la mienne. Puis, me rendant compte que, à la date de l'élection, j'aurais soixante-deux ans, il me parut sage de m'adjoindre un homme jeune, vigoureux, prêt à apprendre et de bonne réputation. J'ajoute que les infiltrations communistes et les meilleures méthodes pour s'y opposer étaient une question brûlate, pouvant avoir de vastes conséquences... J'avais rencontré le sénateur Nixon à mon quartier général un an plus tôt... Je connaissais son rôle dans l'affaire Hiss [12]... Ce qui m'attirait particulièrement, c'était le renom d'équité qu'il s'y était acquis... Jamais il n'avait outrepassé les coutumes qui, en Amérique, régissent de telles enquêtes. Il n'avait agi ni en persécuteur ni en diffamateur. Et j'avais une grande admiration pour son attitude. »

L'adoption d'un programme fut plus malaisée. La droite et la gauche avaient, sur presque tous les problèmes, des opinions divergentes. Surtout, le venin de McCarthy continuait à empoisonner l'atmosphère. On s'en tira par un texte ambigu et généralement terne, où, de temps à autre, quelques éclats donnaient satisfaction aux partisans des solutions extrêmes. Les démocrates y furent accusés « d'avoir protégé des traîtres très haut placés » ; la doctrine du « *containment* » fut qualifiée de « négative, de futile, d'immorale » ; on s'engagea à « répudier tous les accords secrets et, en particulier, ceux de Yalta ».

Clauses de style sans grande signification. Dans le discours de clôture le 11 juillet, le général essaya de se hausser au niveau du « rêve américain », en se déclarant résolu à conduire « une croisade, celle de la liberté en Amérique et dans le monde ».

Dix jours plus tard, les démocrates se réunirent à leur tour à Chicago, dans cette même atmosphère inimitable des conventions électorales, qui tient à la fois de la réunion politique, de la

---

11. Nixon, alors âgé de trente-neuf ans, avait été élu au Sénat en 1950.
12. Voir p. 243.

foire et du cirque, où passions et intérêts, combinaisons et sincérité, illusions et réalités s'entrechoquent dans une effervescence qui n'exclut pas la grandeur.

« La confusion était extrême, écrit l'historien J. B. Martin.
Des orchestres jouaient, des cortèges parcouraient la ville dans
tous les sens ; les hôtels étaient bondés ; les candidats tenaient
des conférences de presse ; leurs partisans distribuaient des
affiches de propagande et des insignes à leur nom. » De ce
chaos nulle ligne directrice ne se dessinait. Stevenson était
arrivé le 18 juillet, trois jours avant l'ouverture des débats.
Toujours mystérieux et souriant, il avait assisté à quelques
réceptions où nul n'avait pu déceler ses intentions. Les
connaissait-il ? Il avait accepté de prononcer l'allocution de
bienvenue. Il parla « quatorze minutes » et les applaudissements l'interrompirent « vingt-sept fois ». « Lorsqu'il s'arrêta,
ce fut un tonnerre d'acclamations. »

Le candidat le mieux placé était alors le vice-président de
Truman, le sénateur Barkley. Mais son âge — soixante-quinze
ans — était un handicap, puis il se heurta à l'opposition des
syndicats. La convention tourbillonnait. Il avait été décidé que
le 24 juillet, trois jours après l'ouverture, on passerait au vote.
Ce jour-là, Truman reçut une communication téléphonique qui
le mit de fort mauvaise humeur. Laissons-lui la parole : « Stevenson m'appela et me demanda si cela m'embarrasserait qu'il
autorise ses partisans à le présenter. Je répondis, sans cacher
mon exaspération : " J'essaie de vous en convaincre depuis
janvier... ". » On ne peut qu'admirer à quel point le gouverneur
de l'Illinois sut, jusqu'à la dernière minute, se faire forcer la
main...

Il fallut malgré tout trois tours de scrutin pour que Stevenson obtînt la majorité. Il se surpassa dans la conclusion de son
discours d'acceptation : « J'ai demandé à notre Père miséricor-
dieux — notre Père à tous — que cette coupe passe loin de moi.
Mais à une si redoutable responsabilité on ne se dérobe pas,
par frayeur, par intérêt, ou par fausse humilité. Ainsi, si cette
coupe ne peut passer sans que je la boive, que Ta volonté soit
faite ! »

Revenu sur terre, l'idole des démocrates choisit son vice-président, en la personne d'un sénateur de l'Alabama, John Sparkman, dont la présence à ses côtés était de nature à apaiser les appréhensions du Sud. La plate-forme du parti n'en fut pas moins nettement orientée à gauche; elle endossait les idées du New Deal et du Fair Deal, préconisait l'annulation de la loi Taft-Hartley [13] et se déclarait favorable à une législation fédérale sur les droits civiques.

Voici les deux postulants face à face. Arrêtons-nous, tant le contraste est saisissant.

Eisenhower vient d'une famille modeste. Ses ancêtres sont arrivés d'Allemagne vers le milieu du XVIIIe siècle. Parlant de son enfance, il eut un mot profond : « Nous avions été pauvres, mais — et c'était une des gloires de l'Amérique d'alors — nous ne l'avions pas su. » Abilene dans le Kansas, où il vécut vingt ans, était une petite ville comme les autres. Les rues, non pavées, étaient impraticables après un orage; un sherif représentait « la loi et l'ordre ». « Nos plaisirs étaient simples — d'abord vivre —, mais l'air était pur, nous [14] faisions beaucoup d'exercices physiques et nous avions de bons camarades. » Ne pas aller au temple le dimanche eût été inconcevable. Des prières quotidiennes maintenaient vivante la croyance en un Dieu Tout-Puissant qui récompensait les Bons et châtiait les Méchants.

Dans ses quarante années de vie militaire [15], Ike acquiert un sens profond du devoir, un goût du travail bien fait, un culte de la discipline. La guerre lui révèle l'étendue de la misère humaine. Ce militaire est, au fond de lui-même, un pacifiste. C'est aussi un diplomate et, dans ses fonctions de commandant en chef, il témoigne d'une rare technique de la conciliation.

13. Voir p. 226.
14. Eisenhower avait quatre frères.
15. Voir p. 100.

Que sait-il des autres aspects de la vie ? Sans doute pas grand-chose. Il s'est marié à vingt-six ans avec une jeune fille de vingt ans, Mamie Geneva Doud, et a eu deux fils, dont l'un mort dans son tout jeune âge. Les passions ne semblent pas avoir exercé sur lui leurs ravages. Pendant quelque temps, il a succombé à la séduction de sa « chauffeur » anglaise, mais l'a assez brutalement délaissée une fois de retour aux États-Unis[16]. L'amour n'a guère contribué à son expérience, la politique encore moins. Un contemporain parle à ce sujet de son « incroyable innocence ».

Mais les hommes ne sont jamais tout d'une pièce. Si Eisenhower n'avait pas été nourri dans le sérail, il n'en connaissait pas moins quelques détours. On l'a cru naïf, parce qu'il était sincère ; on a douté de son intelligence parce qu'il détestait le cliquetis des mots. Ce fut une des raisons pour lesquelles il plut à tant de ses compatriotes, à qui les souvenirs du New Deal avaient révélé l'inanité de certains jeux de l'esprit. C'est, croyons-nous, pendant la campagne électorale de 1952 que fut employée pour la première fois l'expression pittoresque de « *egghead*[17] » pour désigner les faux intellectuels, les beaux parleurs, les snobs de la pensée[18]. Or, de ce type, si florissant depuis une vingtaine d'années, les États-Unis souhaitaient ne plus entendre parler. Le pays, d'ailleurs, était las de bien d'autres choses, des guerres, des dépressions, de l'inflation, des violences partisanes. « *Time for a change* », « Il est temps de changer », ce slogan des républicains correspondait fort bien aux aspirations nationales. Par « changement », on entendait moins la recherche d'idées nouvelles que le retour à des prin-

---

16. Faut-il croire Truman ? Il détestait son successeur. A l'entendre, Ike aurait fait part à Marshall de son intention de quitter l'armée et de divorcer pour épouser sa maîtresse. « Marshall lui répondit par une lettre telle que je n'en ai jamais lue... Il lui dit que s'il parlait encore d'un tel projet, il s'arrangerait pour que le reste de sa vie fût un enfer... » « J'ai détruit ces deux lettres », conclut pudiquement le trente-troisième Président.

17. Littéralement, « tête d'œuf ».

18. Le futur Secrétaire de la Défense de Eisenhower, Charles Wilson, en donna la définition suivante : » Un " *egghead* " est un homme qui sait plus de choses qu'il n'en comprend. »

cipes, qui, pensait-on, avaient fait leurs preuves. Eisenhower, « ce héros au sourire si doux », honnête, impartial, conservateur et non réactionnaire, Américain 100 % tout en ignorant la xénophobie, homme d'union et de concorde, imprégné de la sagesse des temps que l'on commençait à qualifier d'heureux, représentait pour l'Amérique un refuge et un réconfort.

Stevenson aspirait à bien autre chose. Il était né dans l'Indiana, à Bloomington, petite ville d'environ vingt-cinq mille habitants. Sa famille appartenait à la « meilleure » société locale. On y vénérait la mémoire d'un grand-père, vice-président de Grover Cleveland. La vie facile d'Adlai ne le mit guère en contact avec d'autres milieux que le sien. Il connut succès sur succès, professionnels et personnels. Un seul échec, son divorce après vingt ans de mariage. Les consolatrices ne lui manquèrent jamais, « presque toutes brillantes, jolies et riches », précise son biographe. Il se plaisait en leur compagnie et suivait volontiers leurs avis. La conversation, dans laquelle il excellait, était, d'ailleurs, un de ses plus grands plaisirs. Les postes qu'il avait occupés, administratifs ou politiques, avaient été pour lui matière à réflexions — pour tous intéressantes, d'après certains profondes.

Ce politicien subtil — il le montra dans l'Illinois — était avant tout un homme de pensée. Le côté intellectuel de sa nature lui procura autant d'ennemis qu'il lui apporta d'admirateurs. L'anti-intellectualisme est un trait caractéristique de la vie politique américaine[19]. Il était particulièrement virulent à l'époque de cette campagne présidentielle. Le Pr Hofstadter lui attribue une double origine. D'abord, « la méfiance traditionnelle des hommes d'affaires à l'égard des spécialistes qui travaillent dans une sphère dont ils n'ont pas le contrôle, tels que professeurs, écrivains, fonctionnaires... ». S'y ajouterait « une aversion instinctive » contre tout ce qui est trop cultivé, trop raffiné. Stevenson — hormis son éloquence — n'avait, en effet, rien qui fût de nature à plaire aux foules.

19. On prête à Eisenhower ce mot : « Un intellectuel est un homme qui utilise plus de mots qu'il n'est nécessaire pour en dire plus qu'il ne sait. »

Mais dans le monde où l'on pense, quel triomphe ! Sa tendance à philosopher, son art de manier les idées générales, le brillant de son esprit, le ton de plaisanterie par lequel il prétendait se rabaisser tout en réussissant à se mettre en valeur, autant de qualités qui lui valurent des adhésions enthousiastes. Le Pr Hamby a recueilli quelques appréciations. « Il y a dans son style quelque chose qui vous fait frissonner... » ; « ... ses discours sont un chef-d'œuvre de sagesse, d'humour et de bon sens » ; « ils rappellent ceux de Lincoln... ». Et de louer « son courage politique et son audace », « son mépris aristocratique pour les ignobles compromis du malheureux Ike... » ; « ... son intégrité... » ; « la première personnalité d'une grande stature qui se soit révélée depuis Roosevelt » ; ou mieux encore : « ses dons sont supérieurs à ceux de n'importe quel Président ou candidat président depuis le début du siècle... ».

Peut-être. Mais Stevenson n'eut jamais l'occasion de prouver qu'il était vraiment un homme d'État.

Assez terne au début, la campagne électorale atteignit une rare violence dans les semaines qui précédèrent le scrutin.

Eisenhower se vante d'avoir parcouru près de cinquante mille kilomètres en avion et plus de trente-trois mille en chemin de fer, d'avoir visité quarante-cinq États et pris la parole dans deux cent trente-deux villes, grandes ou petites. Son élocution ne l'aidait pas [20]. « Le courant qui porte Eisenhower ressemble à celui d'un ruisseau desséché », commentait un partisan de Taft. Les deux hommes se rencontrèrent le 12 septembre. Le sénateur convainquit le général que, dans la vie politique aussi bien que dans la vie militaire, l'offensive seule conduit à la victoire. Trois thèmes d'attaque furent choisis : la guerre de Corée — que les démocrates étaient accusés « de n'avoir su ni gagner

20. Un ami s'en inquiétait : « Quelle importance cela a-t-il si j'oublie les verbes, si je confonds le singulier et le pluriel, et tout le reste ? Ils savent ce que je veux dire et c'est cela qui compte », lui répondit Eisenhower.

ni terminer » —, le communisme, la corruption[21]. Ike, comme il
le dit lui-même, se mit alors à « frapper dur[22] ».

Un incident faillit tout compromettre. Six jours après l'entrevue avec Taft, le *New York Post* publia une information
selon laquelle « un club de millionnaires » en Californie aurait
mis à la disposition du candidat à la vice-présidence un fonds
de $ 18000 pour ses dépenses personnelles. L'accusation reten-
tit comme un coup de tonnerre. Les ennemis de Nixon, puissants, étaient décidés à exploiter l'affaire. Celle-ci était
d'autant plus grave que les républicains s'étaient faits les
champions de l'intégrité, par contraste avec les « scandales » de
l'administration démocrate. On pressa Eisenhower de se séparer d'un collaborateur si compromettant[23]. Son sens de la justice lui conseilla de donner à l'accusé une chance de se disculper. Un examen comptable prouva que ce mystérieux fonds
n'avait été affecté qu'aux frais de la campagne électorale[24].
Toutefois l'article du *New York Post* avait provoqué une telle
tempête qu'une réponse de Nixon fut jugée indispensable.
Moyennant $ 75000, le Comité national républicain mit à sa
disposition une demi-heure de télévision. Ce fut un spectacle
extraordinaire, que regardèrent, prétend-on, cinquante ou
soixante millions de spectateurs. Nixon, accompagné de sa
femme, sut trouver exactement le ton qui convenait. Rappelant
les débuts difficiles de son mariage, et comment, à force de travail et de volonté, il était arrivé à sa situation actuelle, il balaya
les calomnies dont il se dit victime. Et se tournant vers « Pat » :
« Ce n'est pas elle qui porte un manteau de vison[25], le sien est
en bonne laine républicaine *(sic)*. Des cadeaux ? Oui, nous en
avons accepté un, un petit chien que nos filles[26] ont baptisé

21. « *Korea, communism, corruption* », que l'on résuma par la formule
KC2.

22. « *I really started swinging.* »

23. Un des défenseurs les plus ardents de Nixon fut son futur successeur,
Gerry Ford, alors représentant du Michigan.

24. On apprit bientôt que Stevenson avait bénéficié de concours ana-
logues.

25. Voir p. 250.

26. Alors âgées de dix et quatre ans.

" Chequers [27] " et dont nous sommes bien décidés à ne pas nous séparer. » Enfin, pour terminer, « quoi qu'il arrive, je continuerai à me battre jusqu'à ce que j'aie réussi à chasser les escrocs et les communistes ».

La réaction fut triomphale. Un flot de lettres et de télégrammes enthousiastes, dans la proportion, affirme-t-on, de trois cent cinquante contre un. « Pour une fois, dit un commentateur exprimant l'opinion de millions de ses compatriotes, le parti républicain a pris figure humaine ; pour la première fois, enfin, l'Américain moyen est un républicain... » Eisenhower convoqua Nixon à Wheeling en Virginie occidentale où son itinéraire l'avait conduit. La scène est devenue fameuse. Ike était à l'arrivée de l'avion. « Mais, Général, il ne fallait pas venir à notre rencontre », crut devoir dire Nixon. « Pourquoi pas ? », répondit son chef, et, le prenant dans ses bras, « *Dick, you are my boy* [28] ».

Et la campagne continua, de plus en plus âpre. McCarthy posait un problème embarrassant. Le général le détestait, mais ne pouvait négliger sa force électorale. Les accusations portées contre Marshall l'avaient révolté ; il n'en accepta pas moins de supprimer d'un de ses discours l'éloge qu'il avait fait de son ancien chef, compromis pénible dont il dut souffrir [29]. A l'approche du scrutin, encore incertain, Eisenhower sentit le besoin d'une déclaration sensationnelle. Le 24 octobre, il annonça que, s'il était élu, « il se rendrait en Corée pour juger par lui-même de la situation ». Cette guerre interminable pesait d'un tel poids, le prestige de Ike était si grand que ces paroles parurent annonciatrices d'une solution. « Les dés sont jetés et la partie gagnée pour Ike », prophétisa un bon juge.

Les partisans de Stevenson, cependant, ne désespéraient pas. Ses débuts avaient été encourageants. Il avait réussi le tour de force d'être plus applaudi que Eisenhower par les Anciens Combattants, et, de manière générale, faisait excellent effet à la

---

27. Le nom de « Chequers » a été donné à l'incident.
28. Nous renonçons à traduire.
29. Le Pr Alexander note qu'un texte, non expurgé, parut dans la presse.

télévision. Mais se dégageait-il de lui assez de vigueur ? «Stevenson n'avait aucune idée de ce qu'est une campagne électorale», dira plus tard Truman. Peut-être y avait-il là un peu d'amertume, car le candidat démocrate avait tout fait pour se dissocier de celui dont il convoitait la succession. « Il faut mettre en valeur le fait que *je ne suis pas* [30] le candidat de Truman », écrivit-il à une amie deux jours après la fin de la convention. Et il le prouva en établissant son quartier-général dans la capitale de l'Illinois et non dans la capitale fédérale, en se dissociant de l'organisation officielle du parti, en allant même jusqu'à dire — tel un républicain — qu'il mettrait de l'ordre dans le « gâchis » washingtonien [31].

C'était plus que le Président n'en pouvait supporter. D'ailleurs, rester passif était au-dessus de ses forces. A la fin de septembre, il décida de reprendre son bâton de pèlerin, « en dépit d'un manque manifeste d'approbation dans le camp Stevenson ». Il se crut rajeuni de quatre ans : plus de cent discours en treize jours, se déplaçant par train comme en 1948. La tactique du « *Give'em hell* [32] » lui était si instinctive qu'il trouva naturel de la faire revivre. Mais il commit la faute de s'attaquer à Eisenhower lui-même, alors que le général était universellement respecté... et qu'il avait essayé de l'attirer du côté démocrate. Emporté par la passion, il alla jusqu'à mettre en cause l'intégrité du candidat républicain, lui reprocha d'avoir « trahi » la politique étrangère qu'il avait contribué à mettre en œuvre, l'accusa de « duplicité et de lâcheté » à propos de McCarthy, le qualifia de « captif » de Taft. Aiguillonné, Stevenson tenta de se montrer plus agressif. On l'entendit décrire le monde occidental comme « assiégé par l'Est pour la première fois depuis que les Turcs avaient été arrêtés aux portes de Vienne ». Mais on peut douter que cette comparaison historique ait eu la moindre influence sur des auditeurs, dont la plupart, d'ailleurs, n'y comprirent probablement rien...

30. C'est lui qui souligne.
31. « *To cleam the mess in Washington* », était un des slogans du G.O.P.
32. Voir p. 235.

Le 4 novembre, le triomphe de Eisenhower fut écrasant : 33 900 000 bulletins contre 27 300 000 ; 442 voix électorales contre 89. Développement lourd de conséquences, pour la première fois, les républicains emportaient quatre États du Sud. Toutefois, dans l'ensemble, le G.O.P. n'avait guère à se louer du résultat : huit voix de majorité à la Chambre, une au sénat [33]. Bien plus que son parti, Ike était le vainqueur.

Trois développements inusités marquèrent la période transitoire (4 novembre-20 janvier) : la constitution rapide du Cabinet, un voyage du Président-élu en Corée, enfin des tentatives de liaison entre la garde descendante et la garde montante.

En trois semaines, Eisenhower avait réussi à désigner les neuf secrétaires qui devaient former son Administration [34]. Le 29 novembre, il partit secrètement pour la Corée. Arrivé le 2 décembre, il resta sur place trois jours. Syngman Rhee essaya de le convaincre de l'opportunité d'une offensive générale, laquelle, au besoin, s'étendrait jusqu'à la Mandchourie. C'était adopter le plan de MacArthur. Son ancien adjoint se montra sceptique. Il revint, en revanche, convaincu que la situation actuelle ne pouvait plus durer. « Des attaques limitées où l'on s'empare de quelques hauteurs ne termineront pas cette guerre. » Nous dirons comment un armistice fut finalement conclu [35].

Dès le lendemain de l'élection, Truman avait proposé une rencontre entre les deux Présidents. Eisenhower suggéra qu'elle fût différée jusqu'au 17 novembre. Mais il désigna deux de ses collaborateurs pour assurer la liaison avec l'administration démocrate ; Joseph Dodge, expert financier, serait chargé des questions budgétaires, Cabot Lodge des autres problèmes. Ces prises de contact n'aboutirent pas à grand-chose. Lodge a qua-

33. Dépendant du bon vouloir d'un sénateur « indépendant ».
34. Voir p. 316.
35. Voir p. 331.

lifié de « strictement professionnelle » l'entrevue des deux Présidents ; Eisenhower déclare qu'il fut reçu « cordialement », mais
que la conversation « ajouta fort peu de chose à mes connais-
sances et ne changea en rien mes plans ». Truman se fit protec-
teur : « Eisenhower ne souriait pas. Il avait l'air tendu. J'aurais
aimé le mettre à l'aise... J'ai eu l'impression qu'il ne se rendait
pas compte de la tâche immense qui l'attendait[36]. »

20 janvier 1953. La cérémonie de la transmission des pouvoirs se déroule sous le ciel clair d'une belle journée d'hiver.
Seul changement au protocole : Ike a décidé que l'on ne porterait pas de chapeaux hauts de forme ; la tenue de rigueur sera
un feutre noir, une jaquette ou un veston noir et un pantalon
rayé.

La tension qui existe entre les deux Présidents ne facilite pas
les choses. Eisenhower a décliné une invitation à la Maison
Blanche pour le petit déjeuner. Il y arrive à l'heure dite, mais
attend sur les marches du perron son prédécesseur, sans pénétrer à l'intérieur. Il revient d'un service religieux où il a été
accompagné par plus de cent de ses collaborateurs. Truman et
lui se rendent en voiture au Capitole. Ici, variété de témoignages : pour les uns, silence total ; les autres mentionnent
quelques mots peu cordiaux. Eisenhower prête serment, puis,
précédé par une prière qu'il a rédigée lui-même, prononce son
discours d'entrée en fonctions. Truman se retire. « Nous
déjeunâmes, raconte-t-il, chez Acheson. Ensuite, nous prîmes
le train pour rentrer chez nous, et voilà toute l'histoire[37]. »

Les partisans de Stevenson eurent tendance à dramatiser
leur défaite. Écoutez-les : « Le triomphe de Eisenhower mit en
évidence une situation malsaine que l'on soupçonnait depuis
longtemps, un vaste fossé sépare les intellectuels et le

36. Des contacts du même type avaient été recherchés par Hoover en
1933. Roosevelt y apporta un maximum de mauvaise volonté.
37. « *And that was all there was to it.* »

peuple... » Également : « L'anti-intellectualisme est l'antisémitisme des hommes d'affaires. Les intellectuels sont aujourd'hui en déroute... » Ou encore : « C'est toute une époque qui se termine, qui est totalement répudiée, une époque où la pensée scintillait, où les lettres fleurissaient... » Et aussi, mélancolique : « Nous avons subi un désastre. Une grande figure est apparue sur la scène politique, et nous n'en avons pas profité. »

Était-ce si tragique? On notera que, sauf chez quelques angoissés [38], les inquiétudes des vaincus ne provenaient pas du titre du vainqueur. Neuf généraux étaient arrivés déjà à la Maison Blanche [39]. Aucun d'eux n'avait mis en danger la constitution démocratique et ce n'était pas Ike qui commencerait à le faire. La déception des démocrates avait une autre origine. Le rayonnement de Roosevelt s'était montré si puissant que beaucoup en étaient arrivés à croire que certaines idées, seules, seraient toujours victorieuses.

Mais le prétendu sens de l'histoire n'est qu'une illusion. Les États-Unis venaient de le prouver en changeant d'orientation. Devant le nouveau Président s'ouvraient des perspectives exaltantes et périlleuses. Avait-il assez d'envergure pour donner à sa victoire sa véritable signification?

---

38. Certains, affirme le Pr Hamby, allaient jusqu'à redouter que Eisenhower ne devînt un Hindenburg...

39. Washington, Jackson, William Harrison, Taylor, Pierce, Grant, Hayes, Garfield et Benjamin Harrison, presque tous, d'ailleurs, généraux d'occasion.

17.

A la recherche
de l'apaisement (I)

EISENHOWER À LA MAISON BLANCHE. — SA CONCEPTION
DU GOUVERNEMENT. — SES MÉTHODES DE TRAVAIL. —
SON CABINET. — SES PRINCIPAUX COLLABORATEURS. —
SHERMAN ADAMS, JOHN FOSTER DULLES, CHARLES
E. WILSON, GEORGE HUMPHREY. — VIOLENCE DU COU-
RANT ANTICOMMUNISTE. — L'AFFAIRE OPPENHEIMER. —
LE DRAME ROSENBERG. — MCCARTHY DÉCHAÎNÉ. — SES
EXCÈS ENTRAÎNENT SA CHUTE. — LE « CHIEF JUSTICE »,
EARL ´WARREN. — ARRÊT DE LA COUR SUPRÊME SUR LA
DÉSÉGRÉGATION SCOLAIRE. — UNE PÉRIODE DE CALME
ET DE STABILITÉ DES PRIX.

Voici Eisenhower à la Maison Blanche. Il a soixante-
deux ans. On l'a décrit, « le visage coloré, le crâne en partie
chauve, des yeux d'un bleu lumineux, intensément expressifs,
aussi bien joyeux que menaçants, glacés que chaleureux ». Il
déborde, semble-t-il, d'énergie physique et de sa démarche se
dégage une dignité naturelle. Il connaît sa séduction et sait s'en
servir ; son sourire légendaire cède périodiquement la place à
de violents accès de colère, où son langage ne laisse aucun
doute sur ses origines militaires. Tel est l'homme. Mais quelle

idée a-t-il de ses fonctions ? Quelles vont être ses méthodes de
travail ? De quels collaborateurs s'est-il entouré ?

Le trente-troisième successeur de George Washington ne
ressemble guère à ses deux derniers prédécesseurs. Les éclairs
de génie de Roosevelt et sa légèreté déconcertante lui sont
étrangers ; il n'ignore pas moins l'impulsivité autoritaire de
Truman. Il conçoit son rôle de manière toute différente. « Je
sais ce que commander veut. dire, confia-t-il à l'un de ses
intimes. Il m'a fallu concilier je ne sais combien d'intérêts
opposés... Je vais vous dire ce que signifie savoir commander [1] : c'est savoir être persuasif et avoir de la patience. En tout
cas, c'est le seul genre de commandement que je connaisse,
c'est le seul en lequel je crois, et c'est le seul que je pratique-
rai. » Mais pour faire quelle politique ? Eisenhower cite les
conseils que Herbert Hoover lui aurait donnés peu de temps
après son arrivée au pouvoir : « Revenir au passé est impossible ; toutefois, beaucoup soutiendront le contraire et on exigera
de vous des miracles. Continuer les tendances actuelles est de
la folie ; elles nous mèneraient au désastre. Tout ce que vous
pouvez faire, c'est d'adopter une attitude intermédiaire et de
vous y tenir. Et des deux côtés, on vous critiquera... »

Avis qui correspondait exactement à l'instinct de Ike. Le
bon sens lui paraissait le guide le plus sûr. Il ne se sentait pas
fait pour les discussions idéologiques. « Milton est le cerveau
de la famille », disait-il parlant d'un de ses frères. Il lui suffisait,
pour sa part, de se sentir étayé de quelques notions traditionnelles, dont il ne doutait pas qu'elles eussent fait la grandeur de
son pays. Peut-être pensait-il — sans oser le dire, tant cette
conception avait déjà le caractère d'un blasphème — que le
meilleur gouvernement est celui qui gouverne le moins. Plus
encore, d'ailleurs, dans une constitution fédérale, où, d'après
lui, les droits des États devaient être sauvegardés. Aussi ne se
trouvait-il à son aise qu' « au milieu de la route », expression
qui lui était chère, comme symbole de la modération dont il
voulait faire sa règle de conduite, et de la répugnance que les

1. « *Leadership.* »

excès lui inspiraient. « Le président le moins partisan depuis George Washington », a-t-on dit.

Il le prouva dans ses rapports avec les Assemblées, leur témoignant, remarque le Pr Bailey, « une déférence inaccoutumée ». On avait tellement pris l'habitude de voir le Président imposer sa volonté que, moins d'une année après l'entrée en fonctions de Eisenhower, Walter Lippman en arrivait à s'inquiéter de « l'abdication de l'Exécutif et de l'usurpation de pouvoir du Congrès ». C'est que, là comme ailleurs, Ike était partisan de la conciliation. Pendant six années sur huit, la majorité du Sénat et de la Chambre fut aux mains des démocrates. Entre le Capitole et la Maison-Blanche les relations, sauf à la fin, n'en restèrent pas moins satisfaisantes.

· Beaucoup de républicains se plaignaient de ce qu'ils considéraient comme de la faiblesse. De leur point de vue, sans doute avaient-ils raison. Eisenhower eut tendance à oublier qu'un président des États-Unis est aussi un chef de parti. On ne peut exclure que cette attitude soit responsable de la renaissance éphémère du G.O.P. après vingt ans de défaites.

Les discussions sur les sujets de politique pure tenaient, en tout cas, peu de place dans une vie rigoureusement organisée. Quel contraste avec la fantaisie rooseveltienne ! Ike affirme qu'il arrivait chaque jour à son bureau au plus tard à 7 heures [2] et qu'il n'y restait jamais au-delà de 18 heures. N'en concluons pas qu'il travaillait onze heures par jour. Ses commandements lui avaient appris que la qualité suprême d'un chef est de savoir déléguer ses pouvoirs ; on pourrait presque dire de ne pas exécuter soi-même ce que l'on peut faire faire par un autre. Nixon, qui connaissait fort bien Eisenhower, a noté qu' « une de ses caractéristiques était de ne jamais chercher à obtenir par une action personnelle un résultat que l'on pouvait atteindre indirectement ».

Il avait trouvé en la personne d'un gouverneur du Connecticut, Sherman Adams, un collaborateur idéal, qui fut pour lui à la Maison Blanche ce que son chef d'état-major, Bedell Smith,

2. Avant son infarctus, bien entendu. Voir p. 341.

avait été dans son quartier général. Il a rappelé ce qu'il attendait de lui : « Son rôle, écrit-il, était de coordonner tous les
bureaux et leurs opérations, de s'assurer que mes directives
avaient été exactement comprises et de me tenir informé de leur
exécution [3]... » Ce Berthier du XXe siècle ne prenait pas son rôle
à la légère. « On l'aurait dit en granite de la Nouvelle-
Angleterre... Il apportait son déjeuner et ne quittait pas son
bureau de toute la journée... Dire " bonjour " ou " au revoir "
lui semblait superflu... Il avait supprimé de son vocabulaire le
" hello " traditionnel, et lorsqu'il avait fini ce qu'il voulait dire
au téléphone, il se bornait à raccrocher. » Tous les matins, à
8 h 30, il réunissait le personnel de la Maison Blanche. Le premier jour, il leur prodigua des conseils qui durent fort agacer
certains : pas d'habitudes excentriques, pas de bavardages
dans les bureaux, pas de cigarettes dans les couloirs, pas de
pieds sur les tables [4]. Puis une règle générale, à laquelle son
chef tenait essentiellement : aucun mémorandum destiné à lui
être soumis ne devait dépasser une page. Où Adams était
incomparable, c'était dans son rôle de chien de garde. Nul
n'était admis dans le Bureau Ovale sans son autorisation :
seuls le Secrétaire d'État et le Secrétaire du Trésor bénéficiaient
d'un privilège.

Eisenhower, en effet, redoutait les importuns et tenait à se
ménager des loisirs. On le voyait fréquemment — trop fréquemment, au dire de ses critiques — sur des terrains de golf. Il y
trouvait les heures de détente dont il avait besoin et l'occasion
d'entretiens familiers avec de grands hommes d'affaires, dont il
appréciait le mode de vie. Le luxe était loin de déplaire à ce
militaire issu d'un milieu si modeste.

Ike ne recruta certes pas ses ministres dans les rangs des
misérables : millionnaires plutôt, avocats, banquiers, indus-

3. On connaît la vieille règle militaire en vertu de laquelle un subor-
donné doit rendre compte à son supérieur de l'exécution de son ordre.
4. Suivant l'étrange coutume américaine...

triels, parvenus au sommet de leur profession ; une seule exception : à la grande colère de Taft, le Secrétariat du Travail fut confié à un ancien directeur du Syndicat des plombiers, Martin Durkin, qui, d'ailleurs, donnera sa démission moins d'un an plus tard. De plus, en avril 1953 fut créé le Département de la Santé, de l'Éducation et du Bien-être social (« Health, Education and Welfare »), en vue de montrer que les républicains ne se désintéressaient pas de ces questions. Geste également symbolique, une femme, Mme Oveta Culp Hobby, en devint le chef.

Ce Cabinet est différent des autres. Aucun de ses membres ne sort des Assemblées. Leurs idées sont simples et leurs convictions puissantes. « Ils ont horreur de la bureaucratie, de la démesure, du gaspillage, de l'incompétence, de l'inefficacité, de la paresse » ; beaucoup se sont faits eux-mêmes, et le travail, comme l'économie, sont pour eux les gages du succès ; leur méfiance est innée à l'égard du New Deal, mais ils sont trop réalistes pour en contester l'application ; ils ne voient pas pourquoi ce qui réussit en affaires ne réussirait pas dans l'administration ; l'équilibre du budget est, à leurs yeux, un dogme et de la stabilité du dollar leur paraît dépendre la survie du monde libre. On les a traités de « réactionnaires » : ce sont en réalité des techniciens, qui, tout attachés qu'ils soient à certains principes permanents, ont assez de souplesse pour s'adapter aux pratiques nouvelles. Le Pr Goldman observe que l'un d'eux mit le premier en application dans ses affaires l'échelle mobile des salaires, et qu'un autre, alors chef d'entreprise, ne déplaisait pas au redoutable John L. Lewis [5].

Déjà différent par ses origines, le Cabinet d'Eisenhower ne l'était pas moins par l'usage que le Président en faisait. On sait que la Constitution s'était bornée à prévoir un certain nombre de Secrétaires, chargés, sous le contrôle présidentiel, de gérer les affaires de l'État [6]. Washington correspondait avec eux individuellement. Peu à peu, l'habitude fut prise de les réunir,

5. Voir p. 196.
6. Cinq à l'origine, onze aujourd'hui.

mais presque toujours à des dates irrégulières. Puis les présidents du type « impérial » traitaient volontiers les affaires sans
passer par l'entremise des autorités responsables. A quelqu'un
comme Ike, formé par les méthodes rigoureuses des états-
majors contemporains, l'imprécision d'une telle pratique ne
pouvait qu'inspirer méfiance. Il lui parut normal de convoquer
le Cabinet toutes les semaines — le vendredi matin [7] —, qu'un
ordre du jour eût été préparé, et que suffisamment de temps fût
affecté à cette réunion — en moyenne, trois heures — pour que
chacun eût la possibilité d'exprimer son avis. Au Conseil
national de sécurité les discussions aussi se prolongeaient longtemps. Mais on aurait tort d'y voir l'indice d'un manque d'autorité : si Eisenhower laissait parler ses collaborateurs, une fois
sa décision annoncée, les délibérations étaient closes.

Trois personnalités dominaient le Cabinet. Le Secrétaire
d'État, avant tout. Fascinant personnage, ce John Foster
Dulles, qui n'a pas fini d'intriguer les historiens, et qui, de son
vivant, suscita autant de critiques que de louanges. « On ne
peut à peu près rien dire sur lui qui soit de nature à mettre d'accord six personnes choisies au hasard », écrit un de ses biographes. Cet homme compliqué avait soixante-quatre ans
lorsque les Affaires étrangères lui furent confiées. Il désirait
depuis longtemps ce poste pour lequel il était admirablement
préparé. Sa carrière avait alterné entre la fonction publique et
les occupations privées, mais toujours orientée du côté international. A vingt-trois ans, il avait été admis dans la prestigieuse
maison d'avocats, Sullivan and Cromwell, dont il devint associé principal. Pendant la Première Guerre mondiale, il fut
affecté aux Services secrets, et à des négociations commerciales. Wilson, pour qui il conçut une immense admiration, le prit
dans son équipe à la Conférence de Versailles. Entre les deux
guerres, il retourne à ses activités juridiques. Mais à partir de
1945, ses responsabilités officielles ne font que grandir : délégué aux Nations Unies, conseiller du Département d'État, surtout négociateur du traité de paix avec le Japon [8].

7. Une prière silencieuse précédait l'ouverture de chaque séance.
8. Voir p. 291.

Sa qualité de républicain ne l'a pas empêché de collaborer avec une administration démocrate. Car J.F.D. — comme il est bientôt de mise de l'appeler — est moins un homme de parti qu'un homme de principes. Ceux qui l'ont approché savent à quel point il était différent en privé ou en public. Dans le premier cas, se complaisant dans les nuances, capable de se détendre, révélant une culture nourrie de civilisation française [9]. Dans l'exercice de ses fonctions, il se montrait tout autre. Eisenhower lui trouvait des ressemblances avec « un prophète de l'Ancien Testament ». « En parlant, il ne cessait de regarder le plafond, comme si ses idées, représentant la Vérité Éternelle, devaient être adressées au Cosmos. » Ce n'était pas là affectation. Issu d'une famille de presbytériens traditionalistes, Dulles était profondément religieux. Il voyait instinctivement les problèmes sur un plan moral. Arthur Krock, qui fut pendant tant d'années un des éditorialistes les plus lus du *New York Times*, résume admirablement cet aspect de sa nature. « Il était convaincu, dit-il, que la théologie judéo-chrétienne et la constitution américaine sont bénies de Dieu et que, pour cette raison, elles ne peuvent que triompher du marxisme athée. » La lecture de la Bible et des Pères Fondateurs l'encourageait quotidiennement dans ces certitudes. C'est dire que ses discours s'apparentaient plus ou moins à des sermons. C'est dire aussi qu'il n'était pas enclin aux compromis. D'un côté le Bien, de l'autre le Mal. Nous dirons quelles applications il fit de ces principes dans la conduite de la politique extérieure.

Son collègue à la Défense, Charles E. Wilson, était moins préoccupé de problèmes métaphysiques que de réalisations pratiques. Cet ancien directeur général de General Motors était l'efficacité faite homme. « Il personnifiait, parfois au point d'une caricature, un directeur de grandes affaires. » Fort bavard, il avait un côté saint Jean Bouche d'Or qui déconcer-

9. Dulles avait étudié à la Sorbonne et parlait français. En dépit de certaines apparences, ses sympathies pour la France étaient indiscutables. Il éprouvait une méfiance instinctive à l'égard des Anglais qui le lui rendaient bien. « L'influence de Dulles est terrible », confia Churchill à un intime, six mois après le succès des républicains.

tait ses partisans et plaisait fort à ses adversaires. Les solutions simplistes lui paraissaient toujours les meilleures. Alors que les négociations coréennes traînaient indéfiniment, ses collègues du Cabinet furent stupéfaits de l'entendre suggérer un marché inattendu : « Ne pourrait-on conclure un arrangement d'ensemble ? proposa le Secrétaire de la Défense. Nous pourrions, peut-être, reconnaître la Chine communiste et, en échange, elle nous laisserait tranquilles en Extrême-Orient ? » On regrette qu'une photographie n'ait pas fixé à ce moment précis l'expression du Secrétaire d'État... Parmi tant d'autres — également spontanées — une remarque de Charles E. Wilson est restée célèbre. « Ce qui est bon pour le pays, dit-il, est bon pour la General Motors, et vice-versa. » Observation dont il serait difficile de contester la première partie, mais dont une interprétation partisane a réussi à ne laisser subsister que la seconde...

Le Secrétaire de la Trésorerie, George Humphrey, était le troisième personnage essentiel du cabinet. Lui aussi avait été à la tête d'une grande affaire et entra dans la politique presque au même âge que Wilson. Il avait une passion : la réduction des dépenses publiques et la lutte contre le gaspillage. D'une nature aussi chaleureuse que Ike, doté d'un sourire qui valait presque le sien, il devint d'autant plus intime avec lui qu'un goût commun du bridge leur fournissait l'occasion de multiples rencontres privées.

« Les Américains de l'époque actuelle, écrivait en 1975 le Pr Alexander, entendant dire de tous côtés que les États-Unis sont entrés dans une période de détente, avec à la fois l'Union soviétique et la République populaire chinoise, ne peuvent qu'être étonnés par l'hostilité intense que leurs compatriotes ressentaient, il y a vingt ans, à l'égard du " bloc communiste ". Une écrasante majorité — républicains ou démocrates, conservateurs ou libéraux, hommes d'affaires, syndicalistes, membres des professions libérales — ne doutaient pas un moment que leur pays était l'objet d'une conspiration universelle dirigée de

Moscou, et qui avait pour but final la conquête du monde entier par les communistes. »

Ne faut-il voir dans cet état d'âme que le produit d'une imagination angoissée? On ne connaîtra les desseins du Kremlin que le jour où la totalité des archives russes aura été mise à la disposition des chercheurs. En tout cas, des passions que la crainte des Soviets suscita pendant les premières années de la présidence Eisenhower les preuves sont multiples.

Voici l'affaire Oppenheimer. Le grand physicien, Robert Oppenheimer, est alors universellement connu. Il se laisse appeler « le père de la bombe atomique », mais a refusé toute parternité de la bombe H, dont il a désapprouvé la fabrication. En 1953, le F.B.I. exprime « les plus graves doutes » à son sujet; on lui connaît des amis communistes et son épouse ne cache pas ses opinions. Eisenhower prend aussitôt une mesure conservatrice : Oppenheimer n'aura plus connaissance des documents nucléaires secrets. Le savant demande à être entendu. La pesante machine administrative est mise en route : une quarantaine de témoins, trois mille pages de comptes rendus. Une Commission spéciale, par 2 voix contre 1, la Commission de l'énergie atomique à une majorité de 4 contre 1, donnent raison au gouvernement. La loyauté de Oppenheimer n'est pas mise en cause, mais son discernement est contesté. Il aurait, de bonne foi, fait des confidences imprudentes à des amis peu qualifiés pour les recevoir. En parlant de sa « naïveté politique », Robert Sherwood apporte sans doute la meilleure explication de cet incident.

Voici le drame Rosenberg. Julius et Ethel Rosenberg, issus tous deux d'une famille d'immigrants juifs de condition modeste, s'étaient mariés en 1939; de cette union naquirent deux fils, Michaël et Robert [10]. Julius fut employé par l'armée comme ingénieur de 1940 à 1945. A cette date, il en fut expulsé pour avoir caché son inscription au parti communiste. Pendant cinq ans, il mène une existence apparemment obscure dans des

10. Aujourd'hui, Michaël et Robert Meeropol, nom de leurs parents d'adoption.

affaires de machines-outils qu'il exploite conjointement avec deux frères de sa femme, Bernard et David Greenglass. La stupéfaction est grande lorsque, le 17 juillet 1950 — à l'un des pires moments de la guerre de Corée — le directeur du F.B.I., Edgar Hoover, annonce son inculpation : il est supposé avoir pris la tête d'un réseau d'espionnage qui aurait fourni à la Russie des secrets militaires.

Que s'était-il passé ? Six mois plus tôt, Klaus Fuchs avait été puni de quatorze ans de prison [11]. Deux mois plus tard, l'arrestation d'un de ses complices, Harry Gold, aboutit à mettre en cause un jeune soldat, qui, travaillant à Los Alamos en 1945, lui aurait procuré des informations secrètes, mais dont il prétendait avoir oublié le nom. L'identification ne tarda pas : il s'agissait de David Greenglass, frère d'Ethel Rosenberg. Celui-ci reconnut sa culpabilité et, loin de disculper son beau-frère, affirma qu'il l'avait enrôlé dans son réseau d'espionnage dès 1944. Sa sœur se trouva impliquée au même titre.

Le procès commença à New York en mars 1951. David Greenglass confirma ses dires et les précisa. Les Rosenberg, affirmant leur innocence, semblent s'être défendus maladroitement. Des quatre accusés [12], ils furent seuls à être condamnés à mort, en vertu d'une loi de 1917 punissant l'espionnage en temps de guerre. L'exécution était prévue pour le 21 mai.

Deux années s'écoulèrent, pendant lesquelles la défense réussit à utiliser les incroyables subtilités de la procédure américaine. Une série de juges fédéraux, la Cour d'appel, et, par trois fois, la Cour suprême refusèrent la révision. La dureté du verdict — en temps de paix et sept années après les faits incriminés —, le doute qui planait sur la culpabilité, les mois d'angoisse auxquels les Rosenberg se trouvaient soumis, enfin — il faut le préciser — l'habileté de la propagande communiste finirent par faire du cas Rosenberg une affaire internationale. Le pape Pie XII, M. Vincent Auriol, Albert Einstein et bien

11. Voir p. 248.
12. Un ami de Julius Rosenberg, à qui l'on reprochait le même crime, Morton Sobell, fut frappé de trente ans de prison ; David Greenglass de quinze.

d'autres personnalités intervinrent en leur faveur. L'anti-américanisme trouva en Europe une occasion de choix pour s'exprimer. Aux États-Unis, manifestation après manifestation se succédèrent. Un appel à la clémence avait été adressé à Truman, mais n'atteignit la Maison-Blanche qu'en février 1953. Eisenhower endossa la responsabilité : le 19 juin, les Rosenberg allaient à la chaise électrique à Sing-Sing.

Comment conclure ? Un quart de siècle plus tard, l'affaire continue d'être l'objet d'un débat passionné. Tout au plus peut-on dire, comme l'écrivait l'historien Allen Weinstein en 1977, que « les partisans de l'innocence n'ont pas encore réussi à prouver de manière convaincante que le couple a été condamné sur des preuves fabriquées ou des faux témoignages ».

Au début de cet été, McCarthy s'imaginait au sommet de sa puissance. En réalité, un nombre croissant de républicains — Eisenhower le premier — étaient excédés de ses méthodes, tout en ne sachant trop comment se débarrasser de lui. Après l'élection, on avait cru le réduire à l'effacement en lui confiant la présidence d'un petit comité obscur, chargé de « contrôler les opérations gouvernementales », ce qui ne voulait pas dire grand-chose. Avec l'aide d'un adjoint d'une arrogance égale à la sienne, un certain Roy Cohn, le sénateur sut en quelques semaines transformer cet organisme en Haute Cour. Alors se déchaîna un ouragan d'accusations, d'insinuations, de calomnies, de médisances, qu'alimentèrent, au niveau des États, de multiples politiciens soucieux de participer à ce que leur inspirateur appelait le « combat pour l'Amérique ».

De violence physique il ne fut pas question. Mr. George Kennan analyse avec pertinence la tactique qui fut mise en œuvre [13]. « Ce que McCarthy avait découvert, écrit-il, est simplement qu'il existait une catégorie de personnes — intellectuels, professeurs, fonctionnaires, directeurs de fondations, etc.

13. Il fut lui-même forcé de donner sa démission.

— que l'on pouvait cruellement punir en se bornant à porter atteinte à leur réputation et ainsi à compromettre leur carrière... » Le Département d'État, visé dès l'origine, continua d'être une cible favorite. Son nouveau chef, désireux d'être bien vu du Congrès, en arriva à exiger de ses collaborateurs une « loyauté positive » dont il n'était pas toujours facile de fournir les preuves. Ce fut à grand-peine que le gouvernement réussit à faire approuver par le Sénat la nomination comme ambassadeur à Moscou de Charles Bohlen, considéré par McCarthy comme « pire qu'un mauvais risque » en raison de son attitude « suspecte » à Yalta.

Les diplomates n'étaient pas les seules victimes de ces patriotes professionnels. Il n'est guère de métier qui ne suscita leurs soupçons. « Universitaires, syndicalistes, experts en Extrême-Orient, Juifs, athées, libéraux, socialistes, non-conformistes, etc. » étaient *a priori* suspects. Hollywood — où l'on comptait, d'ailleurs, un assez grand nombre de sympathisants communistes — ne fut pas épargné. On s'employa à y imposer l'orthodoxie, en établissant des listes noires et en condamnant à des peines de prison les acteurs qui refusaient de répondre aux enquêteurs.

Pour maintenir la tension indispensable à son succès, McCarthy devait sans cesse élargir le champ de ses investigations. Il y parvint, pour un temps, en transférant ses enquêtes en dehors des États-Unis. La « Voix de l'Amérique [14] » et les centres d'information établis un peu partout à l'étranger lui offraient, pensait-il, des horizons prometteurs : n'étaient-ils pas, plus ou moins, complices de ceux qu'ils étaient supposés évangéliser ? Les bibliothèques furent l'objet d'examens sans merci ; épouvantés par les anges exterminateurs dont on leur annonçait la venue, beaucoup de leurs directeurs retirèrent des rayons les livres controversés : certains en firent même brûler.

Où s'arrêterait-on ? Le Président recevait des avis contradictoires. Deux hommes, en qui il avait grande confiance, Nixon

14. La « Voice of America » avait été créée en 1942. Cette émission de radio était principalement destinée aux pays communistes.

et Sherman Adams, soutenaient qu'en prenant position sur un problème si brûlant, il risquait de mettre en péril l'unité — déjà fragile — du G.O.P. D'autres disaient exactement le contraire, lui laissant entendre que son silence pourrait être interprété comme une adhésion. Eisenhower éprouvait le plus profond mépris pour McCarthy. L'attaquer nommément lui semblait se rabaisser ; d'ailleurs, ce faisant, ne lui fournirait-il pas de la publicité ? « Je ne descendrai pas dans le ruisseau me battre avec cet individu-là [15] », dit-il à ceux qui déploraient son inaction.

Cette attitude de passivité — conforme à celle de Truman —, et interrompue, d'ailleurs, de temps en temps, par quelques allusions dédaigneuses, était sans doute la plus digne. Au demeurant, l'atmosphère créée par McCarthy était si artificielle qu'elle était condamnée, tôt ou tard, à se dissiper d'elle-même. Grisé par ses succès, le grand inquisiteur commit deux fautes qui allaient entraîner sa chute. Un de ses collaborateurs osa dire que le clergé protestant formait « le groupe le plus nombreux parmi les agents de l'organisation communiste aux États-Unis ». Le sénateur se hâta de se séparer de ce maladroit, mais on imagine la résonance de la remarque.

Après le protestantisme, l'armée. Un sondage donnait encore 50 % de partisans au sénateur en janvier 1954. Il en conclut qu'il pouvait tout oser et déclara « indigne de porter l'uniforme » un malheureux général qui n'avait commis d'autre faute que de donner une promotion à « un obscur dentiste » dont on découvrit ensuite les opinions « de gauche ». Cette fois, le Grand État-Major réagit en rendant publiques les démarches du sénateur en faveur d'un de ses collaborateurs qui faisait son service militaire. Le tout aboutit en avril à une enquête sénatoriale télévisée pendant trente-six jours. Le justicier en sortit fort mal en point, sa popularité tombant à 35 %. Ses ennemis ne perdirent pas de temps. Une résolution de censure fut déposée dès juillet. Le 2 décembre, par 67 voix contre 22 [16], le Sénat

---

15. « *I won't go into the gutter to fight with this guy.* »
16. Les démocrates votèrent la résolution en bloc ; les républicains se divisèrent en deux groupes égaux : 22 pour, 22 contre.

censura McCarthy pour « conduite contraire aux traditions sénatoriales ». Il tenta de réagir en demandant au peuple américain de « reconnaître que le parti communiste avait étendu ses tentacules jusqu'au Sénat ». Mais l'homme était fini : il mourut, pratiquement oublié, trois ans plus tard.

Arthur Krock résume le mieux, croyons-nous, toute l'affaire. « Il n'est pas douteux, écrit-il, que les écuries d'Augias avaient besoin d'être nettoyées. Malheureusement, on se servit, pour le faire, d'un balai qui n'était pas propre. »

La Cour suprême était alors présidée par l'ancien gouverneur de la Californie, Earl Warren. « Politicien accompli, dit un de ses biographes, il n'avait rien d'un idéologue » jusqu'à son accession à la plus haute magistrature. Subit-il l'influence de ses collègues ? Pensa-t-il avoir plus de chances de passer à la postérité comme porte-drapeau des thèses « libérales » ? En tout cas, entre le gouverneur qui s'était fait une réputation de conservateur, et le juge dont certains arrêts allaient bouleverser le pays la différence est grande. « Caméléon politique qui adaptait ses couleurs au cadre qui l'entourait », écrit, avec quelque dureté, le Pr Kurland.

Quoi qu'il en soit, le 17 mai 1954 n'est pas près de disparaître de la chronologie américaine. Ce jour-là, la Cour suprême, à l'unanimité, déclara inconstitutionnelle la ségrégation raciale dans les établissements d'enseignement, l'estimant contraire au 14e amendement [17] qui garantit l'égalité des droits à tous les citoyens. Le statut scolaire était alors réglé par un arrêt de 1896, par lequel la Cour avait cru tourner la difficulté en adoptant le principe d'écoles « séparées mais égales ». Pure fiction, car, « séparées », certes, elles le restèrent, mais « égales », elles ne l'étaient jamais devenues.

D'ailleurs, en 1954 les Noirs étaient encore soumis à de multiples discriminations. Si la ségrégation avait fini par être

17. En vigueur depuis 1868.

abolie, intégralement dans les forces armées, en partie dans la capitale fédérale, elle subsistait dans le Sud, aussi rigoureuse qu'au début du siècle. Théoriquement, elle n'existait pas ailleurs. En fait, Blancs et gens de couleur habitaient toujours des quartiers différents et des tentatives d'intégration n'avaient abouti qu'à de violents incidents. Faut-il ajouter que les syndicats, du moins ceux d'ouvriers qualifiés, excluaient délibérément les Noirs, avec le résultat que, à partir de 1952 et pour la première fois depuis la Dépression, le revenu de ces derniers commença de décliner par rapport à celui des Blancs.

C'est dire que l'arrêt de 1954 ne suscita pas que des admirateurs. Le Sud prit feu et flamme et l'on parla de « résistance passive ». L'opposition s'y révéla telle que, dès l'année suivante, la Cour considéra comme opportun d'atténuer la portée de sa décision en en confiant l'application aux autorités locales, fort peu pressées, dans la plupart des cas, de s'y conformer. Eisenhower, ne pouvant faire autrement, ordonna la déségrégation immédiate des écoles dans le district de Columbia. Il ne cacha pas toutefois sa conviction intime que la Cour était allée trop vite et trop loin [18]. Sur le moment [19], la population noire resta passive.

Les premières années de la présidence d'Eisenhower furent, d'ailleurs, une période de calme social. Le nombre des grévistes tomba de 3 540 000 en 1952 à 2 400 000 en 1953, puis à 1 530 000 en 1954, ne correspondant plus qu'à 3,7 % de la population active contre 8,8 % deux ans plus tôt. Une courte récession, après la fin de la guerre de Corée, ralentit un

18. Earl Warren prétend dans ses *Mémoires*, dont l'*Atlantic Monthly* a publié des extraits en 1977, que le Président aurait cherché à l'influencer avant le vote de la Cour. Il ajoute que, si Eisenhower, « avec la popularité dont il disposait, avait déclaré que tout bon citoyen avait le devoir de se conformer à la décision de la Cour..., nous aurions évité un grand nombre de ces problèmes raciaux qui ont, depuis lors, empoisonné le pays ».
19. Voir p. 359.

De Pearl Harbor à Kennedy

moment la progression du produit national brut : celui-ci ne s'en élevait pas moins à 397 milliards 1/2 de dollars an 1953 au lieu de 347 milliards en 1952. Le trait le plus étonnant de « la prospérité Eisenhower » est peut-être une stabilité des prix, dont l'époque actuelle a perdu jusqu'au souvenir : 113,5 en 1952 [20], 114,4 en 1953, 114,8 en 1955, 116,2 en 1956. Si le pouvoir d'achat du dollar restait pratiquement immuable, nul n'aurait songé à discuter sa valeur sur le marché des changes. Ô temps heureux, dont il est de bon ton de contester les mérites !

20. 100 correspondant à 1947-1949.

18.

A la recherche
de l'apaisement (II)

UNE NOUVELLE POLITIQUE ÉTRANGÈRE. — LES IDÉES DE
JOHN FOSTER DULLES. — LE « BRINKMANSHIP ». — MORT
DE STALINE. — SIGNATURE D'UN ARMISTICE EN CORÉE. —
« LES ATOMES POUR LA PAIX ». — CRISE INDOCHI-
NOISE. — LA QUESTION DE FORMOSE. — DIFFI-
CULTÉS FRANCO-AMÉRICAINES. — LA FRANCE REFUSE DE
RATIFIER LE PROJET D'ARMÉE EUROPÉENNE.— CRÉATION
D'UNE UNION DE L'EUROPE OCCIDENTALE. —
CONFÉRENCE DE GENÈVE. — ESPOIRS DE PAIX. —
EISENHOWER AU SOMMET DE SA POPULARITÉ. — UNE
ATTAQUE CARDIAQUE QUI MET SES JOURS EN DANGER. —
SA GUÉRISON RAPIDE.

Entre 1952 et 1956, la politique extérieure fut l'origine de
bien des soucis.

« La destinée a confié à notre pays la responsabilité de la
direction du monde libre », avait déclaré le président des États-
Unis dans son discours d'entrée en fonction. Mais comment
assurer cette mission à laquelle il était sincèrement attaché ?

John Foster Dulles avait sur le sujet des conceptions grandioses. Décidé à rompre avec la stratégie de son prédécesseur,
des principes nouveaux lui parurent indispensables. Au demeu-

rant, la doctrine du « *containment* » avait on ne sait quoi de passif et de pragmatique peu fait pour plaire à ce dogmatique, hostile aux compromis. Il crut, au départ, avoir trouvé la formule idéale en lançant l'idée de « libération », qui, dans sa pensée, signifiait la fin de l'emprise des Soviets sur l'Europe orientale. Dans une allocution prononcée à la radio, à peine avait-il pris possession de son poste qu'il s'était avancé jusqu'à dire aux « peuples captifs » : « Vous pouvez compter sur nous. » Il lui fallut vite rabattre de ses prétentions. Lorsque, cinq mois plus tard, des révoltes éclatèrent en Prusse-Orientale et à Berlin-Est, on ne vit trace nulle part des « libérateurs ».

La leçon dut porter ses fruits, car le mot revint moins souvent dans le vocabulaire du Secrétaire d'État. En revanche, dès l'automne de 1953, il précisa quel serait le « New Look » de la politique étrangère des États-Unis. Trois données maîtresses lui servaient de point de départ. D'abord, la longue durée probable du conflit entre le monde libre et le monde communiste ; le considérant plus comme un choc d'origine morale que comme une opposition d'intérêts, le côté puritain de sa nature lui interdisait d'imaginer que le Bien pût rapidement triompher du Mal. Encore fallait-il que dans cette guerre d'usure idéologique, l'initiative n'appartînt pas toujours à l'ennemi. Or, le « *containment* » en admettait l'hypothèse, en réduisant l'Amérique à courir à travers le monde pour éteindre des incendies... et risquant d'arriver trop tard. D'où la thèse que la riposte ne devait plus être nécessairement locale. C'est au cœur de l'ennemi, et si possible, là où il ne s'y attend pas, qu'il faudra frapper. Troisième idée : l'arme contre-offensive sera donc l'arme nucléaire. Attitude d'autant plus séduisante pour un gouvernement apôtre de l'économie qu'elle permettait de réduire les dépenses militaires conventionnelles et de parvenir à l'équilibre du budget.

George Humphrey, homme simple, résuma fort bien cette attitude du tout ou rien. « Intervenons de manière décisive avec tout ce que nous avons, ou ne nous en mêlons pas », dit-il, commentant les suggestions de Dulles. Évidemment, celles-ci comportaient un élément périlleux : le monde pouvait être entraîné dans une catastrophe imprévisible. Le Secrétaire d'État en était conscient et opposait à cette conception sa fameuse théorie du « *brinkmanship* [1] ». « Il faut savoir prendre un risque, expliquait-il. Être capable d'arriver à la limite qui sépare la paix et la guerre, et ne pas la dépasser, voilà le grand art ! Mais si vous avez peur d'aller jusqu'au bord du précipice, vous êtes perdu... » Rendons-lui cette justice qu'il sut ne jamais y tomber. On lui a beaucoup reproché ses théories ; celles qui conduisirent les États-Unis à s'enliser au Vietnam valaient-elles vraiment mieux ?

Lorsqu'Einsenhower accède au pouvoir, un problème prime tous les autres, la Corée. La responsabilité du Président y est engagée, car l'Amérique compte sur lui pour trouver une solution.

Depuis dix-huit mois, les négociations [2] butent sur deux problèmes, le nombre des prisonniers et leur rapatriement. Les Nord-Coréens prétendent ne détenir que 3 198 Américains, alors que 11 124 sont portés manquants : qu'est-il advenu des quelque 8 000 dont on ne sait rien ? De leur côté, les Alliés se sont emparés de 132 000 Nord-Coréens et Chinois. Ce chiffre ne s'explique que par l'ampleur des désertions. Or, les deux Républiques populaires prétendent récupérer la totalité de leurs citoyens, lesquels, ayant pour la plupart choisi la liberté, n'ont aucun désir de retourner au nord du 38ᵉ parallèle. Quant aux Américains, instruits par l'expérience de Yalta [3], ils sont bien décidés à ne plus se faire les pourvoyeurs de communistes malgré eux.

Comment sortir de l'impasse ? Lisons Eisenhower. Ce fut la première application du « brinkmanship ». « Il existait une

---

1. On pourrait traduire : « L'art de ne pas dépasser le bord du précipice. »
2. Engagées le 10 juillet 1951, suspendues le 22 août et reprises le 25 octobre.
3. Voir p. 200, n. 12.

possibilité, c'était de faire savoir aux Coréens que nous avions l'intention d'agir de manière décisive, en employant n'importe lesquelles de nos armes, et que nous ne nous sentirions plus obligés de limiter les opérations à la péninsule coréenne. En Inde, à Formose, à Panmunjom [4], nous le laissâmes entendre discrètement [5]. » Ce mode de pression fut-il efficace ? En tout cas, le 8 juin 1953, les communistes acceptèrent un rapatriement volontaire des prisonniers ; le 18, désireux d'éviter toute erreur de direction, Syngman Rhee en libéra de lui-même 25 000 ; les Nord-Coréens protestèrent, les Américains désavouèrent leurs alliés ; l'armistice n'en fut pas moins signé le 20 juillet. On était loin des redditions inconditionnelles de 1945. Le 38e parallèle continuait à servir de frontière aux frères ennemis, la Corée du Sud recevant environ quatre mille kilomètres carrés occupés par ses troupes. Cette guerre avait coûté aux États-Unis 55 000 morts (à peu de chose près la moitié des pertes de la Première Guerre mondiale [6]) et 103 000 blessés.

Au moment où l'issue des négociations était encore incertaine, on apprit le 5 mars une nouvelle sensationnelle : Staline était mort. Beaucoup d'imagination n'est pas nécessaire pour deviner les points d'interrogation que cet événement posait. La guerre froide allait-elle s'atténuer ou s'amplifier ? Le gouvernement américain se borna, sur le moment, à envoyer des condoléances officielles, sans aucun commentaire. Eisenhower était, toutefois, un partisan trop sincère de la paix pour ne pas tenter d'exploiter la situation. Des remarques de Malenkov, successeur de Staline, l'y encouragèrent : le nouveau dictateur se disait, en effet, favorable aux principes de « coexistence et de concurrence ». Ike devait prendre la parole le 16 avril à une réunion de directeurs de journaux. Il en profita pour faire un

---

4. Site des négociations.
5. On regrette de ne pouvoir citer les commentaires de MacArthur lorsqu'il eut connaissance de cette méthode...
6. 116 000 tués.

appel enflammé en faveur du désarmement [7]. Ses exhortations n'intéressèrent personne. Dulles n'y attacha guère d'importance et l'opinion se montra sceptique. Revenant quelques mois plus tard d'un voyage dans l'Ouest, Lodge résuma l'impression générale : « Des mots qui ne sont suivis d'aucun acte. »

Comment juger les Soviets ? Après la disparition du « généralissime », leurs dirigeants firent indiscutablement quelques gestes de bonne volonté. Mais ceux-ci ne dépassèrent pas le stade verbal et, en avril 1953, l'explosion de la première bombe russe à hydrogène fut un dur réveil. Le contraste n'en devint que plus grand entre un Secrétaire d'État, convaincu de l'impossibilité d'une réconciliation entre le communisme et le capitalisme, et un Président, que cette argumentation ne laissait pas insensible, mais qui n'en rêvait pas moins d'être l'homme de la paix. En chargeant la C.I.A. de liquider une révolution en Iran ce même été, et, quelques mois plus tard, d'installer au Guatemala un gouvernement acquis aux intérêts privés américains, Dulles révéla sa maîtrise de la « realpolitik ».

Eisenhower continua malgré tout ses ouvertures. La course aux armements nucléaires le hantait. Il profita de l'Assemblée générale des Nations Unies pour entourer du maximum de publicité une suggestion qui lui tenait au cœur, et à laquelle un nom symbolique, « les atomes pour la paix », avait été donné. Soumise préalablement à la Grande-Bretagne et à la France, elle avait recueilli leur adhésion. Il s'agissait de créer une Agence internationale de l'énergie atomique, à laquelle les gouvernements « principalement intéressés [8] » remettraient une partie de leurs stocks d'uranium et de matières fissiles pour être employés à des fins pacifiques. Lorsqu'Eisenhower prononça son discours, le 8 décembre 1953, il fut éloquent. « Sa

7. « Le prix d'un bombardier correspond à la construction d'une trentaine d'écoles ; un avion de chasse est l'équivalent d'un demi-million de boisseaux de blé ; on pourrait loger huit mille personnes avec le coût d'un seul destroyer. »
8. « *Principally involved.* »

conclusion (« Les États-Unis appliqueront tout leur cœur, tout
leur cerveau à trouver les moyens grâce auxquels la capacité
miraculeuse d'invention de l'homme ne contribue pas à sa mort
mais soit consacrée à sa vie ») fut applaudie même par les délé-
gations communistes. Vychinski voulut bien considérer la
proposition comme « importante », ce qui n'empêcha pas celle-
ci de s'enliser dans la procédure des Nations Unies.

Nous avons dit quelle place l'année 1954 tint dans l'évolution intérieure des États-Unis. Son importance ne fut pas
moindre dans le domaine de la politique étrangère. Elle fut en
particulier marquée par deux nouvelles crises des relations
franco-américaines.

Le problème indochinois fut à l'origine de la première. A la
signature de l'armistice coréen, les Américains avaient cru
obtenir des Chinois qu'ils n'apporteraient aucune aide au Vietminh. Bien entendu, le contraire se produisit et on sait dans
quelles conditions la situation ne cessa de se détériorer. Non
que les États-Unis fussent indifférents, mais ils souhaitaient
alors une internationalisation du conflit dont les Français ne
voulaient pas entendre parler. Aux Bermudes, en décembre 1953, Eisenhower, Churchill et Bidault avaient discuté
du problème sans aucun résultat pratique ; leurs ministres des
Affaires étrangères — auxquels s'était joint le Soviétique —
n'avaient pas été plus heureux en trois semaines d'entretiens à
Berlin à la fin de janvier 1954.

L'encerclement de Diên Biên Phu porta la tension à un état
aigu. Le 13 mars, deux des principaux points d'appui tombèrent aux mains des communistes ; deux jours plus tard, le
commandant en chef, le général Navarre, n'exclut pas la possibilité d'une chute de la forteresse. Cette fois, par la bouche du
général Ély, envoyé en mission à Washington, le gouvernement
français demanda une intervention militaire américaine. Dulles
n'y était pas hostile. Le vice-président Nixon et l'amiral Rad-

ford [9] préconisaient un bombardement aérien des positions du Vietminh par engins conventionnels. Outre cette opération, dite « Vautour », la saisie de l'île de Hainan, suivie d'un débarquement dans la région de Hanoï, fut mise à l'étude.

De tous ces projets rien n'aboutit. Au début d'avril, Eisenhower avait rendu publique sa célèbre théorie des dominos [10] : qu'une partie du Sud-Est asiatique tombe et le reste suivra. C'était fort bien dit. Toutefois, au même moment, il ne se sentait pas disposé à prendre les risques nécessaires pour assurer la stabilité du premier de ces dominos. Le principe d'une coopération fut admis, mais entouré de conditions telles [11] que son application devenait invraisemblable, ou repoussée à une date si lointaine qu'elle perdrait toute valeur. La chute de Diên Biên Phu, le 7 mai, régla le problème dans les conditions pathétiques qu'il ne nous appartient pas d'évoquer. Rappeler quelle solution M. Pierre Mendès France apporta à l'imbroglio indochinois sortirait également du cadre de cet ouvrage. Qu'il nous suffise de mentionner que les États-Unis ne signèrent pas les accords de Genève [12], que, toutefois, par une déclaration unilatérale, ils approuvèrent le principe d'élections libres et que sans tarder ils se posèrent en protecteurs du Vietnam du Sud [13].

9. Qui présidait alors le Comité des trois états-majors (Joint Chiefs of Staff).

10. Vincent Auriol peut-il en revendiquer la paternité ? Recevant John Foster Dulles (alors conseiller du Département d'État) le 6 mai 1952, il lui avait dit : « Nous sommes le pilier de la défense occidentale dans l'Asie du Sud Est. Si ce pilier s'écroule, Singapour, la Malaisie, les Indes seront la proie de Mao Tsé-toung. Vous l'avez très bien compris et je vous en remercie. »

11. Le Pr Alexander les précise : approbation du Congrès, participation de la Grande-Bretagne et des autres alliés, indépendance immédiate des États associés. A Washington, on souhaitait évidemment employer en Indochine les mêmes méthodes qu'en Corée.

12. Ces accords, conclus le 20 juillet, et endossés par la France, la Grande-Bretagne, l'U.R.S.S. et la Chine communiste, décidaient — à la mode coréenne — la division du Vietnam en deux zones, séparées par le 17e parallèle : au Nord, les communistes, au Sud, les « démocrates » (?). Des élections générales étaient prévues en juillet 1956.

13. Le Pr Morris précise que la C.I.A. entreprit dès juin 1954 des opérations secrètes contre le Vietminh et que les premiers instructeurs militaires

Faut-il ajouter que cette hâte à remplacer la France, inspirée par la conviction que l'Amérique réussirait là où elle avait échoué, suscita chez beaucoup de Français un sentiment d'amertume qui n'accrut pas leurs sympathies envers les Américains ?

La moitié de la Corée, la moitié du Vietnam aux mains des communistes, ni « *containment* », ni « *brinkmanship* » ne se révélaient efficaces. Restait la signature de traités, considérés comme autant de digues contre la marée communiste. Dans l'espoir de protéger le Sud-Est asiatique, les États-Unis, l'Australie, la Grande-Bretagne, la France, la Nouvelle-Zélande, le Pakistan, les Philippines et la Thaïlande signèrent à Manille, le 8 septembre 1954, un pacte de défense collective, étendu ultérieurement au Vietnam du Sud, au Cambodge et au Laos [14].

Taïwan, zone brûlante, n'était pas compris dans l'O.T.A.S.E. [15]. A peine arrivé au pouvoir, Eisenhower avait donné l'ordre à la Septième Flotte de se retirer du détroit de Formose [16]. Geste purement symbolique, mais, à l'époque, Dulles annonçait à qui voulait l'entendre que l'on allait « lâcher [17] » Tchang. Sagesse ou impossibilité, celui-ci ne bougea pas. Ce fut, au contraire, Chou-En-Lai, qui, dix-huit mois plus tard, annonça son intention de « libérer » Taïwan. A quoi Ike répondit que pour y parvenir il lui faudrait d'abord « passer sur la Septième Flotte [18] ». De cet échange de menaces à la mode des guerriers d'Homère, ne résultèrent que quelques bombardements d'îles côtières encore tenues par les nationalistes [19] et la

américains arrivèrent en février 1955. Trois cent cinquante devaient suivre — « à titre temporaire » — en mai 1956.

14. L'Inde refusa de s'y joindre, arguant de sa neutralité. Dulles s'indigna : dans un conflit entre le Bien et le Mal le « neutralisme » n'avait pas de sens ! On ne peut s'empêcher de sourire en pensant à la position américaine avant Pearl Harbor...

15. Organisation territoriale de l'Asie du Sud-Est ; en anglais, S.E.A.T.O. South East Asia Territorial Organization).

16. Voir p. 278.

17. « *Unleash.* »

18. « *Run over the Seventh Fleet.* »

19. Les noms de Quemoy et de Matsu furent, pour un temps, d'actualité.

saisie de l'île de Ichiang à environ trois cents kilomètres au nord de Taïwan. Plus importants furent le traité d'assistance mutuelle signé le 2 décembre 1954 entre les États-Unis et la Chine nationaliste, et surtout la résolution votée par les deux Chambres le 24 janvier 1955, donnant au Président le pouvoir exorbitant de décider par lui-même de toute action militaire « qu'il jugerait nécessaire pour la défense de Formose et des Pescadores [20] ».

L'encre n'était pas sèche sur les accords de Genève que l'amitié franco-américaine allait être soumise à une nouvelle épreuve.

On se rappelle [21] que, en mai 1952, la France, après beaucoup d'hésitation, avait accepté le principe d'une armée européenne dans laquelle des contingents allemands seraient inclus. Connaissant l'opposition à ce projet des communistes et des gaullistes, aucun gouvernement ne s'était risqué à demander à l'Assemblée de le ratifier. Le temps passait. Du côté américain, on s'irritait, et du côté anglais, on s'impatientait. Une Conférence à trois fut décidée. Churchill aurait souhaité sa réunion dès le printemps de 1953. Les « *bloody Frogs* » (nous le citons) demandèrent des délais [22]. Finalement, Eisenhower, Churchill et Joseph Laniel [23] se rencontrèrent quelques jours aux Bermudes en décembre. Rien de positif ne se dégagea de ces entretiens. M. Hervé Alphand cite les déclarations apaisantes de Dulles : « Les États-Unis sont les derniers à souhaiter une fédé-

---

20. Archipel à l'ouest de Formose.
21. Voir p. 258.
22. Il s'en irrita. A cette époque, il n'avait pas une haute idée de la France, si l'on en juge par les notes de son médecin, le Dr Moran. 30 juin 1953. « Il a parlé des Français avec mépris − cinq années d'ignominie et il n'y a pas une heure où ils n'en aient été ravis. » 2 décembre 1953, de la bouche d'Anthony Eden : « Le Premier ministre était très " anti-Frog ". Il n'y a pas grand-chose à espérer des Français, mais la France est une nécessité géographique. »
23. La plupart du temps malade, Georges Bidault le remplaça.

ration européenne qui signifierait la disparition de la France comme grande puissance sur le plan matériel et spirituel. Par ailleurs, l'unification de l'Europe, loin de conduire à une sorte d'éloignement des États-Unis, les contraindra à se rapprocher davantage. Mon espoir est que l'intégration européenne, telle qu'elle est envisagée par la France, mette un terme aux aventures du passé, et que le peuple et le gouvernement français le comprennent pleinement. »

Quelles influences s'exercèrent-elles sur le Secrétaire d'État dans les jours qui suivirent? Fut-il seulement victime d'une saute d'humeur? Le 14 décembre, il se laissa aller à la menace : si la France ne ratifiait pas la C.E.D. [24], les États-Unis seraient contraints d'envisager « une révision déchirante [25] » de leur politique. Phrase d'autant plus malencontreuse qu'elle ne signifiait rien, l'Amérique n'étant nullement disposée à laisser les Soviets étendre leur emprise sur l'Europe occidentale. Or, comment l'empêcher sans un minimum de bonne volonté française? Au demeurant, la déclaration de J.F.D. fournit un puissant argument aux adversaires du projet que M. Pierre Mendès France, fort sceptique, laissa repousser par l'Assemblée nationale le 30 août 1954.

L'idée d'une union européenne représente une telle force, elle exprime à un tel point les vœux de millions d'êtres qu'au moment où elle semble mourir elle renaît toujours sous une forme nouvelle. On s'en aperçut à l'automne de 1954. Sur une initiative d'Anthony Eden, une conférence, réunie à Londres, aboutit au début d'octobre à une Union de l'Europe occidentale. Arrangement qui avait l'avantage sur la C.E.D. que la Grande-Bretagne y fût incluse. Il s'agissait, en effet, d'un pacte auquel participeraient les cinq signataires du traité de Bruxelles [26], plus l'Italie et l'Allemagne occidentale. Sous certaines réserves, la souveraineté de ce dernier pays fut reconnue, et son admission dans le Pacte de l'Atlantique du Nord reçut le

---

24. Communauté européenne de défense.
25. « *An agonizing reappraisal.* »
26. Grande-Bretagne, France, Belgique, Pays-Bas, Luxembourg. Voir p. 253.

29 mars 1955 l'approbation écrasante du Sénat américain, par 76 voix contre 2. L'Assemblée nationale française avait déjà donné son accord le 30 décembre précédent.

L'année 1955 s'annonçait sous un jour favorable.

En avril, la « pactomanie » de Dulles dut trouver un motif de satisfaction dans la signature à Bagdad d'un traité de défense mutuelle entre la Grande-Bretagne, la Turquie, le Pakistan, l'Iran et l'Irak. Un mois plus tard, les Soviets acceptèrent d'évacuer l'Autriche et de reconnaître sa souveraineté sous réserve d'une neutralité militaire. A la fin du mois, les deux nouveaux dirigeants des Soviets, Boulganine et Khrouchtchev se rendirent en Yougoslavie pour sceller leur réconciliation avec Tito.

L'atmosphère n'était-elle pas propice à une conférence « au sommet » ? Churchill y songeait depuis 1953, rêvant de terminer sa carrière par quelque exploit, cette fois pacifique. Pouvoir renouveler ses voyages de la guerre à Moscou avait pris chez lui la forme d'une idée fixe. Tel Roosevelt avec Staline, il était convaincu qu'il pourrait s'entendre avec Malenkov. Du côté américain, on se méfiait. Aujourd'hui au pouvoir et après avoir tant critiqué les démocrates, le G.O.P. redoutait qu'une rencontre avec les Soviets ne le mît à son tour en posture d'accusé. Au printemps de 1955, Eisenhower et Dulles, bien que toujours sceptiques, se décidèrent à tenter la chance. Genève, la ville des espérances perpétuelles, fut choisie comme lieu de rencontre. Avant d'y partir, le Président et le Secrétaire d'État donnèrent l'assurance aux chefs du Congrès que ce ne serait pas un autre Yalta.

Eisenhower, Anthony Eden [27], Edgar Faure et Boulganine représentaient les Quatre Grands. Bien que deuxième délégué, Nikita Khrouchtchev était décidé à ne pas se laisser oublier. La réunion dura cinq jours, du 18 au 23 juillet. L'avant-veille de la clôture, le président des États-Unis fit une proposition à

27. L'état de santé de Churchill ne lui permit pas de se rendre à Genève.

laquelle il attachait une extrême importance : il lui avait donné
le nom symbolique de « ciel ouvert [28] ». « Au moment de la formuler, raconte le Pr Alexander, il cessa de regarder son texte,
enleva ses lunettes et fixa les Russes assis en face de lui, espérant créer une impression de spontanéité. » Les États-Unis se
déclaraient prêts à donner aux autres pays tous les renseignements possibles sur leurs ressources militaires ; ils ne voyaient
aucune objection, si les Soviets en faisaient autant, à ce que des
photographies aériennes fournissent la preuve de leur sincérité.
« Les Russes ne furent pas impressionnés. » S'il faut en croire
Charles Bohlen, Khrouchtchev n'aurait pas hésité à dire à
Eisenhower que « sa suggestion ne représentait rien d'autre
qu'un système évident d'espionnage ». « Ceux qui vous l'ont
conseillé savaient exactement ce qu'ils faisaient. Vous ne pouvez pas vous attendre, je suppose, que nous prenions cela au
sérieux. » Effectivement, les discussions furent vaines, et tout
autant celles sur la réunification de l'Allemagne ; la seule décision prise fut une prochaine réunion des ministres des Affaires
étrangères chargés de trouver une solution...

C'était la première fois que les chefs d'État de l'Ouest et de
l'Est se rencontraient depuis Potsdam. A défaut de résultats
concrets, l'impression s'en dégagea néanmoins que des deux
côtés on comprenait la nécessité de tout essayer pour éviter un
conflit nucléaire. » Un nouvel esprit de conciliation et de coopération s'est manifesté », affirma Eisenhower à son retour à
Washington. Sans doute était-ce là propos de négociateur soucieux de glorifier son œuvre. « L'esprit de Genève » — pour
employer un slogan de l'époque — n'en suscita pas moins, pour
quelque temps, une vague espérance.

Ainsi, à l'automne de 1955, l'apaisement recherché par
Eisenhower depuis son élection semblait avoir été obtenu,
aussi bien à l'extérieur qu'à l'intérieur. Jamais la popularité de

_____
28. « *Open skies.* »

Ike n'avait été plus grande, 70 %, d'après les sondages, pourcentage jamais atteint après plus de deux ans et demi de fonctions. « Ce n'est même plus un remarquable phénomène politique, écrivait James Reston, on pourrait appeler cela une histoire d'amour nationale [29]. »

Mais les dieux ont d'étranges caprices. Le 23 septembre, se reposant à Denver, le Président s'était livré le matin et l'après-midi [30] aux joies du golf. Il ne se sentit pas bien en fin de journée, se coucha de bonne heure et fut réveillé vers 1 h 30 par de violentes douleurs. Les docteurs diagnostiquèrent un début d'infarctus et ordonnèrent son transport d'urgence à l'hôpital. Pendant plusieurs jours, le pays suivit avec anxiété des bulletins de santé mentionnant l'état « critique » du malade.

La guérison fut néanmoins rapide. Eisenhower quitta l'hôpital [31] le 11 novembre et reprit ses fonctions en janvier. Mais autour de lui les nuages allaient s'accumuler dans l'année qui s'ouvrait.

29. « *A kind of national love affair.* »
30. Nous ne résistons pas au désir de donner le menu de son déjeuner : « Un hamburger géant abondamment garni de tranches d'oignon et arrosé de plusieurs tasses de café. »
31. Il y portait un pyjama rouge vif avec cinq étoiles au-dessus de la poche gauche, et brodés en grosses lettres trois mots à l'usage des importuns : « *Much Better. Thanks* », « Beaucoup mieux. Merci. »

19.

Une élection mouvementée

Une élection devait avoir lieu le 6 novembre 1956. Eisenhower affirme que, à son arrivée à la Maison-Blanche, il était
décidé à ne pas solliciter un second mandat : il aurait même
envisagé de l'annoncer dans son discours d'entrée en fonction.
Subit-il la mystérieuse emprise que le pouvoir semble exercer
sur tous ceux qui le détiennent ? Se rangea-t-il aux arguments
de « Mamie » qui redoutait pour lui l'oisiveté ? Son sens du
devoir l'amena-t-il à céder aux instances des dirigeants républicains ? Quoi qu'il en soit, dès que ses médecins ne firent plus
d'objections, sa résolution était prise. Il l'annonça le 29 février,
expliquant qu'il voulait « achever une œuvre à peine
ébauchée ».

Le cas du deuxième poste de l'État était plus compliqué.
Juger ce que Ike pensait de son successeur éventuel est difficile.
D'après Arthur Krock — qui connaissait mieux que personne

les dessous de la vie washingtonienne, « la haute opinion qu'il avait des qualifications de Nixon n'a jamais faibli ». D'autres témoignages sont moins affirmatifs. Même en admettant les capacités de son collaborateur, Ike le tenait à distance, ne le fréquentant que pour des motifs professionnels et l'excluant des réunions privées [1]. Entrait-il dans cette attitude une part de jalousie d'un homme vieillissant à l'égard d'un homme plus jeune, devant qui les portes de l'avenir semblaient s'ouvrir toutes grandes ? Lorsque, en 1956, le Président offrit à Nixon le poste de Secrétaire de la Défense, c'était, semble-t-il, pour l'écarter. Non moins significative est une déclaration qu'il fit quelque temps plus tard. On lui demanda quels conseils il donnerait au vice-président. Réponse : « Le vice-président décidera lui-même ce qu'il veut faire et me le fera savoir [2]. »

Les conventions des deux partis devaient se tenir en août. C'est dire qu'une loi importante, votée le 29 juin, passa presque inaperçue. Il s'agissait, cependant, de moderniser le réseau routier, prodigieusement archaïque, en lui substituant près de 70 000 kilomètres d'autoroutes, dont la construction s'échelonnerait sur treize ans moyennant une dépense d'environ 32 milliards de dollars. Quiconque a circulé en voiture aux États-Unis doit quelque reconnaissance à Ike et à son Secrétaire du Commerce, Sinclair Weeks, initiateur d'un projet qui allait transformer du tout au tout la vie américaine.

Les délégués démocrates se réunirent à Chicago le 13 août. Adlai Stevenson était toujours leur grand homme, en dépit du peu de confiance qu'il inspirait à Truman. Il fut choisi au premier tour à une majorité des quatre cinquièmes. Deux candidats aspiraient à la vice-présidence : l'un, Estes Kefauver, cinquante-trois ans, vieux routier de la politique, l'autre, John Kennedy, trente-neuf ans, célèbre par la défaite retentissante qu'il avait infligée quatre ans plus tôt au sénateur Cabot Lodge dans le Massachusetts, fief de ce dernier. Après un débat que

1. L'historien Gary Wills précise que Nixon ne fut jamais admis dans la maison de campagne de Eisenhower à Gettysburg.
2. « *The vice-president will chart his own course and tell me what he would like to do.* »

l'historien Goldman qualifie de « passionné », Kefauver l'emporta.

Les républicains se rencontrèrent à San Francisco le 20 août. Ils avaient éprouvé deux mois plus tôt une nouvelle émotion : Eisenhower avait dû subir une opération chirurgicale ; celle-ci n'eut, heureusement, d'autre conséquence que de prouver son extraordinaire faculté de récupération. Il arriva à la Convention au mieux de sa forme. Le désigner fut une formalité ; « c'était plutôt l'atmosphère d'un couronnement » ; Nixon fit également l'unanimité, en dépit des manœuvres de Harold Stassen [3], que Eisenhower s'était bien gardé d'endosser... ou de désapprouver.

La campagne fut une des moins violentes de l'histoire. Ike se sentait sûr de l'emporter ; Stevenson n'osait pas trop attaquer un héros national [4] ; Nixon lui-même, se rendant compte à quel point le pays aspirait à la modération, ne s'abandonna à aucun des excès de langage qui avaient fait, en partie, sa réputation. Les deux programmes étaient, d'ailleurs, assez voisins. Quelques séquelles du New Deal subsistaient chez les démocrates, mais plus par vitesse acquise, pourrait-on dire, que par conviction ; quant aux républicains, s'ils se faisaient les porte-parole de la libre entreprise, c'était en entourant l'idée de suffisamment de réserves pour qu'elle n'effrayât personne ; sur le sujet brûlant de la déségrégation, on manifestait des deux côtés le maximum de prudence, tout en affirmant, avec une ardeur égale, que l'on était décidé à faire appliquer l'arrêt de la Cour suprême. Il fut peu question de politique étrangère, personne n'ayant prévu les nouvelles dramatiques qui allaient arriver du

---

3. Élu gouverneur du Minnesota à trente et un ans, Stassen avait été pendant quelques années une des étoiles du G.O.P. Il aspirait à la présidence et détestait Nixon. Son poste de conseiller spécial pour les questions de désarmement lui conférait en 1956 une certaine influence.

4. Il commit deux maladresses surprenantes. D'abord, en proposant une interdiction internationale de la bombe H, ce qui lui valut l'approbation de Boulganine ; surtout, en allant jusqu'à invoquer à son profit le prétendu état précaire de Eisenhower... lequel, de dix ans son aîné, lui survécut pourtant de près de quatre ans.

Proche-Orient et d'Europe centrale dans la semaine qui précéda le vote.

Le 29 octobre, on apprit à Washington qu'Israël avait atta-
qué l'Égypte. Les experts ouvrirent leurs dossiers et tâchèrent
de se remémorer les événements des dernières années. Ils
eurent peine à y trouver des preuves d'une continuité de la politique américaine. Les États-Unis avaient été les premiers en
1948 à reconnaître Israël, et, du temps de Truman, ils n'avaient
cessé de soutenir le nouvel État, tout en ne discutant pas la
position exceptionnelle de la Grande-Bretagne et de la France
dans la région. Eisenhower — ou, si l'on préfère, Dulles —
adopta une ligne de conduite différente. Le Pr Alexander définit sans indulgence la nouvelle attitude, « faite, écrit-il, d'un
anticolonialisme traditionnel, d'un souci mal dissimulé de préserver les intérêts des compagnies pétrolières, et, avant tout, de
la peur que l'influence russe ne s'accroisse ». Dans la pratique,
ces aspirations complexes aboutirent à rechercher une position
d'équilibre entre Israël et le monde arabe et à miser sur le Pacte
de Bagdad [5] comme une digue contre laquelle le flux soviétique
viendrait se briser.

L'accession de Nasser au pouvoir absolu en 1954 n'avait
pas simplifié les données du problème. Personne, à Washington comme ailleurs, ne contestait que l'Égypte fût appelée à
jouer un rôle majeur. Qu'allait faire son nouveau gouvernement ? En avril 1955, vingt-neuf pays africains et asiatiques se
réunirent à Bandung [6] dans une atmosphère d'anticolonialisme véhément. Leurs délibérations n'aboutirent à rien
de pratique, mais fournirent au nouveau maître de l'Égypte
l'occasion d'exposer ses théories sur le panarabisme, et
d'exhorter à la « libération nationale » les peuples encore
« asservis ». Il put, d'ailleurs, se vanter d'un succès personnel.

5. Voir p. 339.
6. Dans l'île de Java.

Quelques mois plus tôt [7], en effet, la Grande-Bretagne, sous la pression des États-Unis, avait accepté de retirer ses troupes de la base de Suez.

Le jeu de Nasser était subtil, l'inclinant tantôt vers l'Ouest tantôt vers l'Est au gré de ses intérêts. Un projet lui tenait au cœur. Il rêvait de faire construire à Assouan, sur le Haut-Nil, à environ 900 kilomètres du Caire, un gigantesque barrage qui augmenterait « d'un tiers la surface cultivable de l'Égypte et de moitié sa puissance électrique ». Où trouver les fonds sinon à Washington ? D'interminables conversations s'engagèrent. Au début de 1956 elles semblaient avoir abouti à un arrangement précis : les États-Unis fourniraient au départ 56 millions de dollars et la Grande-Bretagne 14. Nasser surestima-t-il son influence ? Dans les semaines qui suivirent il accumula les initiatives, toutes faites pour décourager ses prêteurs éventuels : il achète des armes à la Tchécoslovaquie, développe ses relations commerciales avec les pays d'obédience soviétique, et — un défi dans l'ambiance d'alors ! — reconnaît la Chine communiste. Les opposants américains y trouvèrent d'amples arguments pour justifier leurs objections. Ils étaient nombreux et de qualité. Les chefs démocrates du Sénat et de la Chambre, Lyndon Johnson et « Sam » Rayburn, ne dissimulaient pas leurs sympathies pour Israël ; à la Trésorerie, où l'économie, on le sait, était à la mode, on s'inquiétait du coût final de l'opération ; pour le Sud, enfin, faciliter une production accrue de coton égyptien semblait une absurdité.

Contrairement à l'opinion courante, ce ne fut pas Dulles, mais Eisenhower lui-même, après une réunion secrète du Conseil national de sécurité à Camp David, qui prit la décision de

---

7. L'accord fut signé le 27 juillet 1954. Churchill, encore au pouvoir mais ne jouant plus un grand rôle, y consentit malgré lui. « Il a horreur de cette politique de " sabordage ", note le Dr Moran. Il pense que le Foreign Office est une excellente institution pour nous faire connaître à l'étranger. Mais, ajoute-t-il (et voici qui n'est guère aimable pour Eden), quand son chef est faible, elle semble ne faire autre chose que signer des accords à notre détriment. » Les dernières troupes anglaises quittèrent Suez en juin 1956.

retirer l'offre américaine. Le Secrétaire d'État annonça la nouvelle à l'ambassadeur d'Égypte le 19 juillet. Sans doute le fit-il
avec la brusquerie qui lui était familière [8]. Nasser voulut y voir
une insulte personnelle. On s'attendait à ce qu'il quémandât
une aide soviétique. Il réagit différemment. Sept jours plus
tard, le 26 juillet, en entourant sa décision d'un maximum d'insolence, il annonça la nationalisation du canal de Suez dont les
revenus serviraient, dit-il, à financer le barrage d'Assouan.
C'était violer une concession qui n'arrivait à échéance qu'en
1968 ; c'était surtout se venger sur la France et l'Angleterre,
principaux actionnaires de la compagnie, d'une situation dont
elles n'étaient en rien responsables.

On sait la suite lamentable des événements dont le récit
détaillé n'aurait pas sa place ici. Paris, obsédé par le conflit
algérien, vit une occasion de se débarrasser de Nasser et préconisa une riposte militaire immédiate [9]. Les Anglais, en principe
d'accord, tenaient avant tout à ne pas indisposer les Américains. Anthony Eden, Premier ministre depuis un an, était venu
à Washington en janvier ; il y avait acquis la conviction que la
Grande-Bretagne était toujours « l'allié privilégié » ; il restera
persuadé, jusqu'au dernier moment, que l'on pouvait compter
sur la neutralité bienveillante des États-Unis. C'était bien mal
connaître ce pays, surtout en période électorale.

A Washington, on ne voulait à aucun prix se trouver associé
à des puissances dites « coloniales ». Dans l'espoir d'éviter
cette situation, et, également, de ne pas rompre l'unité occidentale, Dulles se raccrocha d'abord à l'idée toujours séduisante
de l'« internationalisation [10] ». Il suggéra la formation de ce
qu'il appela le « Club des Usagers » ; pour ce faire, vingt-deux

8. Son interlocuteur s'indigna et joua la surprise. Dans une lettre à
Eisenhower, le 15 septembre suivant, Dulles affirme que les Égyptiens
étaient au courant des intentions américaines. « Nous avions appris, écrit-il,
par des conversations téléphoniques que le gouvernement égyptien savait,
en faisant préciser la réponse, qu'il obtiendrait un refus définitif. »

9. D'après M. Serge Bromberger, un officier français aurait apporté à
Londres dès le 31 juillet « la liste des unités françaises devant participer à
l'expédition ».

10. Qu'aurait-il dit si la même formule avait été proposée pour Panama ?

pays, principaux clients du canal, se réunirent à Londres le 16 août. Le ministre britannique des Affaires étrangères, Mr. Selwyn Llyod, présente cette réunion comme « un succès éclatant [11] ». En réalité, ce ne furent que vaines paroles, l'Égypte ayant refusé de participer à la conférence. Un comité composé des États-Unis, de la Suède, de l'Iran, de l'Éthiopie et présidé par le Premier ministre australien, Sir Charles Menzies, reçut mission de négocier avec Nasser. Celui-ci se montra intraitable. Désappointé, le Secrétaire d'État américain se réfugia dans une attitude ambiguë. Écoutons Charles Bohlen : « J'avais reçu instruction de faire savoir au gouvernement soviétique que ce serait de sa part une grave illusion de s'imaginer que, en cas d'échec de la conférence, les États-Unis ne se rangeraient pas solidement aux côtés de la Grande-Bretagne et de la France » ; mais le moment venu, continue l'ambassadeur américain à Moscou, « Dulles parla aux Anglais et aux Français comme s'il les approuvait, et il donna l'impression aux Russes d'être antibritannique et antifrançais ».

Du « Club des Usagers » bientôt il ne fut plus question. Alors se précipitèrent ce que M. Jacques Georges-Picot appela « les folles erreurs de l'automne 1956 ». A Paris, le faible cabinet socialiste de Guy Mollet pouvait espérer trouver dans l'aventure une occasion de redorer un blason quelque peu terni. Le ministre des Affaires étrangères, M. Christian Pineau, a raconté les conversations secrètes qui s'engagèrent avec les Israéliens [12] et les Anglais. Les premiers, encouragés par le succès des raids qu'ils avaient conduits l'année précédente dans la bande de Gaza, avaient décidé de prendre l'offensive. Toutefois, précisa leur Premier ministre, Ben Gourion, il nous faut une couverture aérienne. Les Français s'engagèrent à la fournir.

Les Anglais, évidemment, hésitaient. Mr. Selwyn Lloyd a

11. « *An outstanding success.* »
12. Les premiers contacts militaires franco-israéliens auraient été pris dès le 1er septembre, sur l'initiative de Paris, précise le général Moshé Dayan.

laissé un récit peu stimulant de l'entrevue secrète qu'il eut à Sèvres, le 21 octobre, avec des membres des gouvernements français et israélien. On devait se méfier de lui, car il repartit pour Londres convaincu d'une attaque d'Israël, « probablement dans les trois prochains mois ». Eden mit à la participation britannique une condition étrange. « Nous ne voulons pas, aurait-il dit, toujours d'après M. Christian Pineau, eu égard à notre politique arabe, laisser les troupes israéliennes occuper le canal. Il faut prévoir un débarquement et une occupation des deux rives par nos troupes. Nous nous opposerons, d'un côté et de l'autre, à son franchissement par les deux armées en présence. Ainsi nous n'apparaîtrons pas comme parties concernées dans le conflit israélo-arabe, mais comme des neutres, uniquement intéressés au maintien de la liberté de circulation. » Position d'une telle hypocrisie que le gouvernement français ne semble s'y être rallié qu'après beaucoup d'hésitations.

L'attaque israélienne, sous la protection de l'aviation et de la marine française, connut un plein succès. Le lendemain 30 octobre, la Grande-Bretagne et la France adressaient aux deux ennemis l'ultimatum prévu. Ce même jour, le sénateur Cabot Lodge, représentant les États-Unis à l'O.N.U., saisit le Conseil de sécurité d'une résolution invitant Israël à évacuer l'Égypte et demandant aux grandes puissances de ne pas avoir recours à la force; la Grande-Bretagne et la France opposèrent leur veto; pour la première fois, les États-Unis et les Soviets se trouvaient du même côté. On était à six jours de l'élection présidentielle. Le lendemain, l'aviation alliée commença de bombarder les aérodromes égyptiens. Le secret avait été si bien gardé que les ambassadeurs de France à Londres et à Washington n'étaient au courant de rien. Le 1er novembre, au quatrième jour de leur offensive, les Israéliens avaient isolé la bande de Gaza, atteint Ismaïlia et fait 6 000 prisonniers. A Washington, la confusion était d'autant plus grande que le Secrétaire d'État se trouva forcé, à ce moment même, de subir une intervention chirurgicale. Le Président dut annuler ses dernières réunions électorales. Le 2 novembre, l'Assemblée générale des Nations Unies, sur l'initiative du gouvernement américain et à une majorité de 64 voix contre 5 et 6 abstentions [13], adopta une résolution demandant un cessez-le-feu immédiat. La Grande-Bretagne et la France refusèrent d'en tenir compte, tant que les forces des Nations Unies ne s'interposeraient pas entre les combattants, ainsi qu'elles prétendaient le faire elles-mêmes. Des transports de troupes alliées continuèrent donc de voguer vers l'Égypte de leur base de Chypre [14].

Deux jours s'écoulèrent dans une tension grandissante, supprimant de manière irrémédiable l'effet de surprise qui, seul, aurait permis le succès de l'opération. Le 5 novembre au matin, parachutistes français et anglais étaient largués autour de Port-Saïd. Les Égyptiens acceptèrent une reddition immédiate, puis se ravisèrent, sous l'influence, semble-t-il, du consul soviétique. La Russie, que les événements de Hongrie mettaient dans une position difficile [15], vit dans l'affaire de Suez une occasion inespérée de se présenter en défenseur des « opprimés ». Boulganine commença par jouer maladroitement ses cartes : il alla jusqu'à suggérer une intervention commune américano-soviétique ; dans une réponse sèche, Eisenhower qualifia celle-ci d'« impensable [16] ». Terme énergique, mais quelque peu atténué par la coïncidence répétée des votes russe et américain aux Nations Unies... L'homme d'État soviétique se décide alors à agir par ses propres moyens. Le 5 au soir, il envoie des messages menaçants à la Grande-Bretagne, à la France et à Israël. Dans celui adressé à Paris, il se dit « pleinement résolu à recourir à l'emploi de la force pour écraser les agresseurs et rétablir la paix en Orient » ; à l'égard de Londres il est encore plus précis, car il mentionne expressément l'usage possible de « fusées ».

13. Seules l'Australie et la Nouvelle-Zélande apportèrent leur appui à la Grande-Bretagne et à la France ; le Canada, l'Afrique du Sud, la Belgique, la Hollande, le Portugal et le Laos s'abstinrent.
14. Avec une majestueuse lenteur. La vitesse de certains bâtiments ne dépassait pas cinq nœuds.
15. Voir p. 354.
16. « *Unthinkable*. »

L'histoire révèle peu d'exemples d'une situation aussi chaotique que la journée du mardi 6 novembre 1956. Aux États-Unis, dans un calme absolu, les Américains réélisent triomphalement Eisenhower [17]. Le plan des états-majors alliés [18] se déroule comme si aucun fait nouveau n'était intervenu : Français et Anglais débarquent en force autour de Port-Saïd et se proposent d'avancer dès le lendemain le long du canal. A Londres, Eden est manifestement à bout de nerfs. « Nous nous trouvâmes, écrit-il, devant une menace autrement redoutable que celle du maréchal Boulganine. Sur les marchés des bourses mondiales, une attaque contre la livre sterling se développait avec une rapidité qui pouvait nous mettre dans une situation économique désastreuse » ; même dans le parti conservateur, une opposition se dessinait contre une aventure dont l'issue devenait de plus en plus aléatoire. Le Cabinet britannique se décide au cessez-le-feu dans la matinée. A Paris, la déception est intense. Certains prétendent ne redouter ni Boulganine, ni Eisenhower, ni Nasser : ils préconisent une action isolée. Étaient-ils prêts à en prendre la responsabilité ? Cette solution, en tout cas, est écartée. La France suivra l'Angleterre. L'ordre de cessez-le-feu est reçu à Port-Saïd dans la soirée [19].

M. Hervé Alphand, alors ambassadeur à Washington, rencontra Eisenhower quelques jours plus tard. Avec sa modération habituelle, le Président se borna à lui dire : « Peut-être avons-nous raison ; peut-être n'avez-vous pas tort ; Dieu seul jugera. » Dulles fut plus net. Les témoignages de Mr. Selwyn Lloyd et de M. Christian Pineau concordent. Le premier rendit visite le 17 novembre au Secrétaire d'État, encore à l'hôpital. « Dès mon entrée il me dit, l'air malicieux : " Selwyn, pourquoi vous êtes-vous arrêtés ? Pourquoi n'avez-vous pas continué et renversé Nasser ? " Son interlocuteur, stupéfait, rétorqua : " Mais Foster, si vous aviez seulement fait un clin d'œil... " Et

17. Voir p. 355.
18. Dit « Opération Mousquetaire »... Hélas !
19. Les Casques bleus de l'O.N.U. arrivèrent sur le canal le 3 décembre. Les dernières troupes franco-britanniques furent évacuées le 22.

Dulles de répondre " qu'il ne pouvait pas faire cela ". » Le ministre français des Affaires étrangères est, lui, catégorique. « A Suez, nous nous sommes trompés. C'est vous qui aviez raison », lui aurait confié son collègue américain. Nixon arrive aux mêmes conclusions : « Avec le recul du temps, je crois que nous avons commis une grave erreur. » Puis il donne l'explication, sans doute la plus vraisemblable, de l'attitude américaine : « J'ai souvent pensé que si la crise de Suez ne s'était pas produite dans la tension d'une campagne présidentielle, une décision différente aurait été prise. »

Une vingtaine d'années fournissent un recul bien insuffisant pour apprécier des faits si diversement rapportés dans un si grand nombre d'ouvrages [20]. Citerons-nous, malgré tout, une des remarquables conclusions du général Beauffre qui commandait les troupes françaises ? « L'échec, écrit-il, relève de nombreuses erreurs de calcul, portant sur le mécanisme de l'opération. Mais la conception d'ensemble de l'intervention était fausse, parce que profondément démodée. » La suite fut grise », résume M. Jean Chauvel.

En Europe centrale, des événements infiniment plus tragiques s'étaient déroulés au cours de ces mêmes semaines.

En février, une réunion du XXᵉ Congrès du parti communiste russe avait soulevé un mouvement d'espérance chez les peuples soumis au joug soviétique. On y avait entendu Khrouchtchev dénoncer « les crimes de l'époque stalinienne » et admettre « la diversité des routes qui conduisent au socialisme ». Les Polonais furent les premiers à tirer les conséquences de cette attitude. Le soulèvement des ouvriers de Poznan en juin aboutit, quelques semaines plus tard, à l'arrivée au pouvoir d'un gouvernement Gomulka, qui, tout en restant

20. La bibliothèque de la Compagnie financière de Suez compte quarante-sept volumes sur le sujet.

fidèle au Pacte de Varsovie [21], n'en obtint pas moins un certain
degré d'indépendance.

Les Hongrois furent tentés de suivre l'exemple de leurs compagnons de chaîne. Le 23 octobre, les étudiants organisent à
Budapest une manifestation « silencieuse » ; elle prend vite le
caractère d'une révolution anticommuniste, la statue de Staline
est arrachée de son socle ; le lendemain, la grève générale est
proclamée. Les Américains sont fort embarrassés. Dulles ne
peut oublier ses phrases imprudentes sur la « libération ». Que
faire ? « Les pauvres gens, les pauvres gens, confie Eisenhower
à un journaliste. Je ne fais que penser à eux. Je voudrais tant
avoir le moyen de les aider ! » Radio Europe Libre [22] s'abandonne à des encouragements intempestifs ; elle va jusqu'à assurer les Hongrois qu'un appui est à la veille de leur être fourni.

Au début, le soulèvement semble réussir. Les Russes
tolèrent l'arrivée au pouvoir de Imre Nagy, lequel a la réputation d'un communiste modéré. Ils annoncent le 28 que leurs
troupes se replient en dehors de Budapest et promettent d'appréciables concessions. Bohlen — qui se méfie — télégraphie de
Moscou qu'« il pourrait bien ne s'agir que d'une feinte en attendant l'arrivée de renforts ». Ce qui n'empêche pas Ike, en veine
d'optimisme, de saluer, le 31 octobre, ces développements
comme « l'aurore d'un nouveau jour »... Las ! Le crépuscule
n'était pas loin. Nagy, ayant commis l'imprudence d'annoncer
que la Hongrie allait dénoncer le Pacte de Varsovie, la réaction
des Soviets ne tarda pas. Le 4 novembre, les Russes réoccupent
Budapest avec des centaines de chars. La répression est féroce.
On assiste au plus pitoyable des spectacles. Le Conseil de
sécurité, puis l'Assemblé générale des Nations Unies invitent
les Soviets à évacuer la Hongrie et affirment le droit du peuple
magyar à l'indépendance, le jour même où les votes des États-

---

21. En 1955, à la suite de la signature du Traité de l'Atlantique Nord,
l'U.R.S.S., l'Albanie, la Bulgarie, la Hongrie, la Pologne, la République
populaire allemande, la Roumanie et la Tchécoslovaquie avaient signé à
Varsovie le 14 mai un pacte de défense réciproque.
22. « *Radio Free Europe* » était, en théorie, un poste privé, mais en liaison étroite avec le Département d'État.

Unis et de l'Union soviétique se sont trouvés associés contre la France et l'Angleterre.

Quatre jours plus tard, « l'ordre règne à Budapest ». Trente mille Hongrois, prétend-on, auraient trouvé la mort dans ces batailles de rues ; deux cent mille allaient prendre le chemin de l'exil. Nagy arrêté est transféré à Moscou où il sera exécuté en 1958 ; le cardinal Mindszenty se réfugie à la légation des États-Unis.

Le scrutin du 6 novembre confirma le prestige du Président et la faiblesse des républicains. Eisenhower recueillit plus de 35 500 000 bulletins contre 26 000 000 à Stevenson, et 457 voix électorales, n'en laissant que 73 à son adversaire. En revanche, les démocrates s'assurèrent, une fois encore, la majorité à la Chambre (232-199) et au Sénat (49-47). Manifestement, le G.O.P., en dépit de la popularité de son chef, n'arrivait pas à retrouver la confiance des électeurs. Le second mandat de Ike va lui apporter autant de déceptions que le premier lui avait procuré d'espérances.

20.

Années orageuses (1)

Les idées, on le sait, n'intéressaient guère Eisenhower. Le
voir à la recherche d'une doctrine qui puisse régénérer son
parti a quelque chose d'émouvant. Il espéra donner une vie
nouvelle aux thèses qu'il était supposé représenter en les entourant d'épithètes nouvelles. On lui suggéra de ne plus parler que

de « républicanisme moderne, progressif, dynamique ». Le mot
« conservateur », dont on avait osé faire usage quatre ans plus
tôt, redevint tabou. Mais de quoi s'agissait-il ? Un livre, *A
Republican Looks At His Party* [1], avait tenté de l'expliquer
dans les semaines qui précédèrent l'élection. D'après son auteur,
Arthur Larson, sous-secrétaire du Travail, le fait saillant de
l'Amérique d'alors était le développement irrésistible des
classes moyennes, résultat de la prospérité. Elles attendaient
du gouvernement non seulement qu'il ne s'opposât pas au jeu
de la libre entreprise, mais aussi qu'il prît les dispositions
nécessaires pour que tout le monde participât équitablement à
cette « économie d'abondance ». Ces idées n'avaient rien de
bien original, et, préconisant de nombreuses interventions gouvernementales, ramenaient, une fois de plus, les républicains à
être une pâle copie de leurs adversaires.

On s'en aperçut dans « la bataille du budget ». Celle-ci
débuta dès 1957. La réduction des dépenses et l'équilibre budgétaire étaient, on se le rappelle, autant de dogmes pour
l'équipe Eisenhower. Quand cette dernière arriva au pouvoir,
les dépenses fédérales s'élevaient — sous l'effet de la guerre de
Corée — à plus de 74 milliards de dollars. Le Président et le
Secrétaire du Trésor, tous deux adeptes convaincus d'une politique d'économies, s'étaient fixé pour objectif de les ramener à
un maximum de 60 milliards. Or, ce chiffre — il est vrai arbitraire — ne fut jamais atteint. Si, en 1954 et en 1955, des réduc-
tions importantes de crédits avaient été obtenues, la marche
ascendante avait repris dès 1956 pour arriver en 1958 à un
total de près de 72 milliards, deux milliards de moins seulement que sous la présidence Truman. Au surplus, la nouvelle
administration s'était vantée d'instaurer une ère d'excédents et
le budget de 1958 [2] allait se clore par un déficit d'un demi-
milliard.

1. *Un Républicain examine son parti.*
2. 1er juillet 1957 — 30 juin 1958.

Première contradiction entre les principes dont Eisenhower s'était fait le porte-drapeau et les réalités auxquelles il lui fallut faire face. Mais ce ne fut pas la seule en 1957. Le problème racial fut à l'origine d'une autre situation également complexe.

Aucune agitation n'avait suivi l'arrêt de la Cour suprême de 1954 [3]. On s'aperçut vite de la nature précaire de ce calme. Un incident, survenu en décembre 1955 dans la capitale de l'Alabama, Montgomery, révéla l'intensité des passions dont les gens de couleur commençaient à être agités. Une Noire — aussitôt célèbre, Mme Rosa Parks — eut l'audace de refuser son siège à un Blanc dans un autobus. Elle fut arrêtée, condamnée à $ 10 d'amende, et l'on crut généralement que l'affaire en resterait là. Le contraire se produisit. Un pasteur baptiste de vingt-sept ans, Martin Luther King Jr., partisan convaincu de la résistance passive à la manière de Gandhi, prit la direction d'un mouvement de boycott. Ses congénères décidèrent de ne plus utiliser les lignes d'autobus, dont ils étaient les principaux clients. On les vit pendant onze mois circuler à pied ou par tous les modes de locomotion, à côté de voitures publiques à moitié vides. La maison de King fut l'objet d'un attentat. Ce n'était pas pour l'émouvoir. Écoutons-le : « Le sang coulera peut-être dans les rues de Montgomery avant que notre liberté ne soit reconnue. Mais ce sera le nôtre et non celui des Blancs. Nous ne devons pas toucher un cheveu de la tête de nos frères blancs. » En novembre 1956, le jeune idéaliste eut la joie d'un succès complet : la Cour suprême déclara inconstitutionnelles les lois de l'Alabama. Noirs et Blancs se trouvèrent désormais côte à côte dans les transports en commun, situation, on peut l'imaginer, qui n'engendra pas seulement de la bonne humeur...

Eisenhower n'avait pas eu à intervenir. Sa position était nuancée. Son sens de la justice l'amenait à trouver inadmissible que la plupart des Noirs, citoyens comme les autres, fussent privés de leur droit de vote. Le Pr Freidel fournit des précisions : dans huit États du Sud où, en 1957, vivaient 3 750 000 gens de couleur, 25 % seulement étaient inscrits sur

---

3. Voir p. 327.

les listes électorales, et beaucoup n'osaient pas participer aux scrutins. Il ajoute que « à une élection dans le Mississippi en 1955, on compta seulement 1 % de bulletins de Noirs ». Une loi sur les droits civiques [4] — la première depuis 1875 — donna aux juges fédéraux le pouvoir d'imposer des amendes, et même des peines de prison, aux autorités reconnues coupables d'avoir empêché les Noirs d'exercer leur privilège de citoyenneté.

Le problème racial était décidément d'actualité à l'automne de 1957. Ce texte fut voté le 9 septembre. Peu de jours après, on recevait à Washington des nouvelles préoccupantes. Dans une petite ville de l'Arkansas, Little Rock, venait de se produire un événement qui plaçait le gouvernement fédéral dans une situation délicate. Un juge, ayant donné l'ordre à la municipalité d'admettre neuf élèves noirs au lycée local, le gouverneur de l'État, Orval Faubus, invoquant des troubles possibles, avait chargé la garde nationale de s'opposer à leur entrée. Mais le juge ne s'était pas laissé impressionner : ses instructions, avait-il précisé, devaient être exécutées « sans délai ». Le bâtiment fut alors entouré par la troupe. Quand une élève noire tenta de franchir la porte, les soldats l'en empêchèrent et elle dut battre en retraite sous les vociférations et les insultes de plusieurs milliers de Blancs.

Qu'allait faire Ike ? « Je n'ai jamais cru que la législation pouvait, à elle seule, modifier les mœurs », écrit-il dans ses *Mémoires*. Peu de semaines avant ces incidents, il avait déclaré dans une conférence de presse : « Je me sens incapable d'imaginer des circonstances qui puissent jamais m'amener à employer des troupes fédérales pour faire appliquer une décision de justice... » Or le cas, précisément, se posait. Conciliateur-né, le Président essaya un compromis. Vingt minutes de conversation avec le gouverneur de l'Arkansas se

---

4. On sait que le « *filibuster* » est une tactique d'obstruction. Elle permet aux sénateurs de rester à la tribune aussi longtemps qu'ils le veulent — et le peuvent — pour empêcher la clôture d'un débat. Cette loi, adoptée après plus de deux mois de discussions, fut l'occasion d'un « *filibuster* » record : un sénateur de la Caroline du Sud garda la parole pendant vingt-quatre heures et dix-huit minutes...

révélèrent vaines. Sur une injonction judiciaire formelle, celui-ci finit cependant par retirer ses gardes, et les neuf enfants noirs purent pénétrer dans le lycée. La tension grandissait d'heure en heure. « Le 23 septembre, raconte le Président, je reçus un télégramme affolé du maire ; il avait perdu, disait-il, le contrôle de la situation et la police n'arrivait plus à disperser la foule.., » Dès le lendemain, cinq cents parachutistes, de la fameuse 1ʳᵉ division aéroportée, bientôt suivis de cinq cents autres, prirent position autour du bâtiment où ils devaient rester jusqu'à la fin de l'année scolaire. La foule les hua, mais se dispersa. « Le Président était tenu par la Constitution d'agir comme il l'a fait, commente Sherman Adams, mais en huit ans nulle décision ne lui fut plus pénible. » Beaucoup de bruit, d'ailleurs, pour peu d'effet. Le lycée de Little Rock dut fermer deux ans de suite. Lorsque ses portes furent rouvertes en 1959, il fallut un nouvel arrêt de justice pour y faire admettre trois élèves noirs.

1957 se termine mélancoliquement. Le 25 novembre, Eisenhower est victime d'un nouveau malaise. Il le raconte : « Au moment de signer un papier, je n'arrivais pas à le saisir... J'eus peine à me tenir debout et à garder mon équilibre... Puis, encore plus étrange, je ne trouvais plus mes mots... ». Sa robuste santé prit rapidement le dessus. En décembre, le Président fut capable de participer à une réunion de l'O.T.A.N. à Paris. Réunion décevante pour les États-Unis, car de tous les membres de l'alliance, seules la Grande-Bretagne, l'Italie et la Turquie acceptèrent que des missiles fussent entreposés sur leur territoire.

Même fugitif, ce fléchissement de sa santé fournit à Ike l'occasion de réfléchir aux relations de son pays avec le reste du monde. Les derniers onze mois lui apportaient peu de motifs de satisfaction. Un seul peut-être, mais de vaine gloriole : tel Monroe, il avait donné son nom à une « doctrine ». Après avoir contribué à l'élimination de la France et de la Grande-Bretagne, les États-Unis découvrirent avec angoisse qu'ils

avaient ouvert aux Soviets les portes du Proche-Orient. Ils
décidèrent de combler eux-mêmes ce vide. Exemple parmi tant
d'autres de cet « impérialisme » imposé par les circonstances,
où l'on est tenté de voir une manœuvre délibérée. En tout cas,
après deux mois d'hésitations, le Congrès, le 7 mars 1957,
accorda au Président le droit « d'employer les forces armées »
au profit de toute nation du Proche-Orient qui « demanderait
assistance contre une agression armée d'un pays contrôlé par
le communisme international ». « Doctrine » justifiant une
intervention américaine tout en en limitant les possibilités. On
s'en aperçut en avril, lorsque le roi Hussein faillit être renversé
en Jordanie par des éléments pronassériens, en août, époque
où le gouvernement syrien tomba aux mains d'un groupe d'officiers antioccidentaux, en octobre, quand la Russie se fit menaçante envers la Turquie. A défaut de « doctrine », la tactique du
« *brinkmanship* » réussit à merveille. Dulles ayant menacé de
représailles l'Union soviétique au cas où elle s'attaquerait à la
Turquie, Khrouchtchev se hâta de proclamer qu'« il n'y aurait
pas de guerre ».

Les Soviets venaient pourtant de connaître leur jour de
gloire. Le 4 octobre, les États-Unis apprirent avec stupéfaction
que leurs rivaux avaient, pour la première fois dans l'histoire,
placé un satellite sur orbite. La Maison Blanche, assez maladroitement, tenta de minimiser l'exploit. Le Président affirma
ne ressentir « aucune appréhension » ; Nixon conseilla à ses
compatriotes de « s'éloigner du mur des lamentations » ; Sherman Adams qualifia le vol du « spoutnik » de « jeu de basket-
ball dans l'espace » ; ne voulant pas être en retard d'un impair,
le Secrétaire de la Défense, Charles E. Wilson, commenta avec
condescendance ce « bon truc technique [5] ». Bien entendu, le
point de vue de l'opposition fut différent. L'un de ses représentants demanda à Eisenhower de proclamer « une semaine de
honte et de danger » ; un autre exigea une session spéciale du
Congrès ; un troisième mit en cause le système d'éducation ;
Lyndon Johnson se plaça sur une perspective historique :

5. « *That nice technical trick.* »

« L'empire romain a dominé le monde grâce à ses routes ; l'empire britannique en a fait autant avec ses navires ; voilà les communistes qui s'avancent dans l'espace... » On sait combien l'opinion américaine est influençable. Eisenhower tenta, sans succès, de restaurer l'optimisme en annonçant la réorganisation des programmes d'enseignement scientifique ; jamais, depuis la guerre, la confiance n'était tombée si bas. A l'étranger — notamment en France —, on vit dans l'événement un indice précurseur de la décadence des États-Unis.

1958 fut, également, une année de crises. A l'intérieur, une récession, à l'extérieur, une recrudescence de la guerre froide assombrirent l'atmosphère. La popularité d'Eisenhower s'en ressentit : de 79 % lors de sa réélection, sa cote tomba en avril 1958 à 49 %.

Un certain ralentissement des affaires s'était déjà produit en 1954 ; celui des premiers mois de 1958 fut plus accentué. Faut-il l'attribuer à des charges fiscales excessives ? Les États-Unis sont un curieux pays. Imagine-t-on ailleurs un ministre des Finances invitant le Parlement à diminuer ses propres demandes. Le Secrétaire de la Trésorerie le fit pourtant en présentant au Congrès son programme de dépenses pour 1958. Écoutons-le : « Il y a dans ce projet nombre de crédits qui peuvent être supprimés » (*sic*) ; ou, plus pittoresque, s'adressant cette fois au public : « Le poids des impôts est terrifiant... Je vous en préviens, si vous ne l'allégez pas, vous aurez une dépression qui vous fera dresser les cheveux sur la tête [6]. » Le Président allait-il démentir cette condamnation de sa propre politique. Nullement. « Mr. Humphrey a exprimé exactement ce que je pense », confia-t-il quelques jours plus tard à un groupe de journalistes passablement ébahis.

Ainsi continua cette « bataille du budget ». En 1958 cependant — et pas davantage les années suivantes — les prédictions

6. « *You will have a depression that will curl your hair.* »

sinistres du Secrétaire de la Trésorerie ne se réalisèrent. Certes, pendant quelques mois, les indices furent décourageants. A peu près stable, nous l'avons dit [7], depuis 1954, le coût de la vie augmenta de nouveau. Simultanément, la production industrielle baissa de 14 % et l'on arriva à recenser plus de 7 millions de chômeurs, soit 7 % de la population active, proportion qui n'avait pas été atteinte depuis Pearl Harbor. On pressait Ike d'intervenir. Ce n'était pas dans sa nature. Sa passivité ne lui donna pas tort. La récession de 1958 se résorba, comme tant d'autres, sous l'effet d'une multitude d'ajustements individuels. En juillet, il n'en était plus question. Cédant à cette manie du monde contemporain, cinq cents « futurologues » — qui, six mois plus tôt, avaient probablement prévu le pire — annoncèrent, à une majorité de 90 %, la reprise d'une « expansion modérée ».

La malchance voulut que cette récession suivît l'humiliation du « spoutnik » et coïncidât avec un de ces « scandales » dont les traditions puritaines exigent la dramatisation. En juin 1958, une commission d'enquête de la Chambre découvrit que Sherman Adams, symbole d'intégrité, avait accepté quelques cadeaux d'un de ses amis intimes, un fabricant de textile de la Nouvelle-Angleterre, dont il avait recommandé l'affaire à des services fédéraux. Imprudence, peut-être, malhonnêteté sûrement pas [8]. Mais le Père Joseph d'Eisenhower n'avait pas que des amis. Les démocrates ne lui pardonnaient pas un discours prononcé quelques mois plus tôt, les rendant responsables de Pearl Harbor et ravivant les vieilles querelles, au moment même où la modération était supposée être à la mode. Ils virent dans les abus dont ils l'accusaient une heureuse occasion de l'écarter. A l'extrême droite, on prêta à ces manœuvres une oreille favorable. « La Vieille Garde » se méfiait de Sherman Adams, à ses yeux, l'instigateur du « républicanisme moderne ».

7. Voir p. 328.
8. « L'incident, écrit Arthur Krock, révéla chez Sherman Adams une certaine légèreté dans ses relations personnelles, contrastant de manière saisissante avec la prudence, même la froideur, dont il faisait preuve dans l'exercice de ses fonctions. »

Bref, le Président se trouva forcé en septembre d'accepter la démission d'un de ses plus précieux collaborateurs.

Tout cela était de piètre augure pour les élections biannuelles qui devaient avoir lieu le 4 novembre. Effectivement, celles-ci se révélèrent désastreuses pour les républicains, les pires depuis 1936. Les démocrates recueillirent six millions de bulletins de plus que leurs adversaires. Ils gagnèrent quarante-huit sièges à la Chambre et quinze au Sénat, disposant désormais d'une majorité de 282 contre 154 dans la première de ces assemblées et de 62 contre 34 dans la seconde ; 34 gouvernements d'État tombèrent entre leurs mains. Un scrutin attira particulièrement l'attention : dans le Massachusetts, le sénateur John F. Kennedy fut réélu à une majorité sans précédent de 860 000 voix.

Toujours sentencieux, Walter Lippmann commenta la situation en termes énigmatiques : il attribua la défaite du G.O.P. à « la conviction croissante que les besoins de la nation ne sont pas satisfaits comme il le conviendrait... ».

La politique étrangère n'avait tenu qu'une place secondaire dans les controverses électorales. Pourtant, les sujets dignes d'intérêt ne manquèrent pas au cours de l'année.

La recherche d'un *modus vivendi* entre les pays de l'Amérique latine et « le grand frère » du Nord s'était, une fois de plus, révélée décevante. A l'idée du « *Good Neighbor* », chère à Franklin Roosevelt, son deuxième successeur avait ajouté celle du « *Good Partner* ». « Voisins » ou « associés », les États-Unis n'en continuaient pas moins à soulever au sud du Rio Grande des sentiments complexes où l'envie, sinon la haine, l'emportait sur la bonne volonté ou la reconnaissance. Nixon s'en aperçut pendant une mission dont le Président le chargea au printemps de 1958. A Lima, les huées alternèrent avec les lancements de pierres ; à Caracas, on lui cracha au visage, et on faillit briser les vitres de sa voiture. Manifestations qui valurent au vice-président une réception triomphale à son retour, mais qui rendirent plus précaires encore les relations entre le Nord et le Sud du continent.

On a peine à comprendre pourquoi « la doctrine Eisenhower » était réservée à une infime partie du globe, alors que la guerre froide avait un caractère universel. Quoi qu'il en soit, Ike eut en juillet 1958 une première — et dernière — occasion d'appliquer ladite doctrine. On sait que, au début de l'année, l'Égypte et la Syrie avaient proclamé une République Arabe Unie — « Unie », essentiellement, contre les Occidentaux. Washington — chaque jour plus empêtré dans l'imbroglio du Proche-Orient — avait alors fondé de grands espoirs sur une Union arabe, faite de la Jordanie et de l'Irak. Rien n'en subsista lorsque, le 14 juillet, un complot renversa la monarchie irakienne et aboutit à la proclamation d'une république favorable à Nasser. Au Liban, le président Chamoun, porte-drapeau des chrétiens maronites, craignant d'être victime de la contagion communiste, sollicita d'urgence une aide américaine.

Eisenhower agit avec la rapidité de l'éclair. On a décrit cette journée du 15 juillet où une pluie fine ne faisait qu'accentuer l'écrasante moiteur de l'été. 9 h 45, réunion du Conseil national de sécurité ; Dulles garantit que la réaction soviétique se bornera à des menaces contre la Turquie et l'Iran ; le Président fait rassembler en Méditerranée orientale soixante-dix vaisseaux, quatre cents avions, plus de neuf mille hommes. 14 h 30 : vingt-deux membres du Congrès, démocrates et républicains, sont convoqués à la Maison Blanche ; quelques réserves, aucune opposition. A 16 h 30, l'ordre d'exécution est donné : on avait retrouvé l'animateur d' « Overlord ». Le débarquement eut lieu le lendemain, sans incidents, suivi de l'envoi en Jordanie de deux mille parachutistes britanniques. « Le 25 juillet, les forces américaines étaient plus nombreuses que l'armée libanaise toute entière », précise Robert Murphy, détaché à Beyrouth comme conseiller diplomatique. A leur maximum, elles atteignirent près de quinze mille hommes. L'intervention de l'O.N.U., l'élection d'un nouveau président, le général Fuad Chebab, également acceptable aux musulmans et aux chrétiens, favorisèrent l'apaisement. En octobre, l'évacuation des troupes américaines était terminée : pas une goutte de sang n'avait été versée.

Problèmes mineurs, à côté de ceux que l'Extrême-Orient posait à la même époque.

On se faisait à Washington de singulières illusions sur l'ancienne Indochine. Persuadés d'avoir trouvé en Ngo Dinh Diem « l'homme miracle » qui tiendrait tête aux communistes sans pour cela devenir un dictateur, les Américains soutenaient à fond leur protégé. Un demi milliard de dollars lui garantissaient chaque année leur confiance. Simultanément, un nombre croissant de « conseillers » organisaient son armée et sa police. Malheureusement, si ledit « homme miracle » réussissait à protéger son pays de la contagion communiste, il n'y parvenait qu'en pratiquant des méthodes peu démocratiques. Un référendum de style totalitaire — 98 % de oui — lui avait assuré le pouvoir absolu dès la fin de 1955. Dans la suite, une répression fort efficace avait écrasé toute opposition. Ce qui, en 1958, n'empêchait pas que, traversant le 17e parallèle ou venant du Laos, des infiltrations du Viet-Cong fussent chaque jour plus menaçantes. « La seconde guerre d'Indochine était déjà largement commencée », écrit le Pr Alexander.

La question de Taïwan paraissait autrement importante au Département d'État. Après le vote, en janvier 1955, de la Résolution, dite de Formose [9], la tension avait été grande entre la Chine communiste et les États-Unis. A la conférence de Bandung [10], Chou-En-Lai s'était montré énigmatique. De retour à Pékin, des propos plus rassurants tombèrent de ses lèvres : il était toujours indispensable de « libérer » Formose, mais « autant que possible par des moyens pacifiques ». C'était une invite à des conversations. Les Américains ne se dérobèrent pas. Nous espérons qu'ils choisirent leurs représentants d'après leur capacité de patience, car les négociations, ouvertes en mai à Genève, allaient se prolonger sans le moindre résultat pratique.

9. Voir p. 337.
10. Voir p. 346.

Toutefois, pendant trois ans, les garnisons de Quemoy et de Matsu [11] purent jouir des bienfaits de la paix. Puis le 23 août 1958, subitement, elles furent soumises à un bombardement massif. Pour quelles raisons, pourquoi cette date ? Les spécialistes semblent l'ignorer. L'émotion fut grande. On savait que Tchang avait commis l'imprudence — peut-être volontaire — de concentrer 90 000 hommes (le tiers, estime-t-on, de ses forces) sur ces deux îles. Laisser les communistes s'en emparer, c'était porter un coup mortel aux nationalistes sur qui tant d'espoirs étaient encore fondés. La flotte américaine fut autorisée à convoyer les renforts arrivant de Formose... sans toutefois pénétrer dans les eaux territoriales. Verbalement, on se montra plus décidé. Dès le 4 septembre, Dulles déclara que la défense de Quemoy et de Matsu était « intimement liée » à celle de Taïwan ; huit jours plus tard, Eisenhower écarta l'idée d'« un Munich du Pacifique occidental ».

Ce n'étaient pas de vaines paroles et on ne les considéra pas comme telles à Pékin. Les professionnels des relations sino-américaines durent rappeler à leur gouvernement que, trois ans plus tôt, Ike n'avait pas hésité à dire à une conférence de presse que, dans une guerre générale, en Asie, les États-Unis emploieraient des bombes atomiques. Une fois de plus, la stratégie du « *brinkmanship* » se montra efficace. Aucune invasion ne fut tentée. Du côté nationaliste, on prit une initiative conciliatrice, en faisant savoir, au mois d'octobre, que l'on avait renoncé à « reconquérir » par la force la Chine continentale. Sur ce, les communistes firent savoir qu'ils ne bombarderaient plus les îles que les jours pairs *(sic)*. « Je me demandai si nous commencions une guerre à la " Gilbert and Sullivan [12] " », commenta Eisenhower.

Une alerte était à peine finie qu'une autre s'y substituait. Khrouchtchev se sentit-il plus assuré, connaissant les résultats des élections américaines ? En tout cas, le 10 novembre — six jours après le scrutin —, il annonça que l'Union sovié-

11. Voir p. 336.
12. Auteur de comédies musicales célèbres.

tique avait l'intention de signer un traité de paix avec la République populaire allemande, mettant ainsi fin au régime quadripartie de Berlin. Quatre jours plus tard, les Alliés purent se demander si un nouveau blocus n'allait pas être institué; trois camions de l'armée américaine furent arrêtés pendant huit heures et demie à un poste de contrôle. Les intentions soviétiques furent précisées le 27 novembre par une note diplomatique. Khrouchtchev, bon prince, suggérait l'ouverture de négociations et accordait aux Occidentaux six mois pour lui donner satisfaction. Il y avait alors à Berlin quatre à cinq mille Américains, autant d'Anglais et trois mille Français en face de vingt-deux divisions soviétiques dans la seule Allemagne de l'Est. Après le triomphe des démocrates, Eisenhower se trouvait en face d'un nouveau défi.

21.
Années orageuses (II)

« LA BATAILLE DU BUDGET » CONTINUE. — VETOS RÉPÉTÉS DE EISENHOWER. — REFUS DU SÉNAT DE CONFIRMER LA NOMINATION DE LEWIS STRAUSS. — L'ALASKA ET HAWAII SONT ADMIS DANS L'UNION. — LE « SIT-IN MOVEMENT ». — LOI SUR LES DROITS CIVIQUES. — CRÉATION DE LA N.A.S.A. — POLÉMIQUE SUR LES MISSILES. — VISITE DE MIKOYAN À WASHINGTON. — VISITE DE MACMILLAN À MOSCOU. — MORT DE DULLES. — VOYAGE DE NIXON À MOSCOU. — KHROUCHTCHEV AUX ÉTATS-UNIS. — VOYAGE D'EISENHOWER DANS ONZE PAYS D'EUROPE, D'ASIE ET D'AFRIQUE. — UN NOUVEAU PROBLÈME, FIDEL CASTRO. — VOYAGE D'EISENHOWER EN AMÉRIQUE DU SUD. — VISITE DE DE GAULLE AUX ÉTATS-UNIS. — INCIDENT DE L'U.2. — ÉCHEC DE LA CONFÉRENCE DE PARIS. — VOYAGE D'EISENHOWER EN EXTRÊME-ORIENT. — RUPTURE DES RELATIONS DIPLOMATIQUES AVEC CUBA. — DIFFICULTÉS AU CONGO. — TENSION GRANDISSANTE DANS LE SUD-EST ASIATIQUE.

Les deux dernières années d'Eisenhower à la Maison Blanche ne manquent pas de grandeur. Les problèmes intérieurs cèdent le pas aux problèmes extérieurs, mais l'hostilité

du Congrès ne facilite pas l'action du Président. En politique
étrangère un double péril pèse sur les États-Unis : les relations
avec l'Union soviétique ne sont pas éloignées du point de rupture ; à Cuba, une menace inattendue se dessine.

A cette époque, Ike est privé de ses trois plus chers collaborateurs : George Humphrey a quitté la Trésorerie, Sherman
Adams a dû démissionner, Foster Dulles meurt d'un cancer au
printemps de 1959. Un autre qu'Eisenhower aurait pu se laisser aller au découragement. Il va, lui, prouver son sens du
devoir. Le prestige de son pays, il le sait, est en baisse ; toutefois, sa popularité personnelle est restée intacte. Il décide de
l'utiliser au mieux des intérêts nationaux. Alors, cet homme
proche de soixante-dix ans prend son bâton de pèlerin, et dans
une série de voyages à travers le monde il saura donner à tous
l'impression de cette immense bonne volonté qui ne cessa de
l'animer.

Commentant les élections de 1958, le Président avait
déclaré la guerre à ses vainqueurs. « Le pays, avait-il dit, a voté
pour ceux que j'appellerais les dépensiers [1]... Je vous promets
une chose ; si le Seigneur veut bien m'épargner, je vais, dans les
deux prochaines années, les combattre aussi durement que j'en
suis capable... On va faire toutes sortes de propositions
absurdes au nom de la sécurité du pays et sous le prétexte de
venir en aide aux " pauvres " gens... Il nous faut convaincre les
Américains que l'économie n'est pas un mot dont on doit avoir
honte. » Le nouveau Secrétaire du Trésor, Robert Anderson,
avait sur le sujet les mêmes idées que son chef. Aidé par un
excellent directeur du Budget [2], il apporta une aide précieuse à
Eisenhower dans sa lutte contre le Congrès. On sait que le président des États-Unis dispose du droit de veto. Arme puissante,
puisqu'elle aboutit à changer les conditions de validité d'une

---

1. « *Spenders.* »
2. Maurice H. Stans. Nous livrons aux méditations des ministres des
Finances présents et futurs sa définition de la politique budgétaire. « Un bon
budget, remarqua-t-il, est celui qui répartit uniformément les motifs de
mécontentement... »

loi : pour passer outre à une opposition présidentielle une majorité des deux tiers est, en effet, nécessaire au lieu de la majorité absolue. Pendant le xixe siècle, il avait été rarement fait usage de ce procédé. Franklin Roosevelt, novateur en toutes choses, s'en était au contraire servi maintes fois. Ike — qui pourtant ne lui ressemblait guère — suivit son exemple. Il se vante de n'avoir perdu qu'une bataille dans cette « guerre des vetos ». Les chiffres sont éloquents : alors que le budget de 1959 s'était traduit par un déficit de $ 12 milliards[3], celui de 1960 enregistra un excédent de $ 1 milliard.

Irrité de son impuissance[4], le Congrès cherchait une occasion de se venger. Il la trouva en infligeant au Président un affront délibéré. La Constitution prévoit que la nomination des membres du Cabinet doit être approuvée par le Sénat ; simple formalité si l'on en juge par l'expérience, puisque, depuis 1789, huit noms seulement n'avaient pas reçu l'approbation de la Haute assemblée. En juin 1959, celle-ci décida d'affirmer son autorité. Eisenhower proposait comme Secrétaire du Commerce l'amiral Lewis Strauss, ancien président de la Commission de l'énergie atomique. Le candidat avait tout ce qu'il faut pour plaire à une majorité d'Américains : une vie privée irréprochable, une conception traditionaliste de la famille, un zèle religieux, une opposition quasi mystique au communisme. Mais la majorité démocrate lui trouva deux péchés impardonnables : il s'était rangé parmi les opposants d'Oppenheimer[5], puis il avait soutenu un projet qui osait porter atteinte au monopole de la T.V.A.[6]. Cette double accusation permit à ses adversaires de rejeter sa désignation par 49 voix contre 46.

---

3. Le plus élevé jusqu'à cette date en temps de paix.
4. L'aile droite des démocrates, en s'alliant avec les républicains, fournissait à Eisenhower les voix dont il avait besoin.
5. Voir p. 321.
6. Tennessee Valley Authority. Il s'agissait du contrat Dixon-Yates qui avait fait grand bruit trois ans plus tôt. On avait envisagé de confier à une affaire privée une fourniture supplémentaire d'énergie destinée à la ville de Memphis.

L'histoire ne semble pas avoir gardé trace du vocabulaire dont Ike dut se servir pour commenter la nouvelle...

Une défaite, l'affaire Strauss, une victoire, la discussion du budget, entre l'Exécutif et le Législatif la bataille était décidément engagée. Cette même année 1959, l'accord des deux pouvoirs se fit néanmoins sur un sujet d'intérêt national : au drapeau fédéral furent ajoutées deux étoiles. L'Alaska en janvier, Hawaii en août furent admis dans l'Union. Le premier de ces territoires avait été, on se le rappelle, acheté à la Russie en 1867. Son importance s'était révélée pendant la Seconde Guerre mondiale. Une route stratégique de près de 1 000 kilomètres l'avait relié à la Colombie britannique. En 1956, un gigantesque barrage par radar, qui, s'étendant de l'océan Arctique à l'océan Pacifique, permettait de détecter tout avion suspect, venait d'être achevé. C'était un titre suffisant pour que l'Alaska pût poser sa candidature. On en parlait depuis une dizaine d'années. Les quelque deux cent mille habitants adoptèrent au bon moment une constitution qui donnait satisfaction aux juristes de Washington. Le 3 janvier 1959 le *dignus est intrare* fut prononcé. Hawaii bénéficia six mois plus tard de la même faveur. Décision d'une portée singulière puisque, pour la première fois, une population, en grande majorité asiatique [7], était admise dans l'Union.

En 1960, la prochaine élection présidentielle devint le centre des préoccupations politiques. Le travail législatif s'en ressentit. Les spécialistes ne retiennent guère qu'une loi importante, celle qui eut pour objet de renforcer la disposition prise en 1957[8] pour la protection des droits civiques. Manifestement, la fermentation grandissait chez les gens de couleur. Le 1er février 1960, on assista dans une petite ville de la Caroline du Nord à un spectacle insolite : dans un restaurant, quatre étudiants de couleur s'assirent sur des sièges réservés aux Blancs ; on refusa de les servir ; ils restèrent sur place jusqu'à la fermeture. Cette tactique, dite du « *sit-in* », se généralisa. Des

7. Environ 600 000 habitants.
8. Voir p. 360.

Noirs, le plus pacifiquement du monde, s'installèrent un peu partout, là où ils n'avaient pas le droit de se trouver. De multiples arrestations eurent lieu, sans aucun effet.

Un incident fit sensation. En pleine campagne électorale, Martin Luther King, déjà célèbre [9], et une cinquantaine de ses congénères, furent traduits en justice à Atlanta pour occupation illégale d'un grand magasin. Tous furent relâchés, sauf leur chef, lequel, à la stupéfaction générale, fut condamné à quatre ans de travaux forcés. L'équipe Kennedy sut tirer parti d'un tel abus. John Kennedy appela immédiatement Mme King pour lui exprimer sa sympathie. Son frère, Robert, fut plus concret : téléphonant au juge, il obtint la libération du condamné dès le lendemain. « Un million de brochures distribuées dans les églises et ailleurs ne laissèrent pas ignorer ce que venaient de faire les Kennedy », conclut le Pr Franklin.

Jusqu'à la fin de sa présidence, jamais Eisenhower ne semble avoir perçu le murmure grandissant de l'amertume des gens de couleur. Il prit une fois la parole devant un auditoire uniquement composé de ces derniers et fut accueilli avec chaleur. L'atmosphère se refroidit lorsqu'il leur conseilla « la patience ». C'était un mot que les descendants des esclaves ne supportaient plus que difficilement.

Certains problèmes étaient, aux yeux de Ike, plus urgents, et il est vrai qu'ils n'étaient pas mineurs. Le début de 1959 fut une période de tension extrême entre les États-Unis et l'Union soviétique.

Les premiers avaient peine à se débarrasser de ce que l'on a appelé, de manière un peu pédante, « le syndrome du spoutnik ». Habitués depuis 1945 au monopole de l'arme nucléaire, avoir été dépassés par leurs adversaires suscitait chez les Américains un complexe d'infériorité dont ils n'étaient pas coutumiers : ils en arrivaient à douter de pouvoir rattraper leur

9. Voir p. 359.

retard. La majorité démocrate sut exploiter cette incertitude. Son chef au Sénat, Lyndon Johnson, se fit, dès les premières semaines de 1958, le porte-parole de ceux de ses compatriotes qui, humiliés par les succès russes, envisageaient déjà de planter sur la lune le drapeau étoilé... La mise sur orbite d'un premier satellite, Explorer I[10], le 31 janvier 1958, n'apaisa guère les critiques ; bien que suivie rapidement de deux autres, ce n'était qu'un modeste début. Les Soviets ripostèrent en lançant un engin de trois mille livres, « poids environ cinquante-six fois supérieur à celui des trois satellites américains réunis ». En juillet, une étape décisive fut enfin franchie : le Congrès approuva l'ouverture d'une agence fédérale chargée de coordonner l'ensemble des programmes de l'espace[11] ; huit mille employés et cent millions de dollars lui furent affectés dès sa création.

Cette mesure ouvrait d'immenses possibilités à long terme, mais n'apportait aucune réponse aux questions urgentes de la Défense nationale. L'une d'elles préoccupait, en particulier, les spécialistes : les Soviets disposaient-ils d'une supériorité en matière de missiles ? Sans jamais apporter de réponse précise, la controverse ne cessa guère jusqu'aux élections de 1960. Elle provoqua la publication de deux rapports, révélateurs du malaise de l'opinion. Le premier, sous la signature du président de la Fondation Ford, Rowan Gaither, allait jusqu'à recommander la construction d'un réseau d'abris antiaériens ; Eisenhower refusa de se laisser convaincre. Le second était l'œuvre d'un spécialiste de la politique étrangère qui faisait déjà parler de lui, Henry Kissinger, alors âgé de trente-cinq ans. Le futur collaborateur de Nixon partait de l'idée que les Soviets et les États-Unis étaient arrivés à un équilibre atomique, donc à une impasse ; pour contenir les agressions communistes, il recommandait l'usage de forces conventionnelles aussi mobiles que possible, et se servant au besoin d'armes atomiques ne visant que des résultats « tactiques ».

10. Trente et un satellites furent lancés jusqu'à la fin de la présidence d'Eisenhower.

11. National Aeronautics and Space Administration, vite fameuse sous le nom de N.A.S.A.

C'était prendre le contre-pied du « *brinkmanship* ». Dulles ne fut pas influencé par ce qui devait lui sembler jugement de théoricien. L'affaire de Berlin était menaçante[12]. Une fois de plus, il conseilla au Président une attitude énergique. Eisenhower rappela que les États-Unis avaient « la responsabilité et le devoir » de « préserver la liberté de Berlin-Ouest » et qu'ils étaient décidés à ne pas se soustraire à leurs obligations. Peu de temps après, à peine sorti de l'hôpital où les chirurgiens avaient tenté d'arrêter les progrès d'un cancer dont il n'ignorait par le développement, le Secrétaire d'État partit pour Paris où devait se tenir une réunion de l'O.T.A.N. Un compromis fut tenté. Dans leur réponse officielle, les Occidentaux suggérèrent aux Russes que seul un règlement d'ensemble sur l'Allemagne permettrait de trouver une solution au problème de Berlin. Moscou resta silencieux et, semblait-il, prêt aux solutions extrêmes.

Puis, comme il arriva si souvent au cours de la guerre froide, mystérieusement les choses s'arrangèrent. Au début de janvier 1959, Washington vit arriver un personnage de marque, Anastas Ivanovitch Mikoyan, vice-président du Conseil des ministres soviétique. Cet Arménien d'origine était qualifié mieux qu'un autre pour parler aux Américains : différent d'eux sans l'être trop, car il ressemblait à plus d'un immigré, souriant à l'occasion, doué d'un esprit de repartie digne d'un Irlandais, brutal au besoin. Il ne manquait pas non plus de finesse et comprit, sans qu'il fût besoin de trop insister, le caractère irréductible de la décision américaine. A partir de la fin de janvier, écrit Eisenhower, Khrouchtchev « exécuta une remarquable retraite diplomatique. Chaque pas en arrière était si habile et si subtil que l'on remarquait à peine sa signification... »

Deux Occidentaux eurent l'occasion de constater sur place la nouvelle souplesse du dictateur soviétique. Averell Harri-

12. Voir p. 369.

man fut reçu par lui pendant une dizaine d'heures. Son interlocuteur lui affirma qu' « il ne voulait pas de guerre à propos de Berlin ». Puis le même Khrouchtchev invita à Moscou le Premier ministre britannique, lequel — d'après M. Hervé Alphand — « s'y précipita » à la fin de février. Son hôte lui parut « de temps à autre impossible, mais nullement antipathique ». Ne faudrait-il pas causer davantage avec lui ? Il semble bien que naquit à ce moment dans le cerveau de Macmillan l'idée d'une rencontre au sommet américano-soviétique.

Eisenhower se méfiait, encore qu'il fût un chaud partisan des contacts personnels. Puis, dès le milieu d'avril, il lui fallut accepter la démission de Dulles qui se savait condamné à brève échéance. Le nouveau titulaire du Département d'État, Christian Herter, parfait « gentleman » et homme de qualité, n'avait ni l'envergure ni l'expérience de son prédécesseur. La responsabilité des affaires pesait de plus en plus sur les épaules de Ike. Était-il surchargé de travail ? Le Pr Parmet laisse entendre que l'invitation finalement envoyée à Khrouchtchev aurait été « le résultat d'un malentendu ».

Quoi qu'il en soit, « l'ultimatum » soviétique vint à expiration le 27 mai[13] et ne fut pas renouvelé... A Moscou comme à Washington, on préparait fébrilement la première visite aux États-Unis d'un chef d'État russe. Nixon avait l'impression — non sans motifs — de ne pas être associé à ces grands événements. Il décida de faire parler de lui en allant, en juillet, passer quelques jours en Russie. Le Président fit tout ce qu'il put pour minimiser ce déplacement. On lui demanda quel rôle le vice-président allait jouer dans les négociations en cours. Réponse : « Le vice-président ne participe ni au mécanisme diplomatique, ni au fonctionnement du gouvernement. » Il ne l'avisa, d'ailleurs, que la veille de son départ du projet de rencontre. Tant de réticences n'empêchèrent pas Nixon d'obtenir le résultat qu'il cherchait. Le prétexte de son voyage était l'inauguration d'une exposition, dont un des pavillons contenait une reproduction grandeur nature d'une maison de six pièces avec tous

13. Le même jour eut lieu l'enterrement de John Foster Dulles.

les appareils ménagers alors en usage. Le président du Soviet suprême et le vice-président des États-Unis s'y heurtèrent avec véhémence dans ce qui fut baptisé « la discussion dans la cuisine [14] ». Les téléspectateurs américains purent voir leur représentant ne concédant rien à son interlocuteur, même agitant devant lui un doigt menaçant... Publicité excellente pour une future campagne électorale, mais qui dut déplaire à Eisenhower, car il ne tint aucun compte des recommandations de Nixon à son retour le 5 août.

L'arrivée de Khrouchtchev était fixée au 15 septembre. A la fin d'août, Ike fit un voyage d'une quinzaine de jours à Bonn, Londres et Paris pour répéter aux Occidentaux qu'il n'était pas question d'un règlement bilatéral. Il rencontra de Gaulle pour la première fois depuis l'arrivée de ce dernier au pouvoir. Il lui trouva « une sorte d'assurance détendue, contrastant singulièrement avec l'agressivité qui caractérisait les années où il luttait pour affirmer sa position... Il semblait moins impressionnant, moins irritable... ». Le Général lui dit un mot d'un « organisme à trois », idée, on le sait, qui lui était chère [15], « mais il n'insista pas ».

Eisenhower songeait probablement à autre chose lorsque, au début de l'après-midi du 15 septembre, il accueillit Khrouchtchev à la base militaire d'Andrews, près de Washington. Les Soviets venaient de lancer un satellite vers la lune. Leur représentant, à peine débarqué, en présenta un modèle à son hôte. « A première vue, cela me parut un étrange cadeau, écrit celui-ci, mais tout compte fait, je me suis dit que le geste était peut-être absolument sincère. J'acceptai, bien entendu, l'objet avec toute l'amabilité dont je fus capable. » Un itinéraire varié avait été prévu : New York, Los Angeles, San Francisco, l'Iowa et Pittsburgh. Cabot Lodge était supposé servir de mentor au visiteur. Le voyage fut « un tour de force théâtral ». L'envoyé soviétique s'y montra « tantôt jovial, tantôt philosophe, parfois

14. « *The kitchen debate.* »
15. Se rappelant les « Quatre Grands » dont la France avait été exclue, de Gaulle envisageait un Directoire à trois des États-Unis, de la Grande-Bretagne et de la France.

vulgaire, toujours vantard ». « Nous vous enterrerons », était
une de ses amabilités coutumières[16]. A Los Angeles, il se montra choqué d'une séance de *French Cancan* ». De retour dans
l'Est, « N.S.K. [17] » passa deux jours à Camp David dans une
atmosphère d'extrême cordialité. « L'esprit de Camp David »,
se plut-on, pendant quelque temps, à dire de part et d'autre. Au
départ, en échange de « Lunik », Eisenhower remit à son invité
une réplique du sous-marin atomique Polaris...

Le mois de décembre venait à peine de commencer que Ike,
infatigable, s'envolait pour ce qu'il appelait « *a goodwill
tour* [18] » : dix-neuf jours, 35 000 kilomètres, onze pays, Italie,
Turquie, Pakistan, Afghanistan, Inde, Iran, Grèce, Tunisie,
France, Espagne, Maroc. Il en tira des conclusions typiques de
son optimisme. Si l'un de mes successeurs en fait autant, écrit-
il, « les témoignages de courtoisie et de gentillesse dont il sera
l'objet iront jusqu'à l'épuiser ; mais il en sera plus que récompensé en constatant à quel point, partout, on est intéressé par
l'Amérique, à quel point il peut, lui, comme chef du pays le
plus puissant du monde, contribuer, directement ou indirectement, à une meilleure compréhension entre les hommes ». Trois
jours de conférences à Paris n'aboutirent à d'autre résultat que
de fixer un programme de réunions pour 1960. Les États-Unis
venaient de s'abstenir dans un vote important pour la France, à
l'O.N.U., au sujet de l'Algérie. « Einsenhower a fourni des
explications gênées. De Gaulle a été froid, il s'est contenté de
dire : " Je le regrette ", et on est passé à d'autres sujets. »

16. « Il était persuadé que l'Union soviétique aurait le contrôle du
monde », note Lodge. Ce dernier se plaisait à vanter « l'humanisme économique » du système américain ; à quoi il lui fut répondu : « Il n'y a que la
mort qui puisse redresser un bossu. »
17. Nikita Sergheïevitch Khrouchtchev.
18. « Un voyage de bonne volonté. »

Au total, l'année 1959 se terminait mieux qu'elle n'avait commencé. Toutefois, venant du sud, des nuages de plus en plus nombreux obscurcissaient l'horizon.

Cuba était le paradis des touristes et des hommes d'affaires. Les premiers y étaient attirés par une vie facile, des casinos, et une atmosphère folklorique que, au fond d'eux-mêmes, d'ailleurs, ils méprisaient. Quant aux seconds, se considérant comme les descendants des « libérateurs » de 1898, ils n'avaient aucun scrupule à exploiter le pays. « Les capitaux américains contrôlaient la quasi-totalité de la production de pétrole, 90 % des mines, 80 % des travaux publics, la moitié des chemins de fer, 40 % du sucre, 25 % des dépôts bancaires. » Des fortunes immenses avaient été ainsi édifiées, contrastant avec une misère d'un autre temps.

Depuis 1954, l'île était gouvernée par un dictateur du type classique, Fulgencio Batista. Rétablissant un ordre apparent après des années de chaos, laissant entrevoir des possibilités de réformes démocratiques, cet ancien sergent avait, à défaut de mieux, obtenu l'appui des États-Unis. Il se sentait sûr de lui, lorsque, en 1956, un révolutionnaire de trente-deux ans, à la barbe noire, aux yeux de feu, au nom sonore, Fidel Ruz Castro, commença contre lui une guérilla. Trois ans après, Batista avait fui et Castro était au pouvoir.

On ne savait pas grand-chose de lui à Washington, sinon qu'il avait commencé sa vie comme avocat, avait passé un certain temps dans les prisons mexicaines et vécu comme réfugié à New York. On lui accorda un préjugé favorable en reconnaissant avec une rapidité surprenante son gouvernement. Bientôt, de multiples questions se posèrent. Pourquoi tous ces procès, toutes ces exécutions, pourquoi, dans les ports de Floride, une telle arrivée d'émigrés ? En avril 1959, Castro vint à titre privé aux États-Unis. New York lui réserva un acceuil chaleureux, mais Eisenhower refusa de le recevoir. Plus curieux, Nixon lui donna audience. Ses conclusions furent nettes : « Ou bien il est d'une naïveté incroyable, ou bien il est soumis à la discipline communiste. » Le second terme de cette alternative se révéla exact dans les mois qui suivirent. Un prêt

de $ 30 millions lui ayant été refusé par les États-Unis, Castro
s'engagea délibérément dans la voie du collectivisme. Réforme
agraire et nationalisations se succédèrent. Vers la fin de
l'année, « toutes les affaires privées étaient sous contrôle gouvernemental ». Au début de 1960, une visite de Mikoyan et un
accord économique avec les Soviets ne laissaient plus de doute
sur l'orientation du nouveau maître de l'île. Quelques semaines
plus tard, la C.I.A. obtint du Président l'autorisation de soumettre à l'entraînement des émigrés cubains en vue d'une invasion de leur pays. « Mis en application, surtout au Guatemala,
le projet se développa dans le plus grand désordre », écrit le
Pr Alexander à qui nous empruntons la plupart de ces informations.

L'Amérique latine se trouvait ainsi au centre des préoccupations d'Eisenhower lorsque 1960 commença. Fidèle à sa thèse
des contacts personnels, un nouveau voyage lui parut s'imposer. Deux mois, jour pour jour, après son retour, il repartait,
cette fois en direction du sud. Quinze jours d'absence, un itinéraire de près de 25 000 kilomètres, quatre pays, Brésil, Argentine, Chili, Uruguay. Au total, les résultats furent médiocres.
Ike ne fut pas soumis aux indignités dont Nixon avait été victime et il connut la griserie des acclamations populaires. Les
foules furent, malgré tout, moins nombreuses qu'on ne l'espérait et des incidents répétés assombrirent l'atmosphère. Il ne fut
pas agréable pour le Président de lire sur des banderoles : « *We
like Ike; we like Fidel too* », d'être accueilli à l'aérodrome de
Buenos Aires par une manifestation qui contraignit ses hôtes à
le transporter par hélicoptère, d'entendre le président du Sénat
chilien lui rappeler, en termes à peine voilés, l'amertume des
pays de l'Amérique du Sud, « vos voisins les plus proches, vos
amis les plus vrais ». Eisenhower se cantonna dans des déclarations affectueuses et vagues. Il se persuada avoir fait œuvre
utile, mais était au fond désappointé. Il se confia à Macmillan :
« Franchement, aucun de mes voyages depuis quinze ans n'a

été aussi fatigant. La combinaison de la poussière, de la chaleur et d'un horaire surchargé m'a montré que je ne suis plus aussi jeune que du temps où nous nous rencontrions à Alger [19]. »

D'autres soucis ne laissèrent guère au Président le temps de prolonger cette introspection mélancolique. A Camp David, Khrouchtchev et lui étaient convenus d'une conférence au sommet à Paris, au printemps. La date s'approchait. L'ambiance entre Alliés était encourageante. « Jamais les relations franco-américaines ne furent plus confiantes qu'à cette époque », écrit M. Couve de Murville [20]. Un voyage de De Gaulle aux États-Unis — Washington, New York, San Francisco, La Nouvelle-Orléans — du 22 au 30 avril en porte témoignage. L'évolution de l'affaire algérienne conformément à ses objectifs secrets, l'explosion de la première bombe atomique française deux mois plus tôt donnaient confiance au Général. Il se montra de bonne humeur, « souriant, détendu, extraordinairement affable pour ceux qui s'attendaient à trouver en lui un personnage hautain et méprisant ». Le Congrès et les foules lui réservèrent un accueil chaleureux.

Le Président se remémorait-il cette visite, lorsque, le lendemain même du départ de De Gaulle, son officier de liaison avec le Pentagone et la C.I.A., le général Goodpaster, lui téléphona qu'un avion de reconnaissance de la base d'Adana, en Turquie, avait un retard considérable et était probablement perdu. La nouvelle était grave. Elle le devint encore plus le 2 mai. Ce même général Goodpaster, « son visage à lui seul porteur de mauvaises nouvelles », fournit alors à Ike un minimum de précisions. « L'avion, dit-il, est toujours porté disparu. Le pilote a rendu compte d'un incendie de moteur à environ 2 000 kilo-

19. A cette époque, Macmillan représentait le gouvernement britannique en Afrique du Nord.
20. L'Académie des sciences morales et politiques avait élu Eisenhower comme associé étranger. Il n'y fut pas insensible. Écoutons-le, s'ouvrant à Arthur Krock : « Vous savez, là-bas, je fais partie de l'intelligentsia. Je suis membre de l'Institut et je me suis souvent trouvé assis à côté de Siegfried, de Mauriac, de Sartre *(sic)* et de personnalités de ce genre. »

mètres à l'intérieur de la Russie. Nous ne savons rien de plus. »
Aucune hésitation n'était plus possible. Depuis plus-de trois
ans, des avions, dits U2, volant à très haute altitude, avaient
pour mission de photographier certaines zones du territoire
russe. Les Soviets s'en doutaient-ils ? Ils n'y avaient jamais fait
allusion. Certaines assurances auraient été données à Eisenhower : en cas d'accident, l'appareil se désintégrerait et le pilote
n'avait aucune chance de s'en sortir vivant. Le Président laissa
publier des communiqués malencontreux et contradictoires,
tantôt affirmant qu'aucun pilote n'avait reçu instruction de sur-
voler le territoire soviétique, tantôt parlant de reconnaissances
météorologiques.

La vérité éclata le 5 mai, et, le jour suivant, Khrouchtchev
annonça d'abord qu'un avion américain avait été abattu, puis il
donna le nom du pilote, Francis Gary Powers, ajoutant que
celui-ci était en parfaite santé et avait tout avoué : l'origine de
son vol : la Turquie, sa destination : la Norvège, son objet :
l'espionnage ; d'ailleurs, on avait trouvé dans l'appareil une
série de photographies ne laissant aucun doute. Pris dans ses
propres mensonges, le Département d'État commença par
reconnaître « la probabilité » de toute l'affaire, puis tenta de
prendre l'offensive en accusant les Russes d'avoir eux-mêmes
rendu nécessaires de tels vols pour s'être refusés à un système
de surveillance réciproque.

Eisenhower restait silencieux. Le 11 — fait sans précédent
dans l'histoire des missions secrètes — il décida d'assumer la
pleine responsabilité de l'aventure. « Personne ne veut un nouveau Pearl Harbor, dit-il à une conférence de presse ; il est normal que nous cherchions à connaître les préparatifs militaires
qui peuvent avoir lieu dans le monde. » A Moscou, l'on réagit
en dénonçant les « actes agressifs » des États-Unis, en exigeant
des excuses et en menaçant la Turquie et les autres « complices ».

« Les Quatre Grands » se réunirent, toutefois, comme prévu,
à l'Élysée, le 16 mai. De Gaulle présidait. « Dès l'ouverture de
la séance, raconte Eisenhower, Khrouchtchev se leva, le visage
écarlate, demandant bruyamment la parole. Le Général me

lança un regard interrogateur ; je lui donnai mon accord. » Le représentant des Soviets se lança alors dans une diatribe d'une vingtaine de minutes, tantôt lisant un texte, tantôt improvisant : il n'était plus question d'inviter Eisenhower à venir en Russie ; au surplus, comment traiter avec les Américains tant qu'ils auraient un tel Président ? Un témoin a décrit le sujet de tant d'imprécations : « Son crâne chauve se colorait de toutes les teintes possibles de rose, signe certain qu'il lui fallait toute sa force de volonté pour ne pas perdre son calme. » « Pour la première fois depuis que je me suis arrêté de fumer, j'ai eu envie d'une cigarette, juste pour me donner quelque chose à faire », racontera-t-il à un de ses collaborateurs. Ainsi mis en cause, Ike tenta une réponse conciliatrice : les vols des U2 étaient terminés [21] ; puis il suggéra un tête-à-tête avec son accusateur. Celui-ci se montra intraitable et quitta la salle des séances. Pressé de questions par les journalistes, il ironisa : « Regardez-moi ! Je suis le seul à avoir bonne mine. Eisenhower est blême et Macmillan n'a plus de couleurs [22]. » Puis il partit pour Moscou, se refusant à discuter le problème de Berlin avec le Président actuel. « L'attitude du Kremlin rappelait l'époque de Staline », commente mélancoliquement celui-ci.

A peine rentré, Eisenhower fit l'expérience d'un nouveau voyage. Objectif, cette fois, l'Extrême-Orient. De retour à Washington le 20 mai, il s'envola vers l'ouest le 12 juin. Aux Philippines, ce fut un triomphe. Mais une mauvaise nouvelle parvint au Président. La seconde étape devait être Tokyo : elle dut être annulée, le gouvernement japonais se refusant à garantir la sécurité du visiteur [23]. Une escale à Okinawa, une courte

21. On lui avait dit, semble-t-il, que les satellites les remplaceraient avantageusement.
22. Aucune remarque sur de Gaulle.
23. Un pacte de sécurité mutuelle, se substituant au traité de 1951 (voir p. 292), avait été signé en janvier. Il avait été ratifié à grand-peine. Lorsque un collaborateur d'Eisenhower était venu à Tokyo préparer son voyage, seul un hélicoptère l'avait protégé d'une foule menaçante d'étudiants.

visite en Corée réconfortèrent l'apôtre de la bonne volonté. Il avait pris place sur le croiseur *St Paul,* escorté par cent vingt-cinq vaisseaux de guerre et cinq cents avions. Quand il traversa le détroit de Formose, les Chinois, en guise de bienvenue, soumirent Quemoy et Matsu au plus intense bombardement que les îles aient jamais subi. Deux jours plus tard, Tchang Kaï-chek le reçut dans une atmosphère de pompe et de cordialité. Eisenhower aimait-il les statistiques ? On dut ne pas lui laisser ignorer qu'en additionnant les itinéraires de ces trois voyages, on arrivait à des milliers et des milliers de kilomètres. Un bien grand effort pour d'impondérables résultats, car la guerre froide reprenait de plus belle, réveillant aux États-Unis un anticommuniste dont Ike avait espéré amortir la virulence par ses missions de paix.

La mauvaise humeur et la grossièreté ne furent pas les seules manifestations de la nouvelle agressivité soviétique. Dans les derniers mois de 1960, à Cuba, en Afrique pour la première fois, dans le Sud-Est asiatique allaient se poser des questions auxquelles les États-Unis avaient grand-peine à répondre.

De fâcheuses nouvelles affluaient. En juin, Fidel Castro avait saisi les raffineries anglaises et américaines sous le prétexte qu'elles refusaient d'utiliser du pétrole soviétique. A titre de représailles, le gouvernement américain réduisit ses importations de sucre cubain. Celles-ci furent totalement interrompues en octobre. La tension grandissait de part et d'autre. Dès le courant de l'été, le directeur de la C.I.A., Allen Dulles, avait émis une opinion prophétique : « L'arrivée d'un certain nombre de colis non identifiés et le fait qu'une importante base militaire ait été interdite d'accès laissent supposer que les Soviétiques installent dans l'île des rampes de fusées à courte portée. » Le 2 janvier 1961, dix-huit jours avant de transmettre ses pouvoirs, Eisenhower rompit toutes relations diplomatiques avec Fidel Castro.

Qui l'aurait prévu dix années plus tôt ? On ne fut pas moins surpris à Washington des événements d'Afrique. Jusqu'alors, on ne s'était guère occupé de ce continent. De passage à Paris en 1959, Eisenhower avait pris contact avec les chefs d'État des anciennes colonies françaises : son anticolonialisme avait été déconcerté. « Ils semblaient remarquablement bien disposés envers la France », note-t-il dans ses *Mémoires*. Le cas de la Belgique était différent. Dès que la République démocratique du Congo fut proclamée le 30 juin, des troubles, on le sait, éclatèrent et le Katanga fit sécession. Le gouvernement « légitime » sollicita l'aide des États-Unis. Ike consulta sa « doctrine » : le cas n'était pas prévu. Les États-Unis se bornèrent à faciliter le transport des contingents que l'O.N.U. accepta de fournir.

A la session de septembre de l'Assemblée générale se déroula un spectacle que ses témoins ne sont pas près d'oublier. On discutait la question africaine. Eisenhower venait de parler. Macmillan était à la tribune. Khrouchtchev l'interrompit de la manière la plus insolente. « Harold fit face à la situation avec un calme parfait. Totalement maître de lui dans la meilleure tradition britannique, il se borna à demander une traduction. » Puis il reprit le fil de son discours. Le représentant soviétique, ivre de colère, retira une de ses chaussures et s'en servit pour frapper son pupitre. On devine le chaos. « Le président, l'Irlandais Frederick Boland, fit usage de son marteau avec une telle énergie qu'il le brisa... » La séance fut ajournée.

Dans l'hiver 1960-1961, un nouvel incendie allait s'allumer dans le Sud-Est asiatique. Au Vietnam, Diem maintenait tant bien que mal sa dictature avec l'aide de « conseillers » américains [24]. Mais au Laos, un conflit faisait rage entre le Pathet Lao, de tendance communiste, le gouvernement neutraliste de Souvanna Phouma, et un mouvement d'extrême droite dirigé par le prince Boun Oum. En décembre, l'éventualité d'une intervention américaine se posa. Eisenhower ne voulait à aucun prix recommencer l'expérience coréenne. Puis il n'avait pas oublié les idées de Dulles. « Si jamais nous nous en mêlons,

24. Le Pr Morris en précise le nombre : 685 en mai 1960.

dit-il à ses conseillers, que ce soit une fois pour toutes! » Cette allusion à l'arme atomique rafraîchit l'ardeur des plus bellicistes. On était, d'ailleurs, dans une période de transition. Attendre parut urgent, et plus encore passer à la nouvelle administration la responsabilité d'une décision.

22.

L'arrivée de Kennedy
au pouvoir

LA CONVENTION DÉMOCRATE DÉSIGNE KENNEDY ET
JOHNSON, LA CONVENTION RÉPUBLICAINE NIXON ET
LODGE. — UNE CAMPAGNE PASSIONNÉE. — DES FACE-À-
FACE TÉLÉVISÉS. — KENNEDY L'EMPORTE DE JUSTESSE. —
PRISES DE CONTACT ENTRE LE PRÉSIDENT SORTANT ET LE
PRÉSIDENT ÉLU. — MESSAGE D'ADIEU D'EISENHOWER. —
ENTRÉE EN FONCTIONS DE KENNEDY. — UNE AMÉRIQUE
PROSPÈRE ET INSATISFAITE.

Les conventions électorales de 1960 s'étaient tenues en
juillet.

Les démocrates se réunirent à Los Angeles le 11. Deux jours
suffirent pour que, au premier tour de scrutin, leur choix se
portât sur John Kennedy. Le sénateur du Massachusetts avait
préparé sa candidature de longue date. Il avait pour lui sa
réputation d' « homme de gauche » (mais pas trop...), le charme
de sa personnalité, le soutien d'une famille ambitieuse et une
fortune non négligeable ; un prix Pulitzer [1] l'entourait d'une
auréole d'intellectualisme qui attirait vers lui les milieux où

1. Obtenu en 1957 pour son livre *Profiles in courage*. Le Prix Pulitzer,
qui récompense dix-huit catégories d'ouvrages, a le même prestige aux
États-Unis que le Goncourt en France.

l'on pense. Ses causes de faiblesse étaient doubles. D'abord, son catholicisme ; en le désignant, le parti allait-il courir au désastre, comme avec « Al » Smith en 1928 ? Kennedy eut l'habileté d'aborder l'obstacle de front : lorsqu'il sortit vainqueur d'une élection primaire en Virginie occidentale, État intensément protestant, la cause était entendue. Quant à son manque de connaissance des affaires publiques, il lui était aisé de citer des exemples fameux — et celui de Wilson en premier — d'hommes qui, dans le même cas que lui, n'en avaient pas moins inscrit dans l'histoire leur passage à la Maison-Blanche.

Au demeurant, aucun concurrent sérieux ne lui fut opposé. Humphrey s'était retiré avant la convention ; toujours énigmatique, Stevenson avait laissé entendre qu'il ne se déroberait pas ; toutefois, en dépit de l'appui de Mme Roosevelt, la magie de son nom ne jouait plus. Restait Lyndon Johnson, maître incontesté du Sénat ; le futur président eut l'adresse de lui offrir la vice-présidence que, à la surprise générale, il ne refusa pas. Nixon, bon juge, considère que « l'équipe Kennedy-Johnson était idéalement composée, en âge et en expérience, comme du point de vue régional et religieux... Ce n'était qu'un mariage de convenance ; mais l'unité du parti était assurée par cette union d'un conservateur du Sud et d'un libéral du Nord ».

Les républicains se rencontrèrent à Chicago deux semaines plus tard. Leur décision était arrêtée. Seul Nelson Rockefeller aurait pu s'opposer à Nixon. Mais dès la fin de 1959, le gouverneur de New York avait annoncé qu'il ne serait pas candidat. Une conversation entre les deux hommes à la veille de la convention avait abouti à un accord complet. Nixon triompha, faisant dès le premier tour de scrutin l'unanimité, à l'exception des dix bulletins qui se portèrent sur un sénateur de l'Arizona, Barry Goldwater, candidat de l'extrême droite. Aucun nom ne s'imposait pour la vice-présidence[2]. Le vainqueur choisit finalement celui de Cabot Lodge, « le plus populaire parmi les délégués », écrit-il.

---

2. Nixon déclare dans ses *Mémoires* avoir envisagé six noms, dont celui de Gerald Ford, son futur successeur.

Un nouveau type d'hommes politiques faisait son apparition. Aux « bosses » du xixᵉ siècle, fumeurs de gros cigares et volontiers débraillés, plus intéressés par les combinaisons immédiates que par les plans à longue échéance, s'étaient substitués des techniciens, aussi systématiques dans leur tenue et leurs méthodes que leurs prédécesseurs étaient souples et pragmatiques. Kennedy et Nixon manipulèrent les conventions sans le moindre tâtonnement ni la moindre faiblesse.

Différents d'aspect et d'esprit, cette « nouvelle vague » ne l'était pas moins par ses origines. Manifestement, les préjugés contre la richesse avaient presque totalement disparu. Ni Rockefeller, ni Kennedy, ni Lodge, ni Johnson (à des degrés divers) n'avaient été handicapés par leur situation de fortune. Seul Richard Nixon pouvait se vanter d'être un « self-made man », mais cette qualité aurait été loin d'être suffisante pour assurer son succès. Aucun des candidats n'était d'origine rurale ; les légendaires « *log cabins* [3] » avaient perdu leur prestige. L'évolution démographique, qui, dès ce moment, donnait prédominance aux environs immédiats des agglomérations urbaines, s'était traduite dans le choix des candidats : Kennedy avait son domicile dans la banlieue de Boston, Nixon dans celle de Los Angeles.

La « jeunesse », enfin, sortait victorieuse : Kennedy, quarante-trois ans, Nixon, quarante-sept ; avec leurs cinquante-deux et cinquante-huit ans, Johnson et Lodge faisaient presque figure de vieux messieurs. Mais cette jeunesse était d'un type particulier : beaucoup de calcul, peu de spontanéité. Ce n'était pas la première fois que des candidats de moins de cinquante ans aspiraient à la présidence [4] ; toutefois, il n'y avait guère de précédents au manque d'enthousiasme qui caractérise les conventions de 1960. Rien de commun avec la

3. La « *log cabin* », qui joua un si grand rôle dans le folklore américain, avait été importée par les Scandinaves vers 1638 ; elle était faite de troncs d'arbres plus ou moins équarris.

4. Sur trente-trois présidents, six avaient été élus à moins de cinquante ans.

fascination de F.D.R. ; bien peu de ressemblance avec l'élan
d'amour dont Ike bénéficiait. Si Kennedy et Nixon avaient été
choisis, c'est parce que la « jeunesse » qui montait alors à l'assaut du pouvoir avait cru déceler en eux les instruments les
plus efficaces de sa conquête.

« La campagne présidentielle de 1960 battit tous les records,
note le Pr Alexander. Jamais on n'avait dépensé tant d'argent,
jamais les candidats n'avaient parcouru de telles distances,
jamais on n'avait exigé d'eux une telle endurance. Nixon et
Kennedy étaient virtuellement au bout de leurs forces le jour de
l'élection. » Non que leurs points de vue fussent totalement
opposés. Des nuances, plus que des principes, les séparaient
sur la plupart des questions. Mais leur controverse devint d'autant plus intense qu'elle prit le caractère d'un duel entre deux
hommes, tous deux politiciens de premier ordre, tous deux
aspirant avec une rare intensité à une Présidence dont ils
rêvaient depuis longtemps.

Le tournant décisif fut peut-être une séance télévisée. Kennedy avait proposé à Nixon quatre face-à-face que celui-ci
n'osa pas refuser. Le premier de ces affrontements, le 26 septembre, fut un désastre pour le candidat républicain. Il était
sorti de l'hôpital quinze jours plus tôt, après y avoir passé deux
semaines au lit pour une infection du genou. Depuis lors, en
dépit d'une fièvre persistante, il avait fait près de 25 000 kilomètres en avion et prononcé des discours dans vingt-cinq
États. Le matin de l'émission, il avait encore pris la parole à
Chicago devant un syndicat ouvrier. Il arriva au studio épuisé,
mal rasé, et commit l'erreur de ne pas se laisser maquiller. Un
historien dit qu'il ressemblait à un « spectre » ; un autre lui
trouve l'air « hagard » ; Nixon lui-même rappelle qu'il avait
maigri de cinq kilos et que son cou « flottait dans une chemise
trop large ». Kennedy était au contraire l'image de la jeunesse
et de la santé ; il conserva l'offensive pendant toute la durée du
débat.

Trois autres séances, où le vice-président fit preuve de sa
pugnacité habituelle, d'innombrables discours, de vigoureuses
interventions de Eisenhower pendant la dernière semaine réta-

blirent l'équilibre. La veille de l'élection, les sondages donnaient 49,7% à Kennedy et 49,6% à Nixon.

Le 8 novembre, les élections confirmèrent ces prévisions. Rarement vit-on scrutin aussi incertain. Les premiers résultats favorisaient Kennedy ; le lendemain matin, sa victoire était moins assurée. Son adversaire songea, un moment, à demander un nouveau décompte, au Texas et surtout dans l'Illinois. Puis il se résigna et, suivant la coutume américaine, « concéda » sa défaite.

Les chiffres parlent d'eux-mêmes : 34 226 731 pour Kennedy, 34 108 157 pour Nixon, une différence de 118 574 bulletins sur plus de 68 millions de votants. Le vainqueur l'emportait dans 23 États, avec 303 voix électorales ; le vaincu dans les 27 autres, avec 219 voix. Au Congrès, les républicains gagnaient vingt et un sièges à la Chambre et deux au Sénat. « Jefferson disait qu'on ne bâtit pas de grandes décisions sur de maigres majorités. Kennedy en fera la triste expérience », conclut le Pr Kaspi.

Tout dans cette élection avait été différent des autres. L'interrègne ne le fut pas moins. On se rappelle l'atmosphère glacée des entretiens entre Truman et Eisenhower huit ans plus tôt [5]. Il en fut tout autrement cette fois. A deux reprises, Ike invita son successeur à venir conférer avec lui. L'attitude de Kennedy l'impressionna favorablement. « Il fit preuve d'un rare bon goût, écrit-il, et, résistant à la tentation d'envahir la Maison-Blanche avec une suite nombreuse, il ne se fit accompagner de personne... Je fus frappé par son agréable personnalité, par l'intérêt qu'il témoigna à notre conversation et par son désir de compréhension. » On connaît les problèmes qui se posaient alors, au Congo, au Vietnam, au Laos, surtout à Cuba. Lors du second rendez-vous, le 19 janvier 1961, Ike mit son successeur au courant des préparatifs en cours pour tenter de renver-

5. Voir p. 309.

ser le régime de Fidel Castro. Son interlocuteur ignorait tout de ce projet.

Deux jours plus tôt, le Président sortant avait cru opportun de suivre l'exemple de George Washington. Dans un message d'adieu il adressa à ses compatriotes des avertissements solennels. Il leur rappelait qu'il leur faudrait faire face, sans doute pendant longtemps, à « une idéologie hostile... sans scrupules dans ses objectifs, insidieuse dans ses méthodes... ». A ce problème, continuait-il, il n'existe pas de « solution miraculeuse » ; pour le faire disparaître, il ne suffit pas « d'augmenter considérablement nos moyens de défense[6] ». Puis des remarques, révélatrices de l'esprit pacifiste dont cet ancien général était imprégné. Pour la première fois, observait-il, sont réunies dans notre pays « de gigantesques forces militaires et une puissante industrie d'armements... Nous ne pouvions l'éviter... mais il ne faut pas nous dissimuler les graves conséquences que cela risque d'entraîner... Nous devons nous méfier de l'influence abusive que, volontairement ou non, ce complexe militaire-industriel peut acquérir... Nous devons aussi éviter que les affaires publiques ne finissent par entièrement dépendre d'une élite de savants et de techniciens... Peut-être nos libertés, peut-être nos méthodes démocratiques courent-elles un risque. Il ne faut pas les considérer comme allant de soi ».

Sans doute Eisenhower pensait-il à ce testament politique lorsque, le 20 janvier 1961, par une température glaciale[7], Kennedy, suivant la coutume, vint le chercher à la Maison-Blanche pour le conduire au Capitole. A 12 h 50, le nouveau Président prêta serment. Nu tête et sans manteau, il prononça ensuite le discours, vite destiné à devenir célèbre : " Que le monde sache, amis et ennemis aussi bien, qu'une nouvelle génération d'Américains a pris en main le flambeau... ". » Et d'ap-

6. En présentant le budget de 1959, Eisenhower avait formulé une opinion analogue. « Édifier une puissance militaire sans tenir compte de nos capacités économiques, avait-il dit, c'est chercher à éviter un désastre en en suscitant un autre. »

7. Une tempête de neige, la veille au soir, avait été telle qu'il avait fallu faire appel à l'armée pour déblayer les principales avenues.

peler le monde à « une grande, à une globale alliance » pour combattre la tyrannie, la pauvreté, la maladie, la guerre. Et d'assurer que les États-Unis étaient prêts à payer « n'importe quel prix » pour assurer « la survie de la liberté ». Puis quelques phrases à la Roosevelt : « Ne négocions jamais parce que nous avons peur, mais n'ayons jamais peur de négocier » ; ou encore : « Ne vous demandez pas ce que votre pays peut faire pour vous, demandez-vous ce que vous pouvez faire pour lui. »

Dès que Kennedy eut prêté serment, Eisenhower et Mamie s'étaient retirés. Ils déjeunèrent chez l'amiral Strauss en compagnie de Nixon et de Pat, puis partirent en voiture pour leur maison de Gettysburgh. « Lorsque je pris congé de Eisenhower, raconte son vice-président, il me serra longuement la main. Je crus qu'il allait se laisser aller à l'émotion. Mais il dit simplement : " Ne manquez pas de venir nous voir. " Je répondis que nous viendrions sûrement. » Nixon se réserva une soirée romantique. A l'heure où Washington en fête célébrait le nouveau Président, il se fit conduire au Capitole. D'un balcon, il regarda ce qui lui semblait « la plus belle vue du monde », la ville sous la neige, le Monument de Washington, le Memorial de Lincoln, brillamment éclairés, « se détachant sur un ciel froid et clair ». « Je restai là au moins cinq minutes, puis je rentrai à l'intérieur. Je pensai à ces quatorze années depuis mon élection à la Chambre en 1947. Tout à coup, une idée me saisit ; non, ce n'était pas la fin, un jour viendrait où je serais de retour. »

Paix et prospérité, de ces deux mots magiques les républicains avaient fait le thème de leur propagande en 1952. Huit ans plus tard, ces objectifs avaient été atteints. Depuis l'armistice coréen, aucune force américaine n'avait participé à une guerre. Dans la même période, la richesse du pays s'était accrue de manière prodigieuse. Pour reprendre l'expression d'Adolf Berle, c'était vraiment « le capitalisme galopant ». Ne citons que quelques chiffres. Le produit national brut —

322 milliards à la fin de la guerre — s'élève maintenant au demi trillion. Le revenu d'une famille moyenne est passé de $ 3 083 à $ 5 657 ; il est suffisant pour que 7 1/2 % environ soient épargnés chaque année. Même compte tenu de la hausse des prix, le pouvoir d'achat a augmenté de près de 30 %. Les placements à l'étranger ont plus que sextuplé : 80 milliards au lieu de 12. La Bourse, enfin, a retrouvé dès 1954 son niveau de 1929.

Et pourtant... Quatre fois sur cinq, l'opposition triomphe dans les consultations électorales. Pourquoi ce signe de mécontentement ? Pourquoi, derrière un calme apparent, une inquiétude latente ? Comment expliquer que tant d'hommes de bonne volonté se demandent si le rêve américain ne s'est pas évanoui ? Pour quelles raisons le succès de John Kennedy suscite-t-il des espérances si passionnées ? 1960 est, en vérité, une date capitale. C'est le moment où, jusque-là souterrains, les courants qui modèleront l'Amérique actuelle vont apparaître à la surface.

27 février 1979

Chronologie sommaire

Cette chronologie a été établie, en grande partie, à l'aide de l'*Encyclopedia of American History*, de Richard B. Morris. Edition du Bicentenaire, New York, 1976.

1941

Décembre	7	Attaque de Pearl Harbor.
	8	Les États-Unis déclarent la guerre au Japon.
	11	L'Allemagne et l'Italie leur déclarent la guerre.
	13	Capitulation de Guam.
	16	Arrivée de Eden à Moscou.
	22	Capitulation de Wake.
	25	Capitulation de Hong Kong.
22 déc.-8 janv.		Conférence d'Arcadie.
		Incident de Saint-Pierre-et-Miquelon.

1942

1er janvier	Déclaration des Nations Unies.
Janvier	MacArthur évacue Manille.
	Les Japonais occupent les Indes néerlandaises.
	Combined Chiefs of Staff (C.G.S.).
	War Production Board (W.P.B.).
15 février	Capitulation de Singapour.
Mars	Occupation de Rangoon par les Japonais.
	MacArthur arrive en Australie.
	Les Japonais débarquent en Nouvelle-Guinée.
	Les Américains adoptent le principe d'un second front en 1943.

Avril	Board of Economic Walfare (B.E.W.).
	Capitulation de Bataan.
	Voyage de Harry Hopkins et du général
	Marshall à Londres.
Mai	Capitulation de Corregidor.
	Visite de Molotov à Londres et à Washington.
	Les Anglais occupent Madagascar.
3-6 juin	Bataille de Midway.
Juin	Prise de Tobrouk par Rommel.
	Les Allemands atteignent El Alamein.
	Visite de Churchill aux États-Unis.
	Combined Production and Resources Board
	(C.P.R.B.).
Juillet	Office of Economic Stabilization (O.E.S.)
	Le projet d'un second front en France en 1943
	est abandonné. Les Anglais font adopter le pro-
	jet d'un débarquement en Afrique du Nord.
Août	Visite de Churchill à Moscou.
8 novembre	Débarquement en Afrique du Nord.

1943

14-24 janvier	Conférence de Casablanca.
	Roosevelt pose le principe de la reddition
	inconditionnelle.
2 février	Les Russes sont aux portes de la Pologne.
	Capitulation de Stalingrad.
9 février	Les Japonais abandonnent Guadalcanal.
Mars	Visite de Eden à Washington.
12-25 mai	Conférence de Washington.
13 mai	Capitulation des Allemands à Tunis.
Mai	Office of War Mobilization (O.W.M.).
16 juil.-17 août	Conquête de la Sicile.
Juil.-déc.	Offensive américaine dans les îles Salomon.
11-24 août	Conférence de Québec.
3 septembre	Les Alliés franchissent le détroit de Messine.
	Capitulation italienne.
19-30 octobre	Réunion à Moscou des ministres des Affaires
	étrangères.
22-26 nov.	Conférence du Caire.
28 nov.-1er déc.	Conférence de Téhéran.
4-6 décembre	2e conférence du Caire.

Décembre	Les Alliés sont arrêtés devant la ligne Gustave à une centaine de kilomètres de Rome.

1944

Avril-mai	« Sauts de grenouille » sur la côte nord de la Nouvelle-Guinée.
4 juin	Entrée des Alliés dans Rome.
6 juin	Débarquement en Normandie.
14 juin	Le general de Gaulle à Bayeux.
Juin	Conquête de Saïpan dans les Mariannes.
	Victoire navale.
	Premier bombardement du Japon.
1er-22 juillet	Conférence de Bretton Woods.
Juillet	Démission du Cabinet Tojo. Le général Koiso, Premier ministre.
	Conférence de Honolulu.
Fin juillet	Les Russes laissent les Allemands écraser la Résistance polonaise à Varsovie.
25 août	Libération de Paris.
26 août	Reconnaissance de fait du gouvernement provisoire français.
21 août-7 oct.	Conférence de Dumbarton Oaks.
11-16 sept.	Roosevelt et Churchill se rencontrent à Québec.
9-18 octobre	Séjour de Churchill à Moscou.
Octobre	Conquête de Leyte.
	Nouvelle victoire navale.
7 novembre	Roosevelt est réélu pour un quatrième mandat.
Novembre	Début des bombardements de Tokyo.

1945

Fin janvier	Les Russes atteignent l'Oder.
4-11 février	Conférence de Yalta.
Février	Offensive générale sur le front occidental.
	Conquête de Manille.
	Iwo Jima.
7 mars	Capture du pont de Remagen.
9 mars	Bombardement terrifiant de Tokyo.
Fin mars-avril	Passage du Rhin et désintégration des forces allemandes.
12 avril	Mort de Roosevelt.
Avril	Débarquement à Okinawa.
	Constitution du gouvernement Susuki.

25 avril-26 juin	Conférence de San Francisco. Fondation des Nations Unies.
2 mai	Entrée des Russes à Berlin.
	Capitulation de l'Allemagne en Italie.
7 mai	Reddition inconditionnelle de l'Allemagne.
5 juin	L'Allemagne est divisée en quatre zones et placée sous l'autorité d'une Commission interalliée de contrôle.
16 juillet	Première explosion atomique.
17 juillet	Ouverture de la Conférence de Potsdam.
17 juil.-2 août	Conférence de Potsdam.
26 juillet	Ultimatum au Japon.
6 août	Hiroshima.
8 août	Entrée en guerre de la Russie.
9 août	Nagasaki.
14 août	Les Japonais acceptent les conditions des Alliés.
Août	Arrêt du prêt-bail.
2 septembre	Signature de la capitulation japonaise.
Sept.-oct.	Conférence de Londres.
Décembre	Conférence de Moscou.
Déc.-janv. 1947	Mission Marshall en Chine.
	Début de la guerre d'Indochine.

1946

Janvier	Réunion de la première Assemblée générale des Nations Unies.
9 février	Discours de Staline.
22 février	Arrivée du télégramme de Kennan.
27 février	Discours de Byrnes.
15 mars	Churchill et « le rideau de fer ».
Mai	Evacuation de l'Iran par les troupes russes.
14 juin	Présentation aux Nations Unies du plan Baruch sur l'énergie atomique.
Août.	Ultimatum soviétique à la Turquie.
	Rébellion communiste en Grèce.
6 septembre	Discours de Byrnes à Stuttgart.
Septembre	Truman se sépare de Henry Wallace.
16 octobre	Les pendaisons de Nuremberg.
5 novembre	Les républicains emportent le contrôle du Congrès.

| Nov.-déc. | Conférence de New York. Approbation des traités de paix avec les anciens alliés de l'Allemagne. |

1947

Janvier	Le général Marshall, secrétaire d'État.
Février	Les Anglais font part aux Américains de leur décision de ne plus soutenir la Grèce.
12 mars	Discours de Truman devant les deux Chambres réunies.
21 mars	Truman prescrit une enquête générale sur la « loyauté » des fonctionnaires.
22 mai	Le Congrès ratifie la « doctrine de Truman ».
Mai	Nouvelle constitution japonaise.
5 juin	Discours du général Marshall à Harvard.
20 juin	Vote de la loi Taft-Hartley.
27 juin-2 juillet	Conférence à Trois à Paris.
12 juil.-22 sept.	Réunion à Paris de seize nations européennes, bénéficiaires du plan Marshall.
26 juillet	Création du Conseil national de sécurité.
Juillet	Mission Wedemeyer en Chine.
25 nov.-16 déc.	Réunion à Londres du Conseil des ministres des Affaires étrangères.
19 décembre	Truman soumet au Congrès le plan Marshall.

1948

Début 1948	Truman adopte une politique de non-intervention en Chine.
25 février	Le « coup de Prague ».
17 mars	Traité de Bruxelles.
2 avril	Le Congrès approuve le plan Marshall.
11 juin	Résolution Vandenberg.
20 juin	Mise en circulation par les Alliés d'un nouveau mark.
24 juin	Début du blocus de Berlin. Rétablissement du service militaire obligatoire.
3 août	Whittaker Chambers met en cause Alger Hiss. Début de l'affaire Hiss.
2 novembre	Élection de Truman.

1949

Janvier	« Le point 4 ».
	Les communistes saisissent Pékin.
4 avril	Signature du Pacte Atlantique.
11 mai	Levée du blocus de Berlin.
Mai	Chute de Shanghai.
Août	Acheson publie un Livre Blanc.
Septembre	Première explosion atomique russe.
30 septembre	Mao Tsé-toung élu président de la République populaire chinoise.
	Tchang Kaï-chek a constitué un nouveau gouvernement à Formose.

1950

Janvier	Truman décide la fabrication de la bombe à hydrogène.
9 février	Premier discours de McCarthy.
29 mars	Condamnation de Julius et d'Ethel Rosenberg.
9 mai	Plan Schuman.
25 juin	Agression nord-coréenne. Le Conseil de sécurité condamne cette « atteinte à la paix ».
27 juin	Les membres des Nations Unies sont invités à apporter leur aide.
28 juin	Chute de Séoul.
30 juin	Truman décide l'envoi en Corée de forces terrestres américaines.
Juin-juillet	Avance victorieuse des Nord-Coréens.
Août-sept.	Stabilisation du front.
Septembre	Loi McCarran sur les communistes.
15 septembre	Débarquement américain à Inchon.
26 septembre	Séoul est repris.
Fin septembre	Les troupes des Nations Unies franchissent le 38e parallèle.
15 octobre	Entrevue de Wake.
Fin octobre	La frontière de Mandchourie est atteinte.
24 novembre	MacArthur décide une attaque générale.
26 novembre	Contre-offensive chinoise. Retraite américaine.
Novembre	Gains républicains aux élections.

1951

Janvier-mars   Difficultés croissantes entre Truman et Mac-Arthur.
Janvier-avril   « Le Grand Débat ».
11 avril   Révocation de MacArthur.
Avril-mai   Échec d'une offensive chinoise.
Juillet   Début des conversations de paix.

1952

27 mai   Signature d'un traité sur l'armée européenne.
7-11 juillet   La convention républicaine désigne Eisenhower et Nixon.
21-26 juillet   La convention démocrate désigne Stevenson et Sparkman.
4 novembre   Élection de Eisenhower.

1953

20 janvier   Entrée en fonctions de Eisenhower.
5 mars   Mort de Staline.
Avril   Création du Département de la Santé, de l'Éducation et du Bien-être social (Health, Education and Welfare).
19 juin   Exécution des Rosenberg.
26 juillet   Armistice coréen.
Décembre   Le Sénat condamne McCarthy.
8 décembre   Proposition américaine des « atomes pour la paix ».

1954

7 mai   Chute de Diên Biên Phu.
17 mai   Un arrêt de la Cour suprême rend obligatoire la déségrégation scolaire.
26 avril-20 juil.   Conférence de Genève sur l'Indochine.
30 août   L'Assemblée nationale française rejette le projet d'armée européenne.
8 septembre   Signature de l'O.T.A.S.E.
2 novembre   Les démocrates recouvrent le contrôle du Congrès.

1955

29 janvier	Vote par le Congrès de la Résolution dite de Formose.
Mars	L'Allemagne Fédérale est admise à faire partie du Traité de l'Atlantique nord.
Mai	Indépendance de l'Autriche.
	Les Alliés réarment l'Allemagne Fédérale.
18-23 juillet	Conférence « au sommet » de Genève.
21 juillet	Proposition de Eisenhower, dite du « ciel ouvert ».
24 septembre	Première attaque cardiaque de Eisenhower.

1956

29 février	Eisenhower annonce qu'il se représentera.
Juin	Révoltes en Pologne.
	Loi sur la construction d'un réseau d'autoroutes.
19 juin	Les dernières troupes britanniques évacuent Suez.
19 juillet	L'Égypte est avisée que les États-Unis refusent de financer le barrage d'Assouan.
26 juillet	Nasser nationalise le canal de Suez.
13 août	Réunion de la convention démocrate.
16 août	Conférence de Londres.
20 août	Réunion de la convention républicaine.
23 octobre	Révolte à Budapest.
28 octobre	Les troupes russes évacuent Budapest.
29 octobre	Israël attaque l'Égypte.
30 octobre	Ultimatum franco-anglais à l'Égypte et à Israël. Le Conseil de sécurité condamne le recours à la force.
31 octobre	L'aviation franco-britannique bombarde les aérodromes égyptiens.
2 novembre	L'Assemblée générale des Nations Unies exige un cessez-le-feu.
4 novembre	Les chars russes réoccupent Budapest.
5 novembre	Des parachutistes français et anglais sont largués sur Port-Saïd.
	Intervention menaçante de Brejnev.
6 novembre	Réélection de Eisenhower. Défaite des républicains.
	Cessez-le-feu en Égypte.

1957

7 mars	Vote de « la doctrine » Eisenhower.
Septembre	Vote de la loi sur les droits civiques.
4 octobre	Lancement du premier spoutnik.
25 novembre	Nouveau malaise cardiaque de Eisenhower.

1958

Janvier	Lancement du premier satellite américain.
Avril-Mai	Voyage de Nixon en Amérique du Sud.
Juillet	Création de la N.A.S.A.
Juillet	Intervention militaire des Américains au Liban.
Août	Menaces de guerre à propos de Taiwan.
Septembre	Démission de Sherman Adams.
4 novembre	Défaite écrasante des républicains aux élections biannuelles.
27 novembre	Khrouchtchev conteste le statut de Berlin et exige une décision dans les six mois.

1959

1ᵉʳ janvier	Fidel Castro arrive au pouvoir.
Janvier	Visite de Mikoyan aux États-Unis.
	Admission de l'Alaska dans l'Union.
Février	Visite de Macmillan à Moscou.
Mai	Mort de John Foster Dulles.
Juin	Le Sénat refuse d'approuver la nomination comme secrétaire du Commerce de Lewis Strauss.
Juillet	Visite de Nixon à Moscou.
Août	Admission de Hawaii dans l'Union.
15-27 sept.	Voyage de Khrouchtchev aux États-Unis.
Décembre	Voyage de Eisenhower dans onze pays d'Europe, d'Asie et d'Afrique.

1960

Janvier	Signature d'un pacte de sécurité avec le Japon.
Février	Début du « sit-in movement ».
	Voyage de Eisenhower en Amérique du Sud.
Avril	Voyage de De Gaulle aux États-Unis.
Mai	Vote d'une nouvelle loi sur les droits civiques.

	Incident de l'U.2. Échec de la Conférence de Paris.
Juin	Voyage de Eisenhower en Extrême-Orient.
	Début des troubles au Congo.
11 juillet	Réunion de la convention démocrate.
25 juillet	Réunion de la convention républicaine.
8 novembre	Élection de Kennedy.
Décembre	Une intervention américaine au Laos est envisagée.

1961

17 janvier	Message d'adieu de Eisenhower.
20 janvier	Entrée en fonction de Kennedy.
Janvier	Rupture des relations diplomatiques avec Cuba.

BIBLIOGRAPHIE

ABRÉVIATIONS

A.H.A. American Historical Association
A.H.R. American Historical Review
J.A.H. Journal of American Historians
R.D.M. Revue des Deux Mondes

BIBLIOGRAPHIE GÉNÉRALE

I. Histoires des États-Unis.

1° en américain :

Bailley (Th. A.) : *The American Pageant. A History of the Republic*, New York, 1975. — *Probing America's Past. A Critical Examination of Major Myths and Misconceptions*, New York, 1973, 2 vol.

Blum (J. M.), Morgan (E.), Rose (W. L.), Shlesinger Jr. (A.M.) et al. : *The National Experience. A History of the United States*, New York, 1973.

Cartwright (W. H.) et Richard Jr. (L. W.), eds : *The Reinterpretation of American History and Culture*, Washington, D.C., 1973.

GARRATY (J. A.): *The American Nation. A History of the United States*, New York, 1971, 1975, 2 vol.

GARRATY (J. A.): *Interpreting American History: Conversations with Historians*, New York, 1970, 2 vol.

MORISON (S. E.): *The Oxford History of the United States*, New York, 1965.

MORISON (S. E.), COMMAGER (H. S.) et LEUCHTENBURG (W. E.): *The Growth of the American Republic*, New York, 1970, 2 vol.

MORRIS R. B.): *Great presidential decisions*, Philadelphie, 1960.

WILLIAMS (T. H.), CURRENT (R. N.), FREIDEL (F.): *A History of the United States to 1877*, New York, 1969. — *A History of the United States since 1865*, New York, 1969.

2° en français:

ARTAUD (D.) et KASPI (A.): *Histoire des États-Unis*, Paris, 1969.

DUROSELLE (J.-B.) : *La France et les États-Unis des origines à nos jours*, Paris, 1976.

FOHLEN (C.): *L'Amérique anglo-saxonne de 1815 à nos jours*, Paris, 1969.

LACOUR-GAYET (R.) : *Histoire des États-Unis*, vol. I. *Des origines à la fin de la guerre civile*, Paris, 1976. — Vol. II : *De la fin de la guerre civile à Pearl Harbor*, Paris, 1977.

MAUROIS (A.): *Histoire des États-Unis*, Paris, 1959, 2 vol.

II. HISTOIRE DIPLOMATIQUE.

BAILEY (Th. A.): *A Diplomatic History of the American People*, New York, 1970.

CHAMBERLAIN (L. H.) et SNYDER (R. C.), eds: *American Foreign Policy*, New York, 1948.

DE CONDÉ (A.): *A History of American Foreign Policy*, New York, 1971.

LEOPOLD (R. W.): *The Growth of American Foreign Policy: A History*, New York, 1973.

III. HISTOIRE ÉCONOMIQUE.

BRUCHEY (S.): *Growth of the Modern American Economy*, New York, 1975.

FAULKNER (H. U.): *The Economic History of the United States*, New York, s. d., 9 vol.

SOULE (G.) et CAROSSO (V. P.): *American Economic History*, New York, 1957.

IV. Recueils de textes.

Bailey (Th. A.): *The American Spirit,* Lexington, 1973, 2 vol.

Billington (R. A.) et al., eds: *The Making of American Democraty,* New York, 1962, 2 vol.

Commager (H. S.): *Documents of American History,* New York, 1968.

Cronon (E. D.), ed.: *Twentieth Century America. Selected Readings,* vol. II, 1929 to Present, Homewood, 1966.

Fine (S.) et Brown (G. S.), etd: *The American Past. Conflicting interpretations of great issues,* Toronto, 1969, 2 vol.

Grob (G. N.) et Beck (R. N.), eds: *Ideas in America,* New York, 1970.

Norton (T. J.): *The Constitution of the United States. Its Sources and its Application,* Cleveland and New York, 1942.

Saveth (E. N.), ed.: *Understanding the American Past: American History and Its Interpreters,* Boston, 1965.

Wiebe (R.) et McWhiney (G.): *Historical vistas. Readings in United States History,* Boston, 1964.

V. Dictionnaires, encyclopédies, bibliographies.

Basler (R. P.): *A Guide to the Study of the United States of America. Representative Books Reflecting the Development of American Life and Thought,* Washington, D. C., 1960.

Dictionary of American Biography, New York, 1928-1977, 24 vol.

Garraty (J. A.), ed.: *Encyclopedia of American Biography,* New York, 1974.

Morris (R. B.): *Encyclopedia of American History,* Édition du Bicentenaire, New York, 1976.

Nash (R.): *From These Beginnings: A Biographical Approach to American History,* New York, 1973.

Wayne (A.), ed.: *Concise Dictionary of American History,* New York, 1967.

VI. Documents statistiques.

Historical Statistics of the United States. *Colonial Times to 1957,* Washington, D. C., 1961.

VII. Ouvrages d'ensemble sur le XXᵉ siècle.

Artaud (D.), Benichi (R.) et Waisse (M.) : *Lexique historique des États-Unis au XXᵉ siècle*, Paris, 1978.

Chastenet (J.): *Winston Churchill et l'Angleterre au XXᵉ siècle*, Paris, 1965.

Chauvel (J.) : *Commentaire (1938-1962)*, 3 vol., Paris, 1971, 1972, 1973.

Dulles (F. R.): *America's Rise to World Power, 1898-1954*, New York, 1955.

Duroselle (J. B.): *De Wilson à Roosevelt. Politique extérieure des États-Unis*, 1913-1945, Paris, 1960.

Franklin (J. H.): *From slavery to freedom. A History of Negro Americans*, New York, 1974.

Freidel (F.): *America in the Twentieth Century*, New York, 1976.

Handlin (O.): *The American People in the Twentieth Century*, Cambridge, 1954.

Kennan (G. F.): *Memoirs, I/ 1925-1950*, Boston, 1967. *II/ 1950-1963*, Londres, 1972.

Krock (A.): *Memoirs. Intimate recollections of twelve American Presidents from Th. Roosevelt to Richard Nixon*, Londres, 1970.

Leuchtenburg (W. E.), ed.: *The Unfinished Century*, Boston, 1973.

Link (A.) et Catton (W. B.): *American Epoch. A History of the United States since 1900*, New York, 1973, 1974, 3 vol.

Manchester (W.): *The Glory and the Dream: A Narrative History of America, 1932-1972*, Boston, 1973.

Monnet (J.): *Mémoires*, Paris, 1976.

Schlesinger (A. M.) Jr.: *The Imperial Presidency*, Boston, 1973.

BIBLIOGRAPHIE PAR CHAPITRE

Chapitre I. — « Le jour d'infamie ».

Voir ch. II.

Chapitre II. — Difficultés diplomatiques.

Ouvrages généraux et :

Aron (R.): *Histoire de Vichy*, Paris, 1954.

Buchanan (A. R.): *The United States and World War II*, New York, 1964, 2 vol.

BURNS (J. M.): *Roosevelt: the Lion and the Fox*, New York, 1956.
— *Roosevelt: the Soldier of Freedom*, New York, 1970.
CHURCHILL (W.): *La Deuxième Guerre mondiale*, Paris, 1965, 12 vol. Vol., 6 à 11, 1941-1945. Traduit de l'anglais.
DIVINE (R. A.): *Roosevelt and World War II*, Baltimore, 1969.
FEIS (H.) : *Churchill, Roosevelt, Staline : The War They Waged and the Peace They Brought*, Princeton, 1967.
FONTAINE (A.): *Histoire de la guerre froide*, Paris, 1966-1967, 2 vol.
GADDIS (J. L.): *The United States and the Origins of the Cold War*, New York, 1972.
DE GAULLE (Ch): *Mémoires de guerre*, Paris, 1968. 3 vol.
GOLDMAN (E. F.): *Rendez-vous with Destiny*, New York, 1953.
LATREILLE (A.): *La Seconde Guerre mondiale*, Paris, 1965.
LIDDELL HART (sir B. H.): *Histoire de la Seconde Guerre mondiale*, Paris, 1970. Traduit de l'anglais.
LORD (W.): *Day of Infamy*, New York, 1971.
MICHEL (H.): *La Seconde Guerre mondiale*, Paris, 1968, 2 vol.
MORAN (Lord): *Churchill. The Struggle for Survival. 1940-1945*, Londres, 1966.
MORISON (S. E.): *Strategy and Compromise*, Boston, 1958. *The Two-Ocean War*, Boston, 1963.
PEILLARD (L.): *La Bataille de l'Atlantique*, Paris, 1974, 2 vol.
ROOSEVELT (E.): *As he saw it*, New York, s.d.
SHERWOOD (R.): *Roosevelt and Hopkins*, New York, s.d.
TOLAND (J.): *Banzai: six mois de défaites américaines*, Paris, 1963. Traduit de l'américain.

Chapitre III. — UN EFFORT SANS PRÉCÉDENT.

Voir ch. II et :

NELSON (D. M.): *Arsenal of Democracy*, New York, s.d.

Chapitre IV. — L'INITIATIVE CHANGE DE CAMP.

Voir ch. II et :

BETHOUART (G^al) : *Le Débarquement allié au Maroc, 8 novembre 1942. R.D.M.* Avril 1977.
EDEN (A.): *The Eden Memoirs. The Reckoning. February 1938 — August 1945*, Londres, 1965.

EISENHOWER (G^{al}) : *Croisade en Europe,* Paris, 1960, 5 vol. Traduit de l'américain.

GIRAUD (G^{al}) : *Un Seul but, la victoire : Alger 1942-1944,* Paris. 1949.

JUIN (M^{al}) : *Mémoires,* Paris, 1959-1960, 3 vol.

KASPT (A.) : *La Mission de M. Jean Monnet à Alger,* Paris, 1971.

LANGER (W.) : *Our Vichy Gamble,* New York, 1947.

LORD (W.) : *Midway, l'incroyable victoire,* Paris, 1971. Traduit de l'américain.

MILLOT (B.) : *La Guerre du Pacifique,* Paris, 1968, 2 vol.

MÖNICK (E.) : *Pour mémoire,* Paris, 1970.

MURPHY (R.) : *Un Diplomate parmi les guerriers,* Paris, 1965.

PEILLAT (C.) : *L'Échiquier d'Alger,* Paris, 1966-1967, 2 vol.

VILLA (B.) : *The U.S. Army. Unconditional Surrender and the Potsdam Proclamation. J.A.H.* Janvier 1976.

Chapitre V. — PRÉLUDE À YALTA.

Voir ch. IV.

Chapitre VI. — LA DÉFAITE DE L'ALLEMAGNE.

Voir ch. II et :

ARON (R.) : *Histoire de la Libération,* Paris, 1959.

BLUM (J. M.), ed. : *From the Morgenthau Diaries : Years of War, 1941-1945,* Boston, 1967.

EDEN (A.) : *Op. cit.,* 1965.

EISENHOWER (G^{al}) : *Op. cit.,* 1960.

MURPHY (R.) : *Op. cit.,* 1965.

RESIS (A.) : *The Churchill-Stalin Secret « Percentages » Agreement on the Balkans.* Moscou, Octobre 1944. *A.H.R.* April 1978.

Chapitre VII. — YALTA ET LA MORT DE ROOSEVELT.

Voir ch. suivant.

Chapitre VIII. — La capitulation de l'Allemagne.

Voir ch. II et :

Clemens (D.): *Yalta*, New York, 1970.
Codman(G.) : *Drive*, Boston, 1957.
Conte (A.) : *Yalta ou le partage du monde*, Paris, 1964.
Feis (H.): *Le Marchandage de la paix*, Paris, 1963. Traduit de l'américain.
Snell (J.), ed. : *The Meaning of Yalta*, Baton Rouge, 1970.
Stettinius (E.) Jr. : *Roosevelt and the Russians : the Yalta Conference*, Garden City, 1949.
Truman (H.) : *Memoirs*, Garden City, 1955, 2 vol.

Chapitre IX. — La défaite du Japon.

Voir ch. II et :

Eden (A.): *Op. cit.*, 1965.
Eichelberger (R.): *Our Jungle Road to Tokyo*, New York, 1950.
Gautier (G.): *La Fin de l'Indochine française*, Paris, 1978.
Guillain (R.) : *Le Peuple japonais et la guerre*, Paris, 1947.
Gunther (J.) : *L'Énigme MacArthur*, Paris, 1951. Traduit de l'américain.
La Feber : *Roosevelt, Churchill and Indo-China:* 1942-1945. *A.H.R.* Décembre 1975.
Long (G.) : *MacArthur as Military Commander*, Londres, 1969.
Millot (B.) : *Op. cit.*, 1968.
Snell (J.), ed.: *Op. cit.*, 1970.
Truman (H.): *Op. cit.*, 1955.

Chapitre X. — Les États-Unis après la victoire.

Ouvrages généraux et :

Blum (J. M.): *V was for Victory. Politics and American Culture during World War II*, New York, 1976.
Curti (M.): *L'Évolution de la pensée américaine.* Traduit de l'américain, Paris, 1966.
Daridan (J.): *De Lincoln à Johnson. Noirs et Blancs*, Paris, 1965.
Divine (R. A.): *Since 1945. Politics and Diplomacy in Recent American History*, New York, 1975.

FOHLEN (Cl.): *Les Noirs aux États-Unis*, Paris, 1969. — *L'Agonie des Peaux-Rouges*, Paris, 1970. — *La société américaine*, Paris, 1973.

FRANKLIN (J.-H.): *Op. cit.*, 1974. — *Racial Equality*, Chicago, 1976.

KIRKENDALL (R. S.): *The Global Power. The United States since 1945*, Boston, 1973. — *The United States, 1929-1945. Years of Crisis and Change*, New York, 1974.

MILLER (M.): *Plain Speaking. An Oral Biography of Truman*, New York, 1974.

PHILLIPS (C.): *The 1940's. Decade of Triumph and Trouble*, New York, 1975.

POLENBERG (R.), ed. : *America at War. Home Front. 1941-1945*, Englewood Cliffs, 1968.

SIEGFRIED (A.): *Tableau des États-Unis*, Paris, 1954.

TRUMAN (H. S.): *Op. cit.*, 1955.

TUGWELL (R. G.): *Off Course. From Truman to Nixon*, New York, 1971.

Chapitre XI. — L'AGONIE D'UNE « ÉTRANGE ALLIANCE ».

Ouvrages généraux et :

ACHESON (D.): *Present at the Creation. My Years in the State Department*, Londres, 1970.

ARON (R.): *La République impériale. Les États-Unis dans le monde. 1945-1973*, Paris, 1973.

DIVINE (R.): *Op. cit.*, 1975.

DONOVAN (R.): *Conflict and Crisis. The Presidency of Harry Truman. 1945-1948*, New York, 1977.

FONTAINE (A.): *Op. cit.*, 1966-1967.

GADDIS (J. L.): *Op. cit.*, 1972.

GOLDMAN (E. F.): *The Crucial Decade*. New York, 1960.

HARRIMAN (A.): *Peace with Russia*, New York, 1959. — *America and Russia in a changing world*, Londres, 1971.

KIMBALL (W. F.): *The Cold War Warmed Over*, A.H.R., octobre 1974.

LA FEBER (W.): *America, Russia and the Cold War, 1945-1966*, New York, 1968.

LIPPMANN (W.) : *The Cold War*, New York, 1947.

MORGENTHAU (H.) Jr. : *Germany is our problem*, New York, 1945.

MURPHY (R.): *Op. cit.*, 1965.
POGREC (F. C.): *The Papers of General Lucius D. Clay.* Germany, 1945-1949. Éd. by Jean Edward Smith, *A.H.R.*, June 1976.
TRUMAN (H.): *Op. cit.*, 1955-1956.

Chapitre XII. — GUERRE FROIDE ET SOUBRESAUTS INTÉRIEURS (I).

Voir ch. XI et :

DONOVAN (R.): *Op. cit.*, 1977.
LATHAM (E.): *The Communist Controversy in Washington from the New Deal to McCarthy*, Cambridge, 1966.
MADDOX (R. J.): *The New Left and the Origins of the Cold War*, Princeton, 1973.
SADOUL (G.): *Le Cinéma pendant la guerre*, 1939-1945 (ch. VI), Paris, 1954.
YERGIN (D.): *Shattered Peace*, Boston, 1977.

Chapitre XIII. — GUERRE FROIDE ET SOUBRESAUTS INTÉRIEURS (II).

Voir ch. XI, XII et :

ALPHAND (H.): *L'Étonnement d'être. Journal, 1939-1973*, Paris, 1977.
BÉRARD (A.): *Un Ambassadeur se souvient. Washington et Bonn.* 1945-1975, Paris, 1978.

LALOY (J.): *Entre guerres et paix*, Paris, 1960.

Chapitre XIV. — SUCCÈS ET REVERS ASIATIQUES.

Ouvrages généraux et :

ACHESON (D.): *Op. cit.*, 1970.
BOISANGER (C. de): *On pouvait éviter la guerre d'Indochine. Souvenirs, 1941-1945*, Paris, 1977.
ELGEY (G.): *La République des contradictions. 1951-1954*, Paris, 1966.
FEIS (H.): *The China Tangle*, Princeton, 1953.
FONTAINE (A.): *Op. cit.*, 1966, vol. I.
GAUTIER (G.): *Op. cit.*, 1978.

GUNTHER (J.): *Op. cit.*, 1951.
LONG (G.): *Op. cit.*, 1969.
MAY (E.): *The Truman Administration and China, 1945-1949*, New York, 1975.
PHILLIPS (C.): *Op. cit.*, 1966.
REISCHAUER (E.): *The United States and Japan*, Cambridge, 1957.
YERGIN (D.): *Op. cit.*, 1977.

Chapitre XV. — LA GUERRE DE CORÉE.

Ouvrages généraux et:

ACHESON (D.): *Op. cit.*, 1970.
ELGEY (G.): *Op. cit.*, 1966.
FONTAINE (A.): *Op. cit.*, 1967, vol. II.
GUNTHER (J.): *Op. cit.*, 1951.
HARRIMAN (A.): *Op. cit.*, 1971.
LONG (G.): *Op. cit.*, 1969.
MILLER (M.): *Op. cit.*, 1974.
PHILLIPS (C.): *Op. cit.*, 1966.
REES (O.): *Korea: The Limited War*, Londres, 1964.
RIDGWAY (M.): *The Korean War*, Garden City, 1967.
ROVERE (R.) et SCHLESINGER (A.) Jr. : *L'Affaire MacArthur*, Paris, 1960. Traduit de l'américain.

Chapitre XVI. — LE RETOUR DES RÉPUBLICAINS.

Ouvrages généraux et:

ALEXANDER (Ch.): *Holding the Line. The Eisenhower Era (1952-1961)*, Bloomington, 1975.
EISENHOWER (D.): *Mandate for à Change. 1953-1956*, New York, 1963. — *In Review. Pictures I have kept*, New York, 1969.
HAMBY (A.): *Beyond the New Deal. Harry S. Truman and American Liberalism*, New York, 1973.
HOFSTADTER (R.) : *Anti-Intellectualism in American Life*, New York, 1963.
GOLDMAN (E.): *Op. cit.*, 1966.
LODGE (H. C.): *As It Was*, New York, 1976.
MARTIN (J. B.): *Adlai Stevenson of Illinois*, New York, 1976.
MILLER (M.): *Op. cit.*, 1974.

PARMET (H.): *America and the Eisenhower Crusade,* New York, 1972.
PHILLIPS (C.): *Op. cit.,* 1966.
TRUMAN (H. S.): *Op. cit.,* 1955.

Chapitre XVII. — A LA RECHERCHE DE L'APAISEMENT (I).

Voir ch. XVIII.

Chapitre XVIII. — A LA RECHERCHE DE L'APAISEMENT (II).

Ouvrages généraux et :

ADAMS (S.): *Les Secrets de l'administration Eisenhower,* Paris, 1962. Traduit de l'américain.
ALPHAND (H.): *Op. cit.,* 1977.
ANDERS (R. M.): *The Rosenberg Case Revisited, A.H.R.,* avril 1978.
AURIOL (V.): *Mon Septennat, 1947-1954.* Édition abrégée, Paris, 1970.
DONOVAN (R. J.): *Eisenhower, the Inside Story,* New York, 1956.
DUROSELLE (J. B.): *Op. cit.,* 1976.
ELGEY (G.): *Op. cit.,* 1966.
GOOLD-ADAMS (R.): *The Time of Power. A Reappraisal of J. F. Dulles,* Londres, 1962.
HUGUES (J. F.): *The Ordeal of Power: A Political Memoir of the Eisenhower Years,* New York, 1963.
PARRISH (M. E.): *Cold War Justice. The Supreme Court and the Rosenbergs. A.H.R.* Octobre 1977.
TUGWELL (R. G.): *Op. cit.,* 1971.

Chapitre XIX. — UNE ÉLECTION MOUVEMENTÉE.

Ouvrages généraux et :

BEAUFRE (Gal) : *L'Expédition de Suez,* Paris, 1967.
BROMBERGER (M. et S.) : *Les Secrets de l'expédition d'Égypte,* Paris, 1957.
DAYAN (Moshe) : *Histoire de ma Vie,* Paris, 1971.

EDEN (A.) : *Mémoires. II.* Troisième partie. Suez, Paris, 1960. Traduit de l'anglais.
GEORGES-PICOT (J.) : *La Véritable Crise de Suez*, Paris, 1975.
LLOYD (Selwyn): *Suez, 1956.* Londres, 1978.
PINEAU (Ch.): *1956. Suez,* Paris, 1976.
THOMAS (A.): *Comment Israël fut sauvé. Les secrets de l'expédition de Suez,* Paris, 1978.

Chapitre XX. — ANNÉES ORAGEUSES (I).

Ouvrages généraux et :

ADAMS (S.): *Firsthand Report,* New York, 1961.
ALEXANDER (C.): *Op. cit.,* 1975.
ALPHAND (H.): *Op. cit.,* 1977.
BOHLEN (C.E.): *Op. cit.,* 1973.
EISENHOWER (D. D.): *Batailles pour la paix. 1956-1961,* Paris, 1968. Traduit de l'américain. — *Op. cit.,* 1969.
GROSSER (A.): *Les Occidentaux. Les pays d'Europe et les États-Unis depuis la guerre,* Paris, 1978.
LODGE (H. C.): *Op. cit.,* 1976.
MURPHY (R.): *Op. cit.,* 1965.
WILLS (G.): *Nixon Agonistes,* Boston, 1970.

Chapitre XXI. — ANNÉES ORAGEUSES (II).

Ouvrages généraux et :

ALEXANDER (Ch. G.): *Op. cit.,* 1975.
ALPHAND (H.): *Op. cit.,* 1977.
BOHLEN (Ch. E.): *Op. cit.,* 1973.
COUVE DE MURVILLE (M.): *Une Politique étrangère, 1958-1969,* Paris.
EISENHOWER (D. D.): *Op. cit.,* 1968. — *Op. cit.,* 1969.
HOOPER (T.): *The Devil and John Foster Dulles,* Boston, 1973.
HUGUES (J. E.): *Op. cit.,* 1963.
LODGE (H. C.): *Op. cit.,* 1976.
MURPHY (R. D.): *Op. cit.,* 1965.
PARMET (H. S.): *Op. cit.,* 1973.
WILLS (G.): *Op. cit.,* 1970.

Chapitre XXII. — L'ARRIVÉE DE KENNEDY AU POUVOIR.

Voir ch. précédent et :

KASPI (A.): *Kennedy*, Paris, 1978.
NIXON (R.): *The Memoirs of Richard Nixon*, New York, 1978.

Lexique

Index

Les auteurs dont le nom figure dans la bibliographie ne sont pas, en règle générale, mentionnés dans l'index.

EDEN, Anthony : 38, 43 note 20, 87-88, 91-92, 106, 116-117, 125, 141, 143, 161, 190, 337 note 22, 338, 339, 348, 350, 352, 378.
EICHELBERGER, Général : 156.
EINSTEIN, Albert : 204, 322.
EISENHOWER, Général Dwight D., Prés. des États-Unis, voir aussi Doctrine ; Élections 1952, 1956, 1958, 1960 ; Guerre 1941-1945 ; 42, 94, 120 note 2, 124-125, 139-140, 259, 290, 297-300, 392-396.
Biographie : 100, 302-304, 313-314, 315-318, 383 note 20.
Cabinet : 309, 316-320, 372-373.
Maladies : 341, 345, 361.
Message d'adieu : 394.
Politique étrangère : 320-321, 329-341, 346-355, 365-369, 372, 375-388.
Politique intérieure : 321-328, 343-344, 357-361, 363-365, 371-376.
Popularité : 307, 327 note 18, 340-341, 355, 363, 372.
Voyages : 307, 309, 372, 380, 382-383, 385-386.
EISENHOWER, Mme Dwight D. née Mamie G. Doud : 303, 343, 395.
EISENHOWER, Milton, frère du Président : 314.
El Alamein : 79, 81 note 18.
Élections :
1942 : 59, 94 ;
1944 : 108-110 ;
1946 : 181, 197 ;
1948 : 233-238 ;
1950 : 249, 284 ;
1952 : 295-309 (308-309 TRUMAN) ;
1956 : 343-346, 352, 355 ;
1958 : 365, 372 ;
1960 : 389-396 (392, télévision).
ELY, Général : 334.
« Empire Américain » : 172-173.
Emprunts voir Finances.
Énergie atomique voir aussi Armes nucléaires ; Bombardiers atomiques ; Bombe atomique : 184, 204-205, 209, 228, 248, 333.
Escadre voir Flotte.
Espionnage voir aussi HISS ; McCARTHY : 231-232, 248-249, 251, 321-323.

Étalon-or voir Conférences — Bretton Woods.
« État wallon » : 43 note 20.
European Recovery Act (E.R.A.) : 221 note 7.
« Ex-personnalité navale » voir CHURCHILL.
« Explorer I » : 376.
Exposition de Moscou 1959 : 378-379.
Extrême-Orient : 39, 90, 95, 97, 159-163, 367-368.

F.B.I. (Federal Bureau of Investigation) : 232, 321.
F.D.R. voir ROOSEVELT, F.D.
F.D. Roosevelt (porte-avion) : 210.
F.F.I. (Forces françaises de l'intérieur) : 105.
F.M.I. voir Fonds monétaire international.
Fair Deal : 181, 194, 225, 239-241, 302.
FAROUK Ier, roi d'Égypte : 130.
FAUBUS, Orval E. : 360.
FAURE, Edgar : 339.
Federal Bureau of Investigation : voir F.B.I.
Femmes : 65, 182-183.
Finances voir aussi Conférences — Bretton Woods : 55-57, 65-66, 182, 219, 256, 272, 317, 330, 344, 358, 363-364, 372 note 2, 373.
Flotte de l'Atlantique voir aussi Atlantique (Bataille) : 53.
Flotte du Pacifique : 28, 31, 153, 278, 336.
Fonctionnaires (loyauté) : 232.
Fondation Carnegie : 244.
Fondation Ford : 376.
Fonds monétaire international (F.M.I.) : 110-111, 232.
FOO PING-SHEUNG : 91.
FORD, Gerald R. (Gerry), Prés. des États-Unis : 306 note 23, 390 note 2.
FORD, Henry : 64.
Formose voir Résolution de Formose ; Taïwan.
FORRESTAL, James V. : 229-230.
Fort Benning : 101.
Fort Leavenworth : 52, 100.
France voir aussi Guerre 1941-1945.
DE GAULLE, Charles (France Libre) : 40-41 (Saint-Pierre-et-

Achevé d'imprimer
sur les presses des
ateliers Marquis Ltée
Montmagny, Québec
Canada

Dépôt légal 2ᵉ trimestre 1979